LE PROFESSEUR
D'HISTOIRE

VLADIMIR VOLKOFF

LE PROFESSEUR D'HISTOIRE

roman

JULLIARD/L'AGE D'HOMME

IL A ÉTÉ TIRÉ DE CET OUVRAGE
QUARANTE EXEMPLAIRES SUR
VÉLIN PUR FIL DES PAPETERIES
VAN GELDER DONT TRENTE-CINQ
EXEMPLAIRES NUMÉROTÉS DE 1 A
35 ET CINQ EXEMPLAIRES HORS
COMMERCE NUMÉROTÉS DE H.C. 1
A H.C. 5, LE TOUT CONSTITUANT
L'ÉDITION ORIGINALE

ISBN 2-260-00419-9
© Julliard/L'Age d'Homme 1985

I

Malgré l'apparence, la porte était entrebâillée. On arrêtait sa voiture, on gravissait les marches, on poussait machinalement le vantail sans espérer qu'il cédât. Alors apparaissait une fissure de nuit dans la nuit. Joël, déconcerté, se laissa avaler comme une pièce de monnaie par la fente d'une tirelire.

Derrière lui, la lourde chose gémit et s'encliqueta. Il avançait, les mains mi-tendues. Il faisait encore plus noir ici que dehors. Cela sentait le froid, le moisi, la poussière accumulée, le vide architectural. Joël imagina un relent d'encens gelé.

— Ça sent le latin.

Il traînait les pieds, craignant il ne savait quelle chausse-trape. Pourquoi avait-il tenté sa chance ? Avait-il souhaité une embuscade ? Avant de rencontrer un objet, ses mains le devinaient, à condition de se déplacer lentement et de concentrer leur vigilance. Il sut qu'il allait toucher une barre horizontale de bois poli. Il la toucha. Il pensait à s'installer sur le banc dont il avait empoigné le dossier, quand son pied, moins averti, cogna une traverse. Dépité, il interrogea le vide du regard.

L'obscurité se marbrait, le local allait s'organisant de seconde en seconde. Des stries grises rythmaient le noir, loin, haut, à peine perceptibles. Elles répandaient non pas de la lumière mais une granulation de la nuit. Droit devant, c'était le noir absolu. Joël avança.

Le sol se gondolait, s'affaissait, redevenait plan. A travers les semelles des chaussures de tennis, les orteils de Joël en pre-

Mais, comme une pointe d'accent américain lui avait échappé, ce qu'il entendit fut : Monne Tia !

C'est qu'il y avait eu de l'insincérité de sa part à utiliser le français qui, si bien qu'il le parlât, restait pour lui une langue de luxe, et il ne l'avait fait que parce que *My God* aurait résonné comme un blasphème. Il se corrigea aussitôt, en garçon consciencieux : Mon Dieu. Du reste, il ne s'affligeait pas trop de sa bévue : Mon Dieu, c'est toujours Mon Dieu, nos faiblesses ne raient pas la vitre de son habitacle. « Ce n'est pas Dieu qui est mon copilote, c'est moi qui suis le sien », plaisantait Pop, dont la religion toute pratique, à la limite de l'agnosticisme, atteignait parfois la profondeur par le chemin de l'humilité.

La nuit s'étendait sans limites dans toutes les directions. Sans limites, mais non sans forme. Pour éviter l'abîme courbe qui l'effrayait, Joël dévia vers la droite, perdit l'équilibre, se fit mal. Il s'était heurté à un entassement de bancs amoncelés n'importe comment les uns sur les autres, durs, lourds, anguleux, sûrement jansénistes à l'origine, devenus d'autant plus hostiles au rancart. Joël avait déclenché un début d'avalanche : un instant de panique, il crut que tous ces bancs allaient rouler sur lui, mais la vertu, plutôt que la charité, les retint. Il se releva au milieu d'une flaque de grondements et d'échos qui s'assourdissaient peu à peu. En somme, rien ne s'était produit. L'orteil et le tibia endoloris gardaient seuls une mémoire de l'incident. Joël gravit une marche et s'arrêta au mitan d'un poudroiement de silence et de ténèbres qui semblait monter autour de lui, comme une trombe sur la mer, vers la voûte insondable.

Il se retourna posément, soit pour tenter de mesurer le chemin parcouru, soit qu'il craignît toujours d'avancer vers l'espace incurvé qui, en quelque sorte, résumait le mystère de ce lieu. Jamais Joël n'en avait trouvé un qui fût semblable à celui-ci. Saint-Joseph, à Antimony Creek ? La bonne volonté y suintait des murs. Ici il s'agissait bien de bonne volonté ! Ici c'était du coriace.

A présent il regardait vers la porte par laquelle il était entré, mais il faisait trop sombre pour qu'il pût la voir. Sur les côtés, il commençait à distinguer des pentes qui s'ouvraient vers le haut et que perçaient en altitude des ouvertures au sommet arrondi par lesquelles croulaient des masses de pétales blancs, comme jadis sur la chaussée, pour la Fête-Dieu, prétendait Mom. Il songea soudain à la voiture qu'il avait laissée au bord de la route : « N'ai-je pas oublié les phares ? » La petite Triumph lui parut aussi loin de lui que s'il l'avait abandonnée de l'autre côté de l'Atlantique.

Peu à peu l'espace se solidifiait en contours. Il y avait des voussures et des embrasures. Un dièdre vertical émergea, sur l'arête duquel Joël distingua les jointures des pierres grossièrement taillées. Devant lui, deux travées de trois bancs chacune, séparées par l'allée qu'il avait parcourue à l'aveuglette ; au-delà, le vide. A sa gauche, dans un renfoncement, la montagne des bancs qu'on n'utilisait plus et auxquels il s'était cogné, surmontée par la pâleur d'un œil-de-bœuf. A sa droite, rien de visible. Dans son dos, l'obscurité la plus dure, qu'il n'osait même pas regarder par-dessus l'épaule.

Un frisson le parcourut. Les nerfs ? Les pierres rayonnaient de froid. En même temps, il eut une hallucination, du reste bien conventionnelle. Il lui sembla qu'il était entouré de vitrages rouge et bleu, vastes grilles incandescentes, plus larges en haut qu'en bas, à travers lesquelles déferlait le soleil tonnant des grandes orgues. Puis il crut être un des personnages de ces vitraux, et cette lumière rouge et bleue qui fusait à travers lui, c'était la respiration agitée de ses poumons. Cela ne dura qu'une fraction de seconde, et il se retrouva où il était, au centre d'un opéra de silence.

— Plus d'herbe, se dit-il. Fini, tout ça.

Il avança vers la droite, traînant toujours les pieds mais ne tendant plus les bras. Il y avait au-dessus de lui des encorbellements et aussi des concavités, des masses dérobées, tout un monde en creux. Il se rappela avoir vu, enfant, une carcasse de poupée et avoir passé le doigt à l'intérieur, tâtant, avec frayeur et curiosité, le vide du nez, le trou du menton, la saillie interne des yeux : « C'est comme ça que je suis par le dedans. » A présent, il faisait la même chose : il explorait indiscrètement l'intérieur d'un microcosme.

Il s'engagea dans ce qui lui parut être un couloir, mais n'était qu'un passage dans un mur épais. Une tache laiteuse le guidait, et il se trouva bientôt dans un lieu aisément reconnaissable, encore que désert : une chapelle qui, par contraste, lui sembla d'abord presque claire. Au front du mur, une fenêtre ronde dégorgeait une lumière sourde et trépidante comme un roulement de tambour. Au pied, s'allongeait un bloc rectangulaire aux angles tordus en volutes, autel ou sarcophage, auquel on accédait par deux marches. Joël fit encore quelques pas et poussa un cri : une masse gigantesque avait failli s'abattre sur lui.

Il se jeta de côté, ne sachant plus dans quelle direction il faisait face. La masse ne s'abattait toujours pas, mais elle pendait, inéluctable, parcourue d'un tremblement. Il lui fallut quelques instants pour comprendre que c'était lui qui tremblait, et que l'énorme statue, qu'il devina polychrome bien qu'il n'en pût distinguer les couleurs, ne songeait pas à quitter son socle, encastré dans le mur à hauteur d'homme. A la cuirasse emplumée, au glaive brandi, il reconnut un saint Michel à qui l'ombre de son casque sur son cou prêtait une barbe postiche et qui paraissait d'autant plus redoutable que ridiculisé.

— C'est vrai que j'ai trop d'imagination, pensa Joël contrit. Morbide. Pas viril du tout.

Il avisa un recoin sombre et s'y engagea.

Il déboucha dans un lieu éclairé d'une lumière sous-marine à laquelle les ombres elles-mêmes semblaient participer, comme les plantes oscillant dans l'eau des grands fonds participent aux courants qui les remuent. Cette fois-ci, il serra les dents pour ne pas crier, mais il se crut pendant une seconde environné de noyés, un boulet aux pieds et dodelinant dans la coulée de lumière visqueuse qui circulait autour d'eux. C'étaient, du reste, de bien petits noyés — quatre cinquièmes de la grandeur nature — qui ne lui arrivaient qu'à l'épaule ou à la poitrine, et il se baissa pour mieux les dévisager, croyant partager leur angoisse.

Une femme pygmée, l'expression sereine, la main sur son cœur rayonnant de poignards. Une autre femme, hystérique, la bouche ouverte, la hanche dérobée, le front bruissant d'éclairs. Un barbu avec un bambin dans les bras. Un homme presque nu, la tête enclose dans un buisson de piquants. Un autre, les mains liées dans le dos, une jambe relevée, des baguettes écaillées lui sortant de l'estomac, du cou, du gras des bras. Un homme mitré, la crosse en main, pas de nez. A moitié accroupi, Joël cheminait parmi eux, partagé entre la terreur et le fou rire. Pour un peu, il les aurait touchés, mais cela lui semblait déplacé ; simplement, il tendait quelquefois le doigt et dessinait dans l'air le contour d'une pommette ou d'une coque de cheveux. C'était curieux de voir comme, les couleurs de ces grotesques se fondant dans la lumière cendrée dont ils étaient baignés, on devinait pourtant leurs rouges, leurs marrons, leurs ocres, leurs bleus criards, par la magie de quels souvenirs perdus et retrouvés ?

— Je préfère celle-ci.

Une guerrière en armure dorée, une longue épée au côté, brandissait une oriflamme. Elle avait les cheveux coupés au bol et les yeux exorbités. Un des coudes, endommagé, laissait voir son armature de fil de fer. Toute l'assemblée sentait le plâtre écrasé.

Joël, se relevant, croisa le regard de saint Michel qu'on n'avait pas encore flanqué au dépotoir.

— Trop lourd, je suppose.

Il se dressait là-haut, planant sombrement sur sa chapelle qu'il semblait emplir du vrombissement de ses plumes, de ses écailles, de ses ailes, de ses armes, de tout son tumulte tacite. Il devait bien faire huit ou neuf pieds, lui, de la pointe de la botte à l'extrémité de la lance. On comprenait que les proscripteurs eussent hésité à se frotter à lui.

Un instant, Joël se demanda si l'une de ces statues limogées pourrait faire plaisir au père Pat de Saint-Joseph : « Une souscription ? Ou alors je prends l'une d'elles sous le bras et je la rapporte ? » Mais il renonça à l'idée, par indolence : « Il y a peut-être des règlements de douane. »

Acclimaté, il rebroussa chemin, se demandant ce qui l'avait forcé à arrêter la Triumph devant cette église échouée au bord de la route, comme tombée de la gigantesque brouette aux églises qui a sillonné la France pendant des siècles.

— J'étais pourtant sûr que la porte serait fermée...

Quel marguillier distrait, quel sonneur ivre (mais y a-t-il encore des sonneurs et des marguilliers ?) avait oublié de tourner sa clef dans cette serrure ? Résultat...

— Résultat, rien. Je me suis fait mal.

Il se frotta le tibia.

Revenu dans la nef, son humeur changea de nouveau. Il y avait toujours, à sa gauche maintenant, la caverne ronde et noire du sanctuaire d'où le mystère, plus dense qu'ailleurs, émettait ses radiations d'une infinie dureté.

— Pas de sanctuaire ici. C'est désaffecté.

Pourtant, contre toute vraisemblance, il chercha du regard l'œil rouge de la Présence réelle. Il fut déçu, presque vexé, de n'en pas trouver. Il aurait dû y en avoir un par miracle, comme la porte s'était ouverte par miracle.

Il pénétra alors dans le chœur : bravade pure.

Là aussi, il y avait un autel : un simple cube, déposé sans art, pour la seule utilité. Joël avança la main, mais n'osa pas effleurer « la sainte table ». La bande aurait bien ri. Ils auraient tous fait des galipettes sur cette pierre s'ils avaient imaginé qu'elle pût contenir un mystère à quoi faire la nique. Pas étonnant : ils n'étaient pas au courant. Ils n'avaient pas été initiés au secret dont Joël portait en lui la lèpre sacrée.

Il contourna l'autel, ayant le sentiment de rencontrer une résistance élastique toujours plus forte, et se trouva au fond de l'abside, au plus noir du temple. Sa peur redoubla. Il n'avait plus que peur, il n'était plus que peur, il ne savait pas de quoi.

Il interrogea sa conscience. Oui, l'action à laquelle il était résolu contrecarrait le secret qu'il détenait, mais pas plus que tant d'autres actions interdites et admises. Le duel répugnait médiocrement aux chrétiens des siècles passés. Les obligations de la vie en société ont priorité. La peur de Joël ne venait pas du dedans de lui, mais du dehors. Elle était causée par un objet réel encore qu'inconnu. Il se sentait comme un très petit animal entre les pattes d'un très gros.

Des réminiscences s'ajoutaient à cette sensation sauvage, lui prêtant une vraisemblance anecdotique. Des noms ténébreux comme *Damnation, Dante, Anathème, Torquemada* fulminaient sombrement dans la mémoire de Joël, ignorant de l'histoire, mais, à son corps défendant, hanté de mythes. Après tout, il fallait peut-être prendre l'Église au sérieux, et, dans ce cas, même la gourmandise, même la fornication étaient défendues. Poussons plus loin : « Saint Michel est peut-être vraiment capable de quitter son socle, de me passer sa lance au travers du cou comme un croc de boucher français, et de m'emporter dans les airs. »

Par-dessus l'autel, Joël fit face à la nef, tel le père Pat célébrant la messe d'onze heures.

— Moi aussi, après tout, je pourrais être curé, puisque je connais le secret honteux.

Et alors il les vit. Innombrables.

Non seulement la nef était maintenant bourrée de bancs jusqu'au portail, et, perpendiculairement, jusqu'aux deux bouts du transept, non seulement les fidèles se pressaient sur ces bancs, se coudoyant, s'écrasant, les uns s'étalant, les autres se faisant infimes, mais ils se chevauchaient, se superposaient, le même volume contenant non pas un, mais dix, mais cent visages, les nez, les bouches, les yeux s'enchevêtrant dans une palpitation incessante, reniflant, mastiquant, clignant, les pommes d'Adam montant et descendant sans qu'on pût distinguer à qui elles appartenaient, les fichus, les châles se soulevant sans qu'on sût quelle gorge ils voilaient, les sabots broyant sous les bancs les poulaines, et les mains, des millions de mains, traçant en l'air des milliards de croix, un cimetière de croix, une tapisserie de croix simultanées, tous les signes de croix qui eussent jamais été faits dans cette église.

Un coup de projecteur blanc-rose et, à droite, la chaire sculptée, tarabiscotée, avec angelots, guirlandes, lyres, festons, flûtes, nœuds plats, cornes d'abondance, mignons accessoires de la Passion, s'illumine. Aussitôt, du haut de la chaire, les surplis, les aubes, les chasubles, les rochets se mettent à gesticuler, à clamer silencieusement, se mêlant les uns aux autres, comme sur la même pellicule exposée mille fois. Joël ne connaît pas les noms de ces ornements, et pourtant ses yeux les voient : la preuve qu'il n'invente rien.

Un autre projecteur, vert-noir, débusque lentement le confessionnal tapi au fond, dans un coin, à l'affût. Le rideau, vert moisi, frémit. Devant, des queues de pénitents sans nombre se pressent, se bousculent, se relaient, s'agenouillent, se marchent sur les pieds, pénétrant les uns dans les autres sans discernement, comme si l'espace était à tout le monde, pourvu qu'on habite un temps différent. A l'intérieur, entre les deux grilles, une cohue de prêtres : grotesquement installés sur les genoux les uns des autres — il y en a une bonne centaine qui sont bouclés là — ils absorbent simultanément le flot d'immondices monotones qui se déverse dans leurs oreilles, envahit la petite boîte puante, bouillonne, rancit, ne s'épuise pas... Ils pompent.

En haut à droite, les fenêtres blanchissent de degré en degré, comme le fer dans le feu, sous le bombardement lunaire qu'elles subissent. Un troisième projecteur plaque son spot sur l'autel, et Joël se cache le visage dans les mains. Il ne veut pas se voir là, sa grande tignasse d'argent blanc penchée telle une chevelure de sorcière, et, devant lui, cette goutte de sang, cette coupe de sang, cette tache de sang qui s'élargit, ces gallons de sang qui se déversent à cet endroit depuis huit cents ans, ces hectolitres de sang jamais tari, jamais caillé. Il ne veut pas.

Il appuie si fort sur ses yeux qu'il voit mille soleils, et puis, quand il cesse d'appuyer, qu'il relève les paupières et la tête, il ne voit plus rien.

— Non, mon Dieu : pas aveugle !

Alors il distingue les trois hublots blancs qui voguent à droite, et les deux hublots sombres qui leur font face, et la nef enténébrée-encalminée qui semble attendre. Quoi ? Le jour où toutes les nefs amarrées de par le monde découvriront enfin leur nature véritable et appareilleront pour rejoindre leur port de destination, quelque part du côté de Josaphat. C'est vrai qu'il lit un peu trop, Joël. Il ferait mieux de jouer au football, avec les autres. Ça fait du bien de se rentrer dedans, épaule contre épaule. Cependant Pop a dit : « Il ne faut pas non plus forcer sa nature. » Soudain, le long d'un mur, comme une goutte de mercure filant rejoindre le gros des gouttes. Un rat ? En français, on dit « pauvre comme un rat d'église » et aussi « les rats quittent le bateau ».

Joël traverse l'église à grands pas et sort. Le clair de lune englue le monde comme du miel. Pourtant l'air est léger.

Sur le rebord de pierre qui délimite le bref parvis, une fille.

Assise, voûtée, lisse, luisante, léchée de lune, avec ce visage spectral qu'imprime la nuit, quand les lumières deviennent des ombres et les saillants des rentrants : un négatif.

II

Il marcha vers elle, portant sa chevelure blanche comme un buisson d'antennes hérissées, tordues, étincelantes. On l'aurait pris pour quelque extra-terrestre.

— Qu'est-ce que tu fais là, toi ?

Elle s'était levée, gauchement.

— Je ne voulais pas que tu disparaisses comme ça.

— Les autres ?

— C'est toujours déguisé. Ça danse. Et c'est bourré comme d'habitude. Pourquoi es-tu parti ?

Il haussa l'épaule.

— Assez d'eux.

— Mais pas de moi ?

Elle lui posa la main sur la poitrine. Il recula.

— Vous me faites tous vomir.

Elle le regardait, les lèvres entrouvertes, paraissant, dans le clair de lune, de la même teinte cendrée que les cheveux.

— Moi, dit-elle tragiquement, j'ai envie de toi.

Elle ajouta, technique :

— Je ferais tout ce que tu voudrais.

Il vérifia d'un coup d'œil qu'il n'avait pas laissé allumés les feux de la Triumph décapotée et vit la petite Renault qui, éclairée de l'intérieur, s'était collée derrière, pare-choc contre pare-choc.

La fille épiait le visage de Joël. Elle dit, les lèvres remuant à peine, gourdes :

— Dehors, ce serait bon.

Ils regardèrent autour d'eux. La petite église déhanchée, les maisons du village, endormies sous leur gâbles et leurs cheminées, les arbres gainés de lune, formaient un décor d'opéra, impondérable. Au contraire, l'air frais qui picotait les poumons était bien réel : il sentait la terre meuble et le tilleul. Joël ne répondait pas, ne bougeait pas.

— Je ne suis pas bossue. Ce n'est pas parce que je boite ! Ça ne gêne pas.

Elle fit un pas vers lui, les bras écartés pour l'enlacer, comme si c'était elle le garçon. Joël regardait à travers elle. Il ne voyait ni les yeux gris dans le visage un peu large, ni les rondeurs des épaules et de la gorge sous la petite robe d'été.

— Ou alors, dit-elle, si tu ne veux pas dehors, on pourrait aller se damner dedans.

De la tête, elle désignait l'église derrière lui.

— Ne me dis pas que tu n'aimes pas les filles : tu serais le troisième en huit jours.

Il chercha honnêtement une réponse.

— Pas la tête à ça.

— Je n'ai rien à en faire, de ta tête.

— Laisse-moi tranquille... (Comme à regret, il prononça le prénom rare :) Omphale.

Par un reste de politesse, il expliqua d'un ton soucieux, pour s'excuser :

— Je vais voir mon père.

— Il habite dans le coin ?

— Il paraît.

— Alors l'Amérique ?

— C'est ma mère.

— Américaine ?

— Remariée.

— Ah ! bon. Et... (Elle rattrapa maladroitement la conversation :) Comment il est, ton père ?

— Sais pas.

— Tu l'as vu quand pour la dernière fois ?

— Me rappelle pas l'avoir jamais vu.

— Et tu veux me faire croire qu'il t'attend aujourd'hui à onze heures du soir ?

— Il ne m'attend pas.

— Tu veux dire que vous ne vous êtes pas vus depuis vingt ans et que tu lui fais le coup de la surprise ? « Coucou, papa, c'est le fiston » ? Je veux voir ça, moi. Tu m'emmènes, Joël ? Tu diras que je suis ta petite amie, et moi, je ne ferai pas plus de bruit qu'une souris. Tu verras, je sais aussi me tenir dans le monde : le général m'a dressée.

Sans répondre, Joël se dirigea vers la Triumph. Quand lui était venue cette idée d'aller voir son père ? Lorsqu'il avait été invité à Sourdevoie et qu'il s'était aperçu de la proximité des deux adresses ? Ou bien, en montant dans l'avion, s'était-il dit : « Je vais profiter de l'occasion pour faire la connaissance du paternel. » ? Ou bien était-ce quand il avait rendu visite à la petite blonde aux épaisses lunettes, à l'agence de voyages d'Antimony Creek ? Ou avait-il toujours eu ce désir au fond de lui, lové comme une marmotte en hibernation ? Ou ne s'était-il inventé cette échappatoire que tout à l'heure, quand il avait ressenti cette soudaine nausée qui l'avait mis en fuite ?

— Attends-moi !

Omphale courait après lui en boitillant. Elle tira de la Renault une petite valise joufflue en peau de porc.

— J'avais deviné que tu partais pour de bon.

Elle la jeta sur le siège arrière de la Triumph, à côté du sac de toile bleue de Joël :

— Regarde : ils ont l'air marié.

Joël se faufila sous le volant et ouvrit l'autre portière. Pourquoi emmenait-il cette fille, dont il ne voulait pas ? Avait-il peur d'affronter seul son père, cet inconnu ? Cherchait-il à rompre moins brutalement avec un monde qui l'écœurait mais auquel il était habitué ? Au fait, qui parlait de rompre ? Demain sans doute il rentrerait à Sourdevoie, et puis ce serait Cannes, et les îles grecques, et l'avion, et les cours d'informatique, et les week-ends dans la baraque que Cathy avait hérité de ses grands-parents à Palm-Beach, ou dans le studio que Mitzi s'était payé à Cape Cod, ou dans le chalet que Linda se faisait construire en pleines Smokies... « Je vais bientôt finir de me tourmenter ? Ils ont raison : je ferais mieux de jouer au football. J'ai la taille. »

Il mit le contact, rageusement.

— Tu as dû laisser une portière ouverte dans ta bagnole.

— Il n'y a rien à voler.

— La lumière est allumée.

— Il n'y a rien à cacher.

— Tu vas vider ta batterie.

— A quoi ça sert, une batterie ?

Il emballa le moteur, rasant au plus près, dans le village tortueux, les arches, les piliers, les lavoirs, les troncs des arbres et les camionnettes qui dormaient inconfortablement, deux roues sur le trottoir. Il pensait avec satisfaction aux villageois qu'il réveillait de ses vrombissements.

Omphale se tenait tranquille. Il avait craint qu'elle ne se mît, pour le moins, à lui caresser la cuisse — rien de plus désarmé qu'un garçon au volant — mais elle se rencoignait, roulée en boule, petite chose sans plus d'importance que la Renault abandonnée au pied de l'église désaffectée.

Il roulait depuis quelque temps quand Omphale demanda :

— Tu lui ressembles ?

— Sais pas.

— Tu as bien vu des photos ?

— Non.

— Un dur divorce ?

— Sais rien.

— Alors ton nom n'est pas ton nom ?

— Pop m'a adopté.

— Ça n'a pas gêné ton père ?

— Pas eu l'air.

— Comment il s'appelle, lui ?

— Foncrest.

— C'est un village, Foncrest. Et un château. Il est à lui ?

— Devrait.

— Enfin tu as l'adresse, puisque tu y vas.

— Je vais au Manoir de Regray.

— Au Manoir du Regret ?

— Pas *du* : de. Et *a, i grec*.

— Je ne connais qu'une rue de Regray. En ville. Il a du blé, ton père ?

— Je présume.

— Il t'envoie de beaux cadeaux ?

— Jamais. Des cartes à Noël. « Sois respectueux avec ta mère et poli avec M. Paterson. »

— De toute façon, même s'il n'a pas de blé, c'est ton père.

— Pour le moment, j'espère sérieusement qu'il en a.

Intérieurement : « Est-ce pour cela que je vais le voir ? Parce que j'ai besoin d'argent pour l'histoire de Marj ? »

— C'est drôle que tu sois Français. Pour moi, tu étais l'Américain type.

Il freina :

— Tu veux descendre ?

Elle secoua la tête dans son coin. Au bout d'un moment, il parla pour lui-même.

— J'avais une copine. Parents divorcés. Un frère. Ils étaient restés avec la mère, naturellement. Le soir, ils se rendaient visite de chambre à chambre et ils parlaient à voix basse. Ils avaient pris l'habitude enfants ; jeunes, ils ont continué. Un seul sujet, chaque nuit, toutes les nuits : papa. Ils ne le voyaient jamais. Il était pilote d'avion de chasse, dans la marine. Le beau-père vendait des voitures, ou des assurances, ou des saucisses. Un jour, le frère dit à la sœur : « Je n'y tiens plus, j'y vais. » La mère était contre. Sous prétexte d'un voyage, donc. « Tu es bien heureux d'être un garçon, l'aîné », tout ça. Il y va. Le père avait démissionné. Il possédait sa propre compagnie d'avions-taxis. Barrage de secrétaires. Le garçon, timide, ne réussit pas à se faire recevoir. Il rentre. « Ce que c'est empoté, les gars. Tu verras, l'année prochaine. Je suis en train de mettre des sous de côté. » Elle attend un an. Elle s'invente une invitation chez des amis. Elle traverse les États-Unis d'est en ouest : par économie l'autocar, la crasse, trois jours, trois nuits. Elle arrive à Santa Barbara. Elle se pomponne : mignonne, impeccable. Elle se présente. A l'hôtesse elle donne son nom légal, celui du beau-père, puis elle commence à expliquer. On ne l'écoute même pas. Reçue immédiatement. Le père se lève, grand, bronzé, petite moustache, blazer blanc à boutons de cuivre. « Ma chère petite fille, que puis-je pour vous ? Voulez-vous dîner avec moi ce soir ? Asseyons-nous sur ce divan, nous serons plus à l'aise pour causer. » Et il glissait sa main sur les coussins, comme ça, la paume vers le haut, déjà ouverte.

— Et alors ?

— Ma copine a pris le premier vol pour rentrer.

Ils roulaient.

— Éteins tes phares, dit Omphale.

Il éteignit sans demander pourquoi, cultivant une certaine indifférence. La Triumph arrivait sur un plateau, la route courait entre deux rebords d'herbe, à peine exhaussés. La nuit, un instant plutôt brutalement cisaillée par le soc double des phares, s'offrit telle qu'elle était, en douceur. Des arbres de velours piquetaient le ciel de jute vert. Ce n'était plus un décor d'opéra mais de ballet. La Triumph semblait avoir décollé de la chaussée : elle roulait au ralenti à même la nuit.

— Enfin c'est du vrai, murmura Omphale.

Par la vitre ouverte, elle trempa sa main dans la nuit régénérée. Malgré le ronron du moteur, on croyait entendre le silence, et on s'imaginait, phares éteints, respirer les haies et les fumiers.

— Chez nous, dit Joël, ce n'est pas comme ça. Les cigales, les grillons, ça grésille ; les grenouilles dans les arbres, ça fait un tapage ! La nuit, il y a plus de bruit que le jour. Tu connais l'Amérique ?

— *Yes, man, yes.* Le général y a attendu ses étoiles assez longtemps, pendant que sa fille se payait les sophomores de Princeton.

— Comment les as-tu trouvés ?

— Désodorisés.

Des phares se montrèrent au loin. Joël ralluma les siens, et la nuit battit en retraite, sur la pointe des pieds.

— C'est comment, un père français, Omphale ?

— Ça dépend. Le général s'attend toujours à ce que je me mette au garde-à-vous devant lui, ou que je lui fasse la révérence. Ou plutôt non : il aimerait, mais il ne s'y attend pas : c'est ce que je lui reproche. Moi, dans le fond, ça me plairait, mais comme je sais qu'il m'en veut de ne pas compter sur quelque chose à quoi il croit avoir droit — si tu me suis — je ne le fais pas. Il faut l'entendre blaguer « Chez nous, c'est le soviet » ou pontifier « Je me suis imposé de ne jamais donner un ordre à mes enfants » : pitoyable ! C'est le soviet parce qu'il l'a voulu. Il ne me pardonne pas de n'avoir jamais osé me flanquer une fessée. Dieu sait pourtant si j'en méritais. Un jour je suis même allée lui en mendier une.

— Tu avais quel âge ?

— Treize ans peut-être.

— Qu'est-ce que tu avais fait ?

— Rien ! Je voulais voir s'il était vraiment un père. Raté : il n'a pas marché. Pourtant lui, dans son enfance, c'était la cravache et merci papa. Quel genre d'homme c'est, ton père à toi ?

— Mom ne m'en parle jamais. A ses amies elle laisse entendre qu'il était du genre play-boy. Elle a une formule : elle prétend qu'après la guerre il a été compagnon de la Libération sous un nom et condamné à l'indignité nationale sous un autre.

On arrivait en ville. Des masses sombres canalisaient la route. La chaussée cahotait. Des réverbères au néon plaquaient leur barbouillage violet sur des façades aux volets fermés. Pas un rai aux fenêtres. On sentait les portes verrouillées, les alarmes bandées, prêtes à se déclencher.

— La douce France, dit Joël.

— La province, dit Omphale.

— Le Moyen Age, dit Joël. Les Sarrasins vont attaquer.

Aussitôt, il se reprocha cette remarque trop savante.

A la rencontre de la Triumph montait, des entrailles de la ville, une vaste phosphorescence. On ne voyait pas ce que c'était, mais, au-dessus des toits pentus, cela éclipsait la lune. Au tournant d'une rue, la source lumineuse se révéla : s'érigeant au centre d'une place pavée, une église de céruse et d'argent, tout amidonnée, toute crénelée, toute dentelée, avec des gâbles fleuronnés, des arcs-boutants, des aiguilles, des pendentifs, était soumise au tir muet, obstiné, de plusieurs batteries de projecteurs embusquées au pied du parvis, autour du chevet, derrière les clochetons, déchargeant leurs kilowatts-secondes sans un relâche, sans un clignement, au seul profit — si la Triumph n'avait pas été là — d'un chat noir qui traversait la place en diagonale, posant ses pattes avec affectation, comme si les pavés étaient mouillés.

Joël ralentit. Cette châsse fouillée-ciselée lui paraissait, sous le bombardement des projecteurs, infiniment plus belle que l'austère église de tout à l'heure, mais il n'éprouvait aucune envie de pénétrer dans ce brasier de pierre. Voir suffisait, et il s'emplit les yeux de ce crépitement de formes lancéolées, au-dessus duquel s'arrondissait une coupole qui semblait faite de brume, mais n'était que la zone d'interférence entre la lumière de la lune et celle de l'électricité.

Soudain, toute cette architecture de plomb et de craie sombra. Un instant, il n'y eut plus rien au monde — la Triumph fut suspendue dans l'espace —, et puis quelqu'un ralluma le clair de lune, et l'édifice revint à sa place, ombre parmi les ombres, sans piques, sans flammèches, sans trémulation : un rectangle debout, un rectangle couché, et c'était tout.

— Les projecteurs ont trahi, dit Omphale. On doit les éteindre à une certaine heure. C'est tout de même un peu mufle de leur part.

— Ils n'allaient pas tenir leur cathédrale à bout de bras toute la nuit. Où est-elle, ta rue de Regray ?

— Je vais te guider.

La rue de Regray serpentait, puis filait droit, puis s'incurvait à nouveau. Le numéro 214 devait être au bout. « Normal : un manoir ; bordure de campagne. »

Une grille fort ordinaire ancrée dans du ciment. Sur un panneau, une inscription en lettres gothiques : Manoir de Regray.

— Il a dû vendre les terres et lotir, dit Omphale. Cela s'est beaucoup pratiqué jusqu'au moment où on a compris que la terre...

— Le bon Dieu n'en faisait plus, acheva Joël avec irritation. Slogan publicitaire. Je connais.

Il venait de se rappeler ce que, plus tôt, il avait complaisamment oublié. L'adresse complète de son père était : Manoir de Regray, 12-1.

En guise de manoir, des blocs de brique à un étage, avec douze portes par bloc et deux escaliers extérieurs en béton, avec une rampe de fer, avaient été distribués sur une pente descendante, sans ordre apparent. Des pins poussaient çà et là pour faire nature. Une borne ancrée dans le sol répondit 12 lorsque les phares de la Triumph l'interrogèrent. De petites voitures étaient garées dans des cases dessinées sur le macadam. Joël en trouva une pour la Triumph.

— Ça ne peut pourtant pas être là. Je vais me renseigner.

Omphale désigna sa montre digitale, maintenue à son poignet par un ruban de tissu mauve.

— Hé, dis donc, l'Amerloque. On est en France.

Il ne l'écoutait pas. Il descendit en ciseau de la voiture décapotée, prenant plaisir à faire jouer la machinerie de ses muscles. Cela lui rappela des gravures qu'il avait vues à son cours d'histoire de l'art : l'homme-microcosme écartelé aux dimensions d'un cercle ésotérique. On enjambait une dérisoire petite portière, et on était l'homme universel.

Quatre à quatre, il gravit l'escalier. Il n'aimait pas la forme des fenêtres, plus larges que hautes. Sur une porte faite d'une seule pièce, percée d'un judas optique, un chiffre 1 prétentieux, cloué avec de petits clous de cuivre, faisait le beau. A droite, une sonnette.

Joël s'adossa un instant au mur. Il était exténué. Il avait peur. Il fut tenté de redescendre l'escalier. Et Marj ? Il appuya l'index sur le téton sonore. Il s'attendait à un ding-dong affable, mais la sonnerie métallique qui retentit au-dessus de son oreille ressemblait à celle qui marquait la fin des classes à l'université d'Antimony.

En contrebas, dans la Triumph, Omphale, pelotonnée, paraissait dormir.

III

L'homme était moins grand que Joël, mais si mince qu'il paraissait plus élancé, encore qu'il se tînt légèrement voûté. Il portait un complet de velours côtelé marron, une chemise bise, une cravate marron, tricotée, de vieilles chaussures de daim. Il avait un long visage bistre et des yeux noisette foncé. Il prononça d'une voix affable, mais distante :

— Monsieur ?

Machinalement, Joël parla anglais :

— *My name is Joel Paterson. Paterson with one T.*

L'homme saisit-il le nom, ou quelque ressemblance intérieure entre lui et ce grand garçon qui se tenait sur le seuil, la tête blanche, hirsute, galvanisée de lune, le visage en forme de lanterne ? Il n'hésita pas.

— Vous êtes Joël. Entrez.

Il reculait, indiquant d'un geste large son logement.

Joël passa sa langue sur ses lèvres et suivit son père à l'intérieur. Des livres couvraient les murs. Joël n'avait jamais vu tant de livres, sauf à l'université. Il y avait une table servant de bureau et deux fauteuils de cuir râpé, trop amples pour cette pièce de dimensions mesquines, au plafond bas. Les deux hommes se tinrent debout, le cadet dévisageant, l'aîné se laissant dévisager avec bonne grâce.

— Cet homme est mon père, pensait Joël, sentant son cœur donner de grands coups de boutoir dans sa poitrine. (L'herbe, toujours ? Plus jamais d'herbe !) Mais qu'est-ce que cela signifie au juste ? Qu'un certain jour du calendrier, dans un lieu géographique précis, sur un meuble qui existe peut-être encore, ce monsieur a fait cadeau à Mom d'un certain nombre de spermatozoïdes dont l'un était moi, ou plutôt est devenu moi après s'être mélangé avec les cellules correspondantes fabriquées par Mom. Cela veut-il dire qu'il y a un rapport véritable entre ce monsieur et moi, ou ne s'agit-il que d'un hasard biologique sans intérêt ? Tout cela s'est passé à un niveau microscopique sans correspondance avec celui auquel nous vivons. Quels liens y a-t-il entre moi et lui ? Aucun. A la limite, on pourrait imaginer que ma mère ment quand elle affirme qu'il est mon père. Reste une considération pratique : c'est à lui que je viens demander de l'argent.

Au fait, il y aurait peut-être là une difficulté : le pantalon de « ce monsieur » brillait aux genoux et sa chemise peluchait au col.

— Asseyez-vous, dit Foncrest, avançant le moins usé des fauteuils. Je suis ravi que vous ayez trouvé un moment pour me rendre visite. J'ignorais même que vous fussiez en France. Pardonnez un mouvement de curiosité : les oxygénez-vous ?

Joël se sentit rougir jusqu'entre ses cheveux qui en parurent d'autant plus blancs. C'était vrai. Il aimait l'air norvégien que lui donnait cette blancheur peu commune et il l'entretenait soigneusement par des moyens cosmétiques. Il bredouilla platement :

— Pas beaucoup.

Il s'affala dans le fauteuil et son poids en écrasa les ressorts, si bien qu'il sentit l'armature de bois lui meurtrir la cuisse. Foncrest s'assit en face de lui, le dos ne touchant pas le dossier, une jambe repliée, l'autre allongée, les avant-bras posés sur les genoux, donnant une impression d'aisance sans abandon.

— Dites-moi d'abord comment va votre mère.

— Mom ? Ça va. Pas trop contente de me voir partir avec la bande, mais ça va.

— Comment l'appelez-vous ?

— Mom. Elle déteste.

— Et M. Paterson, comment se porte-t-il ?

— Ça va. Pop, ça va toujours.

— Y a-t-il longtemps que vous êtes en France ?

— Deux mois. J'ai décidé d'interrompre mes études pendant un semestre.

— Ah. Et qu'étudiez-vous au juste ?

— Je me spécialise en informatique. Ça a beaucoup d'avenir.

— Savez-vous que vous parlez parfaitement le français ?

— Merci. A propos... Tu ne veux pas me dire tu ?

— Certainement. Vous avez raison. Tu as raison. Cela se fait.

— Et comment vais-je t'appeler ?

— Comme tu voudras.

— Frédéric ? Fred ? Mom dit toujours Fred.

— A tout prendre, je préférerais que vous m'appeliez père, ou papa. C'est la seule relation dont nous soyons sûrs, quoi ? (Joël n'avait jamais entendu le mot *quoi* lancé de cette manière, comme une petite balle dure de base-ball, avec un geste sec du menton, pour accompagner.) Nous avons déjà trop eu l'occasion d'oublier qui nous sommes l'un pour l'autre. Remarquez : nous sommes excusables ; mais pourquoi nous induire en erreur exprès ?

— Tu ne crois pas que ce serait mieux si on oubliait complètement ?

— Non, je ne le pense pas. Il me semble qu'il y a deux sortes de relations : celles qui sont données et celles qu'on choisit. Nous ne nous connaissons pas. Rien ne prouve que, en nous connaissant mieux, nous nous plaisions, nous nous choisissions. Tandis que père et fils, nous le resterons, malgré nous s'il faut.

Joël regardait les iris noisette de son père, nageant dans une sclérotique très blanche, finement veinée de rouge.

— Moi, je crois que ce qu'on n'a pas choisi, ce n'est rien. Mettons : j'ai un frère. S'il n'est pas mon ami, il me sert à quoi ?

— Assurément, c'est une façon de voir les choses. Mais vous ne vous êtes pas choisi de sexe masculin.

— Je pourrais changer si je voulais.

— Vraiment ?

— Les transsexués, ça existe.

— Vous ne vous êtes pas choisi Français, ni Américain.

— Je peux choisir entre les deux.

— Vous n'avez pas choisi de naître dans la race blanche, de vivre au XXe siècle. Vous n'avez pas choisi de croire en Dieu.

— Qui te dit que j'y crois ?

— Alors vous n'avez pas choisi de ne pas croire en lui. Il me semble que c'est ce que l'on choisit qui est, au sens propre, secondaire. On choisit ce qu'on choisit en fonction de données primaires qu'on ne choisit pas : la race, le milieu, le moment, comme disait le bon vieux Taine. Voulez-vous boire quelque chose ?

Joël fut soulagé de toucher enfin terre.

— Un scotch avec beaucoup de glace.

— Impossible, mon pauvre : d'abord je n'ai pas de viski, et puis ma glacière a brusquement refusé de fonctionner.

— Pourquoi ?

Foncrest fit un geste d'ignorance délibérée :

— Ces bêtes-là...

— Je peux jeter un coup d'œil ?

La cuisine donnait directement dans la salle de séjour qui servait de bibliothèque. Un évier, un réchaud, un placard : à peine plus qu'une kitchenette. Le réfrigérateur était débranché. Joël remit la grosse prise française en place et « cette bête-là » se remit docilement à ronfler. Foncrest, qui observait la scène d'un air méfiant, s'étonna sans excès.

— Mon cher, vous faites des miracles. Grâce à vous, dans une heure ou deux, nous aurons de la glace, mais cela ne nous donnera toujours pas de viski. Aimeriez-vous partager un fond de corbières ?

Deux mois plus tôt, Joël n'aurait pas su dire que les verres, sans pied, venaient du supermarché, ni juger le vin à l'étiquette, encore moins au goût, mais il avait suffisamment pris l'air de la France pour deviner ce que tout cela signifiait, et il en fut gêné. Non seulement à cause de la demande qu'il était venu faire, mais aussi parce qu'il trouvait déplacé que son père à lui, Joël Paterson avec un seul T, fût misérable. C'était déjà assez pénible de n'avoir pu s'offrir en France qu'une Triumph d'occasion, alors que Phillip s'était fait précéder de sa Corvette bleue.

Sur un tiers de la vieille table, modérément encombrée de
papiers et de livres — de quel office de campagne sortait-elle,
avec ses pieds lourdauds, son dessus tailladé, brûlé, marqué de
ronds noirs ? —, Foncrest jeta une serviette blanche damassée,
reprisée par-ci et trouée par-là, disposa dessus la bouteille — il
en restait un quart environ — et les verres, embrumés par des
lavages négligents. Il servit une bonne goulée à son fils, se versa
un fond, et, penchant la tête de côté, questionna :

— Alors, racontez-moi. Vos opinions politiques ? Vos ambitions ? Vos amours ?

Joël avait pour la pauvreté le mépris anglo-saxon, protestant,
le mépris du Nouveau Monde où raté équivaut à maudit. Celui
qui ne « fait » pas d'argent se déshonore, et le déshonneur sent
le soufre. Foncrest était-il incompétent, paresseux, distrait ? Ou
peut-être était-il excentrique et vivait-il de la sorte par un goût
morbide du paradoxe ? Attitude déplorable, certes, mais tout de
même moins grave que le dénuement.

Tout en rêvant ainsi, Joël observait les mains de son père,
maniant les verres à moutarde et la bouteille, la paume sur l'étiquette, sans fioritures du poignet, mais conscientes, semblait-il,
du plaisir de régaler. Joël n'avait jamais pensé que des mains,
des mains d'homme surtout, pussent être belles, mais il remarqua que celles-ci étaient bien proportionnées, foncées, à peine
velues sur les phalanges, délicates et agiles.

— La politique, dit-il d'un ton dégoûté, à quoi ça sert ?
Tous pourris. Mes ambitions ? Gagner de quoi vivre. Bien
vivre.

— Tout de même, votre idéal ? L'américanne oueille of laïf,
le bigueur and betteur, le mek lov not ouor ou le betteur rède
zann dède ?

Joël allongea les jambes jusqu'au milieu de la pièce.

— Dans les années soixante-dix, nous avons eu les enfants
fleurs. Nous sommes plutôt les enfants fruits, si tu vois ce que
je veux dire. Le monde est peut-être tordu, mais renoncer aux
salles de bain n'est pas une manière de faire la révolution.

— Cependant il est souhaitable de faire la révolution ?

— Pas vraiment. Les excités des années soixante le
croyaient, mais c'était une triste génération.

— Et avant ?

— Tu penses aux années cinquante ? Aux comédies musicales ? Aux tapettes ?

— Vous voulez dire : aux claquettes.

— La même chose. La génération des quarante, eux, ils étaient prêts à mourir pour démontrer la supériorité des dentifrices américains sur l'idéologie nationale-socialiste.

— Et ceux des années trente ?

— C'est déjà presque le Moyen Age, non ?

Leurs regards se croisèrent et, pour la première fois, s'évaluèrent mutuellement.

Joël voyait un homme d'une bonne cinquantaine d'années, un peu éraflé, un peu écaillé, humble par certains côtés, mais ne paraissant nullement conscient de ce que sa position sociale, si elle n'était pas jouée, avait de proprement humiliant. Son visage était marqué, ses dents abîmées, ses cheveux un peu clairsemés : on voyait dans tout cela l'érosion de la vie, mais ses yeux chauds et ses mains sereines rayonnaient doucement d'harmonie et de paix. Les yeux qui avaient regardé, les mains qui avaient caressé Mom.

Foncrest voyait, sous la carapace des cheveux blancs, un visage en losange, un peu rougeaud, des yeux bleus presque noirs, un cou mince, une chemise écossaise, des bras trop longs pendant entre les cuisses, un blue-jean bas sur la hanche, des jambes jetées de côté et d'autre comme celles d'un pantin.

— Mon fils. En d'autres temps, l'héritier. Le fils de Bathilde. Il lui ressemble bien plus qu'à moi.

Les yeux noisette dans les yeux encre. Une plaisanterie pas encore partagée, mais affleurant déjà de part et d'autre : Joël se moquait de son ignorance de l'histoire en l'exagérant, Foncrest prenait acte de l'ignorance et de l'exagération.

— Je vous pose ces questions, reprit-il, parce que je m'aperçois que l'histoire commence de plus en plus tard — je ne parle pas de l'histoire qu'on enseigne, mais de celle dont les honnêtes gens ont l'intuition, qu'ils portent avec eux, en fonction de laquelle ils jugent. Sous l'Ancien Régime, on avait beau étudier les guerres puniques, elle commençait avec Jésus-Christ. De mon temps, avec la Révolution. Il y a là un raccourcissement

significatif et qui va croissant. Vos contemporains, Joël, parlent
de la guerre d'Algérie comme nous de la guerre de Cent Ans. Je
vous demande pardon de retomber dans le vouvoiement. C'est
sans doute parce que j'ai des élèves qui ont à peu près ton âge
et que je leur dis vous.

— Alors tu es prof?

— Votre mère ne vous avait pas dit?

— Tu enseignes quoi?

— L'histoire, évidemment.

Joël se leva. Il ne savait comment exposer sa requête. Cela
aurait été plus facile s'il avait trouvé son père dans une bibliothèque lambrissée de vieux chêne, portant une veste d'intérieur
de velours rouge et les pieds appuyés sur le dos d'un danois
tacheté, comme dans les réclames de cognac. Cette pièce était
bien une bibliothèque, mais sans lambris et contenant surtout
des volumes dépareillés, déguenillés, dépenaillés, cornés, hir-
sutes : rien à voir avec les reliures armoriées qui font un si heureux pendant aux alcools hors d'âge. Joël lut quelques titres,
pour se donner une contenance. Il parla de dos.

— Tu en as, des bouquins! Tu les as tous lus?

— Ce sont mes outils de travail.

Une dernière chance pour la version élégante de la situation :

— Tu travailles pour t'occuper?

Le long visage presque émacié de Foncrest exprima l'amusement.

— J'ai la chance de faire un métier presque utile et de
l'aimer. Mais de toute manière, l'estomac récrimine.

Joël se retourna, se forçant à la brutalité.

— Alors tu n'es plus... riche?

— Je ne l'ai jamais été.

— Quand tu vivais avec Mom?

— Nous joignions les deux bouts.

— Ce n'est pas l'impression qu'elle m'a donnée.

— Votre mère a toujours mis sa fierté à paraître.

— Tu n'as jamais voulu qu'elle travaille.

— Je n'ai pas été élevé à faire travailler ma femme.

— Toi, qu'est-ce que tu faisais?

— J'étais secrétaire de mairie.

— Mais quand vous vous êtes mariés ? Quand tu étais petit ?
Tu n'as jamais eu de fortune ?

Foncrest répondit, avec une superbe spontanée :

— Je l'ai perdue au XVIIIe.

— Mais le château ? Mom me l'a décrit.

— Il est devenu l'une des premières colonies de vacances
sous le Front populaire.

— Enfin ! Tu avais un titre !

— Le titre, je l'ai toujours, mais c'est difficile à tartiner sur
du pain sec. D'ailleurs — Foncrest sourit, espiègle — tu sais ce
que disent les Allemands : Un titre sans fric, c'est comme un
derrière sans froc.

— Je ne comprends pas. Mom raconte toujours à ses amies
que vous voyiez des gens qui avaient des chevaux, des
bateaux...

Le regard indulgent de Foncrest se durcit imperceptible-
ment.

— Nous voyions nos amis. Nous ne nous préoccupions pas
de ce qu'ils avaient. Pas plus qu'eux ne se préoccupaient de ce
que nous n'avions pas.

Joël sentit le reproche.

— Chez nous, ce n'est pas pareil. Nous vivons dans un
country club où la plus petite maison vaut cent mille dollars. Il y
en a aussi de trois cents, mais ces gens-là ne nous adressent pas
la parole.

Il ajouta, par provocation :

— Il y a un policier à l'entrée.

— Il vous interdit de sortir ? demanda Foncrest.

Et aussitôt, pour atténuer l'ironie :

— Chaque peuple a ses usages. Je suis persuadé que le docteur Paterson a ses raisons pour vivre comme il le fait.

— Pop est un type comme ça !

— C'est vrai que vous l'appelez... Pop ?

— Oui, mais ce n'est pas parce qu'il est... comment dire...

— Votre père adoptif.

— Ce n'est pas pour ça. Tout le monde à Antimony Creek
l'appelle Pop. C'est pourquoi je voulais savoir comment je
devais vous appeler, vous.

S'en voulant d'avoir un peu bredouillé, et surtout de ce que sa démarche, il en était sûr maintenant, allait avoir d'odieux, Joël revint à la table, posa les poings dessus et, se penchant, regarda son père du plus près qu'il put.

— Je suis venu te demander de l'argent. Du pognon.

L'idiome français était-il là pour aiguiser ou pour émousser la revendication ? Il n'en savait rien lui-même.

Foncrest se recula délibérément dans son fauteuil, but une gorgée de corbières, reposa son gros verre sur la serviette de famille. Les yeux noisette n'exprimaient ni de l'indignation, ni du dépit, ni de la surprise : plutôt de la sollicitude.

— Combien vous faut-il ?

— Je ne connais pas les tarifs.

— Si c'est une dette de jeu...

— Je te jure que non.

— Pourquoi pas ? Je voulais seulement dire que les dettes de jeu, c'est illimité.

— Ce n'est pas un jeu cher.

— Dans ce cas...

— Tu m'aideras ?

— Mais mon cher garçon...

— Tu ne me jetteras pas à la porte ? Tu ne me diras pas : La première fois que tu viens me voir, c'est pour me taper, petit malpropre ?

Joël avait du mal à respirer. Il s'était cambré, ses bras pendaient le long de son corps, sa poitrine se soulevait.

— Certainement pas, mon petit. Pourquoi vous dirais-je des choses désagréables ?

— Parce que tu devrais être déçu. Tu as cru que je venais pour te voir, et tout ce que je veux, c'est de l'argent.

— Je ne suis pas déçu ; je suis détrompé : ce n'est pas la même chose.

— Et cet argent, tu vas me le donner ? Alors que tu crèves de faim ?

— Je ne crève pas de faim le moins du monde. Je vis passablement, au contraire, et je vous donnerai ce que je pourrai.

— Mais pourquoi ? Pourquoi ? Pourquoi me le donneras-tu ?

D'ordinaire, Joël se comportait comme un Anglo-Saxon relativement bien élevé, c'est-à-dire qu'il dépensait la moitié de son énergie à dissimuler les émotions qui dévoraient l'autre moitié. Mais il arrivait que cette moitié-ci débordât sur celle-là, et alors les barrages d'un savoir-vivre, somme toute insuffisant, craquaient : Joël sombrait dans le relâchement complet de l'hystérie.

Foncrest, qui avait l'habitude de comportements plus latins, plus nuancés, était gêné de voir cette grande charpente secouée par saccades nerveuses, ces poings qui se serraient et se desserraient, ces yeux et ce nez gonflés, d'entendre cette voix qui s'éraillait dans l'aigu, symptômes touchants, bien sûr, comme tout témoignage de la détresse humaine, mais peu satisfaisants à observer en son propre fils. « Et tout cela parce que j'accepte de lui donner de l'argent ! Qu'aurait-ce été si j'avais refusé ? »

— Pourquoi ? hurlait Joël, prenant plaisir à faire sauter les verrous de la maîtrise quotidienne.

— Mais, dit Foncrest, les yeux levés sur lui, peut-être justement parce que je ne vous ai pas plus choisi que vous n'avez choisi celui à qui vous viendriez demander service.

Sentant qu'il avait abusé de la situation, il posa sa main sur celle que Joël avait plaquée sur la table : main brune aux ongles coquettement ovalisés sur main rose aux ongles carrés, marbrés de blanc, hérissés de cuticules, main usagée sur patte neuve, encore presque informe, dextre du vieux monde à l'annulaire cerclé d'une chevalière sur senestre du nouveau, s'ornant de la bague-souvenir du lycée d'Antimony Creek.

— Je ne fais pas d'économies, dit Foncrest. Quand il me reste un peu de sous, je commande — il fit un geste vers les étagères surchargées — des livres. Mais j'ai encore quelques amis moins gueux que moi. Il faudra tout de même, si déplaisant que cela soit, que vous me donniez... — il osa le mot obscène : — un chiffre.

Joël ferma les yeux, comprimant ses paupières jusqu'à faire suinter deux larmes.

— Je sais : devant toi, je n'ai pas le beau rôle. J'aurais pu faire comme tout le monde, lui dire : Après tout, tu n'avais qu'à. Phillip l'aurait fait, et Georges, et peut-être même Gregory. Et ils auraient été fiers d'eux : les filles, c'est comme ça qu'il faut les traiter. Moi, navré, je préfère être ignoble envers toi qu'envers elle. Oui, tu as raison, c'est parce que je ne t'ai pas choisi : de nous deux, c'est encore toi le plus responsable. En tout cas, je ne veux rien devoir à cette fille. Tant pis si c'est du sexisme.

— Vous voulez dire que vous avez besoin d'argent pour vous marier ?

Joël, éberlué, rouvrit les yeux. Foncrest se leva. Il était profondément ému.

— Vous ne savez pas à quel point je vous suis reconnaissant. C'est tellement mieux de débarquer chez son père pour une affaire de famille que pour voir quelle tête il a. Ces mariages d'obligation, à moins d'une grande disproportion dans les habitudes, ne sont pas, à tout prendre, plus absurdes que les mariages arrangés, ou par amour. Votre mère et moi, nous nous aimions, nous appartenions à des familles comparables, nous avions reçu une éducation du même genre, nous prenions le mariage au sérieux, nous nous étions à peine embrassés avant de passer sous les épées entrecroisées de la haie d'honneur à laquelle elle tenait tant... et vous voyez le résultat. Il faudra seulement — ne m'en veuillez pas de vous le dire : nous autres hommes, nous sommes des brutes — il faudra vous garder de lui reprocher ce que vous faites aujourd'hui, surtout si vous vous imaginez le faire pour elle. En réalité, c'est pour vous et pour... mettons : lui. Quant à reprocher à cette jeune femme de vous avoir aimé avec plus de passion que de sagesse, comme dit Shakespeare, vous avouerez que vous êtes mal placé, quoi ? Pardonnez-moi de vous faire un discours. Je suis bouleversé. Les jeunes mariés me laisseront, j'espère, tenter l'aventure de la « grand-paternité ». J'ignore si je suis doué, et je me rappelle que vous êtes Paterson, mais...

— Papa ! cria Joël, au bord de la crise de nerfs. Je ne veux pas me marier. Elle ne veut pas se marier. Elle veut, je ne sais pas, moi, peut-être mille dollars, et moi, j'ai acheté une Triumph et je ne les ai pas.

Foncrest demeura quelques secondes sans parler. Il alla à son bureau et chaussa des lunettes à monture d'acier, comme pour mieux débrouiller la situation.

— Vous ne voulez pas dire que... ?

— Si !

— Et cette personne souhaite aussi... ?

— Oui, je te dis, oui.

— Mais, mon cher garçon, c'est absolument hors de question.

— Pourquoi ?

— Parce que c'est interdit.

— Non, je me suis renseigné : la loi est changée, chez vous aussi.

Foncrest fut amusé malgré lui :

— Il ne faudrait tout de même pas que le président de la République se prît pour le bon Dieu.

— Je parie qu'il s'en moque, ton bon Dieu.

— Vous risqueriez de perdre.

— Il ne peut pas vouloir que des enfants que personne ne désire, qui ont été conçus par accident, viennent encore compliquer le problème de la surpopulation.

— C'est curieux comme les gens qui ne croient pas en Dieu savent toujours ce qu'il ne peut pas vouloir.

— Je n'ai pas dit que je ne croyais pas.

— Raison de plus pour vous fier sur ce point à des personnes plus compétentes que vous et moi.

— Par exemple qui ? Tous les médecins te diront...

— Par exemple le pape.

— Le pape n'est pas spécialiste de l'engendrement des bâtards.

— Sûrement pas celui que nous avons maintenant. Les papes de la Renaissance... n'en étaient pas moins papes. Mais ne pensez-vous pas que, dans la mesure du possible, la vie humaine doive être respectée ?

— Humaine, humaine... Une espèce de lézard gluant ou peut-être de jaune d'œuf...

Foncrest marchait de côté et d'autre avec agitation, mêlant et démêlant ses doigts.

— Je suppose que vous êtes aussi contre la peine de mort ?

— Oui. Pourquoi ?

— Ce sont souvent les mêmes qui veulent la mort des innocents et la survie des coupables.

Joël referma les yeux avec lassitude. Des taches rouges nagèrent devant ses pupilles.

— Je ne veux rien, moi. Je veux qu'on soit ce qu'on est. Elle veut s'en débarrasser : qu'elle s'en débarrasse. Je suis responsable : je lui en donne les moyens. Enfin, tu lui en donnes les moyens. Mais je te rendrai tout. Avec les intérêts.

Foncrest s'arrêta devant lui.

— Un fils n'a jamais vu son père. Il vient le voir parce qu'il a besoin de lui. C'est bien. C'est très bien. Le père dit non. Cela peut être très bien aussi. Être fils, c'est demander. Être père, c'est exaucer, mais pas toujours, mon petit, pas toujours.

Il sourit pour s'excuser de son éloquence.

— Mais vous n'êtes pas venu ici pour entendre un cours. Déformation professionnelle : je vous demande pardon. D'ailleurs, de vous à moi, qui suis-je pour discourir sur la paternité ? Je n'ai jamais été beaucoup père.

— Je commence à penser, dit lentement Joël, que c'est une de ces choses qu'on est, ou qu'on n'est pas, tout court. Ni peu, ni beaucoup. Tu as un fils : tu es père.

— Tiens, vous comprenez cela, fit Foncrest, réconforté.

Il retourna à la table, versa les restes de corbières dans les verres ; la dernière goutte fut pour lui. Joël venait d'apprendre un dicton français qui lui parut de circonstance :

— Marié ou pendu ? demanda-t-il d'une voix brisée, mais en s'efforçant de sourire.

Que son fils pût plaisanter après son accès nerveux de tout à l'heure fit plaisir à Foncrest.

— Asseyez-vous. Je vais essayer de vous expliquer sérieusement pourquoi...

A cet instant, une corne de voiture fit entendre un son aigu, prolongé, impertinent.

— C'est Omphale ! s'écria Joël.

— Qui ?

— La fille que j'ai oubliée dans ma voiture.

— Allez la chercher immédiatement, dit Foncrest, et rappelez-vous ceci : — il levait un index pédagogique — le degré de civilisation d'une société se mesure au respect que les hommes y montrent aux femmes. Filez, mon garçon.

IV

Omphale avait eu froid et s'était changée, sans gêne, dans la Triumph décapotée. Elle portait maintenant un blue-jean et un blouson du même tissu dit *denim*, variation anglo-saxonne sur les mots « de Nîmes », clouté de boutons de cuivre ; ses bottes à mi-mollet lui donnaient une allure presque chevaleresque ; sa silhouette un peu trapue, déhanchée par sa légère claudication, avait en revanche quelque chose de provocant qu'accentuait le mouvement régulier des mâchoires : la belle tête pleine et blonde était occupée à mastiquer du chewing-gum.

Joël fit les présentations d'un ton las :

— Omphale de Beauhaloir. Mon père.

Foncrest, qui avait ôté ses lunettes par coquetterie, s'inclina.

— De gueules à une croix potencée de sinople. Rarissime.

— Pardon ? fit Omphale en ouvrant largement ses grands yeux gris à l'expression effrontée.

— J'ai passé beaucoup de temps, mademoiselle, en compagnie de votre famille. Beauhaloir, évidemment, est tardif, mais les Cressé sont d'ancienne chevalerie : les preuves qu'ils ont faites en 1696, après avoir fait fortune dans la culture du chanvre, ne laissent aucun doute là-dessus. Remarquez : il y a davantage d'émaux sur émaux qu'on ne le croit généralement, mais souvent cela ne trahit que la maladresse de l'héraldiste. Les vôtres, mademoiselle, datent d'avant l'héraldique.

Omphale regarda Joël : « Tu ne m'avais pas dit qu'il était fou. »

— Je suis en train, poursuivit Foncrest, de préparer un opuscule sur les armes à enquerre, qui, s'il est jamais publié, me fera quelques ennemis — il sourit avec modestie —, je veux dire : dans les cercles intéressés. Donnez-vous, je vous prie, la peine de vous asseoir.

Il avançait le meilleur fauteuil. Omphale, mâchant toujours, le toisa.

— C'est vrai que vous avez été condamné à l'indignité nationale sous un nom et que vous êtes compagnon de la Libération sous un autre ?

Foncrest rit de bon cœur.

— Qui vous a raconté une chose pareille ?

— Lui.

— Il a plaisanté. J'ai fait un peu de résistance, comme tout le monde, et j'ai eu quelques ennuis à la Libération, comme presque tout le monde, quoi ?

— Généralement, dit Omphale, en changeant sa gomme de joue, ce n'étaient pas les mêmes.

— Il suffisait d'avoir quelques amis qui s'étaient trompés de côté et à qui on demeurait fidèle... Je suis désespéré que vous ayez attendu des heures dans cette voiture. Puis-je vous donner un grog pour vous réchauffer ? J'ai du rhum.

— Non, ça va. Alors comme ça vous connaissez ma famille. L'oncle Aldebert, peut-être ?

Elle parlait avec insolence, et le regard qu'elle jetait sur le plafond bas, le plancher de pin vitrifié, la bouteille de corbières flanquée de ses deux verres en verre, signifiait : « Cela m'étonnerait que vous la connaissiez beaucoup, ma famille. Et si vous me répondez que c'est l'oncle Aldebert, je vous dirai ce qu'il fait dans la vie : clochard. »

— Je me suis mal expliqué, dit Foncrest. J'ai beaucoup lu l'histoire des Cressé. Asseyez-vous donc. Nous avons à parler, tous les trois. Vous aussi, Joël, asseyez-vous.

— Nous avons à parler ? s'étonna Omphale.

Foncrest prit une chaise et la posa de manière à faire face aux deux jeunes gens. Quand il se fut assis :

— Où est-ce que je peux jeter ça ? demanda Omphale, en retirant sa gomme de sa bouche, entre deux doigts.

Ses yeux gris étaient fixés sans expression sur ceux de Foncrest, qui se releva, alla chercher une soucoupe et la tendit comme une sébile. Omphale y jeta la gomme.

— Merci, mademoiselle.

Sans hâte, Foncrest emporta la soucoupe à la cuisine, puis il revint s'asseoir tranquillement sur sa chaise qui, plus haute que les fauteuils, lui donnait un avantage tactique. Omphale croisa les jambes sous son nez.

— Mademoiselle, commença Foncrest, fort à l'aise, mon fils Joël, que je n'avais jamais vu de ma vie, sauf à l'époque où il n'était qu'un tube digestif équipé de cordes vocales d'une puissance supérieure à la moyenne, mon fils Joël m'a fait l'honneur de me prendre pour confident. La situation singulière dans laquelle nous nous trouvons nous met à l'abri des conventions, et c'est fort bien ainsi. Je ne dispose d'aucun moyen de pression paternelle, Joël ne porte pas mon nom, il est venu me voir presque par hasard, et cela nous permettra de nous comprendre plus facilement, peut-être, que si vous pouviez me supposer la moindre autorité sur lui. Je ne vous dirai pas que je vous parle en égal, je ne crois pas à ces balivernes, mais en homme à l'égard de qui vous devez vous sentir parfaitement libre.

Omphale, gourmande d'imprévu, ne songeait pas à masquer sa curiosité.

— Par conséquent, il n'y a aucune raison pour que vous ne répondiez pas en toute franchise à la question un peu directe que je vais vous poser.

Elle allumait une cigarette.

— Aucune.

— Pour quelle raison n'épouseriez-vous pas mon fils ?

C'était encore plus amusant qu'Omphale ne s'y attendait. Elle coulissa un regard à Joël, qui paraissait abasourdi.

— Franchement, répondit-elle en s'efforçant de maintenir son sérieux, l'idée ne m'en était pas venue. Et puis, pour les gens qui tiennent à se marier, l'usage n'a pas changé : c'est le garçon qui fait la demande.

Foncrest tourna un œil sévère vers le garçon.

— Eh bien, Joël ?

Il revint à Omphale.

— Mon fils n'a pas de fortune, mais il a un bel avenir professionnel devant lui. L'informatique, il paraît que c'est quelque chose ! Et pas mal bâti avec ça, je pense que nous sommes d'accord ?

— Oui, oui, dit Omphale, il est assez mignon.

— Alors ! Et cela vous épargnerait — n'en veuillez pas à Joël : il avait ses raisons pour ne rien me cacher —, cela vous épargnerait à tous les deux — car il serait aussi responsable que vous...

Joël bondit enfin :

— Papa, ce n'est pas elle.

A Omphale il jeta :

— Il te prend pour une autre fille. Il croit que tu attends un enfant de moi.

Omphale fumait. Joël pressait ses deux mains l'une dans l'autre, à se faire mal. Foncrest se leva, parce qu'il ne pouvait plus supporter de garder la même position. Il avait honte comme on a honte à cinquante ans passés.

Il resta longtemps immobile, sans dire un mot, la tête basse. Aucun déguisement en lui, aucune envie de faire comme s'il n'avait pas commis cette bévue peu ordinaire, aucune irritation, aucun dépit. Il souffrait non pas de s'être ridiculisé, mais d'avoir, croyait-il, fait tort.

Joël n'entrevit cela que confusément : lui, ce qui le désolait, c'était que son père se fût rendu coupable de ce qu'il appelait (en américain) un *faux-pas*. Mais Omphale, soufflant la fumée de sa cigarette par les narines, finit par comprendre ce qui se passait dans l'âme du vieux balourd.

— Écoutez, ne vous en faites pas pour si peu. A notre époque, tout ça, c'est assez simple. Celles qui ont la déveine de se faire engrosser se font avorter. Ça ne m'est pas arrivé ; ça aurait pu. Il y a encore des garçons qui s'en font un monde, mais nous autres, les filles... comme une lettre à la poste.

Elle crânait, bien sûr : par compassion. Foncrest ne bougeait pas. Il regardait une tache au plancher. Omphale se leva et écrasa son mégot dans une assiette.

— Allez, mon bon monsieur, ce n'est pas si grave. Je vais vous mettre à l'aise. Tout à l'heure, j'ai couru après Joël pour qu'il me fasse prendre les risques qui vous inquiètent tant.

Foncrest leva la tête et la regarda dans les yeux.

— Je vous ai fait injure, mademoiselle. Je vous en demande pardon.

Rupture de ton. Devant cette fière souffrance à l'idée d'avoir fait souffrir autrui, Omphale sentit qu'il valait mieux ne pas répondre : l'ironie ne passait pas, les consolations non plus. Tout ce qu'elle aurait pu dire l'aurait rabaissée, elle. Un instant plus tôt, elle avait été gênée devant ce vieux monsieur qui s'humiliait ; elle ne l'était plus ; elle savait que, d'une certaine manière, il était bon qu'il s'humiliât ainsi. Mais il lui incombait à elle de ne pas imposer sa présence à qui se croyait coupable à son égard.

— Allons, Joël, dit-elle d'un ton las, on va rentrer à Sourdevoie.

Elle ajouta, avec une déférence si bien apprise qu'elle était devenue spontanée :

— Il ne faut pas déranger ton père plus longtemps.

Avec ces mots, un geste qu'on lui avait appris dans son enfance et qu'elle croyait avoir oublié s'insinua dans la mémoire physique, inconsciente, de ses muscles. Murmurant d'une petite voix sage « Au revoir, monsieur », elle avança le pied gauche et, les épaules bien droites, le cou tendu, fléchit les genoux, malgré la résistance du blue-jean. Pendant l'interminable seconde que dura la petite cérémonie, les yeux gris ne quittèrent pas les yeux noisette. Aussitôt après, se redressant et secouant avec rage sa tête blonde, Omphale jeta à Joël :

— Alors, on se magne le pot ?

Ils descendirent en cortège : Omphale faisait sonner ses bottes sur le béton, Joël s'affalait de marche en marche, Foncrest glissait sans bruit, comme un chat.

Dehors, il faisait frisquet. Foncrest, ployé en deux, tint la portière de droite. Mais lorsque Joël eut enfilé ses longues jambes sous le tableau de bord et mis le contact, il constata que la jauge était à zéro. Le comble ! Une panne sèche, le jour où l'on retrouve son père ! Joël allait embrayer, quitte à ne pas faire plus de cent mètres — d'ailleurs les réservoirs ont leurs fantaisies : il leur arrive de se prolonger indéfiniment comme des malades qui ne parviennent pas à mourir — mais Omphale protesta :

— Tu n'as plus d'essence.

— Bien assez.

— Non, Joël, je refuse de passer la nuit dans cette décapotable où on se les gèle.

— Les stations-service, tu as entendu parler ?

— Vous n'en trouverez plus d'ouvertes, dit Foncrest.

— On couchera à l'hôtel.

— Mes pauvres enfants, il n'y a plus de veilleurs de nuit.

— Alors, fit Omphale agacée, la solution ?

— On prend le risque et la route, dit Joël.

— Vous me faites l'honneur de coucher chez moi, décida Foncrest.

Son logement était composé de deux pièces, outre la cuisine et une salle d'eau. Omphale, agréablement chatouillée par la curiosité, entra dans la chambre où elle devait coucher. De tempérament aventureux, il lui était arrivé de dormir chez des inconnus, à la belle étoile, au violon, dans le lit — pour une fois chastement partagé — d'un authentique cow-boy, au fond d'un couvent de Sicile et d'un boxon du Sinaï, mais jamais chez un vieux birbe de ce genre.

Un lit large occupait la moitié de la chambre. Il était surmonté d'un crucifix au-dessus d'un bénitier, derrière lequel était fiché un rameau de buis sec.

— On peut dormir à deux là-dedans, dit Omphale.

— Étant donné la manière dont le trio est composé, répondit légèrement Foncrest, cela me paraît hors de question.

Le mur de droite était orné de photographies, vieilles pour la plupart, certaines de couleur sépia. Il y avait aussi trois représentations du même château Louis XIV : une gravure du XVIIIe, une aquarelle mil neuf cent et une photo datant d'une trentaine d'années.

Le mur de gauche était tapissé de haut en bas d'une singulière collection : ce n'étaient que blasons sous verre, strictement alignés par rangées et par colonnes, joliment peints avec des encres de Chine de couleurs et accompagnés de notices manuscrites (mais non pas calligraphiées) à l'encre noire. La fenêtre était ornée de plusieurs blasons assemblés avec des bouts de papier coloré et formant vitraux.

— Laissez-moi faire un peu de ménage, commanda Foncrest.

Omphale et Joël sortirent. Par la porte restée ouverte, ils le virent défaire le lit, retirer la taie et les draps, les rouler en une grosse boule qu'il alla jeter dans la salle d'eau, puis ouvrir un placard, en retirer une taie et deux draps propres, encore que troués, qu'il se mit en devoir de déplier et d'étaler sur le lit. Il y avait dans ses gestes quelque chose de si soigneux, de si délibéré, que les jeunes gens l'observaient sans lui proposer de l'aider. Il faisait sans se lasser le tour du lit, aplanissait un pli, rectifiait un angle, passait la main sous le matelas pour mieux border, s'agenouillait, se relevait, tirait, assouplissait, tirait de nouveau, et, pendant tout ce temps, une ombre de sourire se jouait sur son visage bistre.

— Ça va, ça va, dit enfin Omphale. Si vous voyiez comment je le fais, moi, mon lit...

— Pour une fois, vous en aurez un digne de vous, répondit Foncrest sur le ton du badinage.

Il jeta sur le lit une vieille couverture beige, élimée, reprisée à un endroit qu'il désigna :

— Du temps où je fumais.

Puis il recommença son manège, transformant le lit en un monument rectiligne et quadrangulaire, tendant le rabat du drap avec force, comme s'il devait faire ressort.

— Ça va, dit de nouveau Omphale.

Encore une tape par-ci, une traction par-là.

— Faites de beaux rêves, mademoiselle.

Elle lui sourit, et cela lui fit perdre cet air boudeur qu'elle prenait quand elle se sentait gênée. Elle dit simplement :

— Merci, monsieur.

Les deux hommes se retrouvèrent seuls et se partagèrent les fauteuils. Foncrest s'enveloppa d'une robe de chambre de velours marron — « Un cadeau de votre mère, Joël : inusable ! » déclara-t-il ingénument, au mépris de l'évidence — et Joël dans une couverture passablement plus usagée que celle d'Omphale.

L'électricité une fois éteinte, la fenêtre, que ne voilait aucun rideau ni volet, se mit à émettre une luminescence, mais la lune était couchée depuis longtemps, si bien que, dans la pièce, il n'y eut pas de reflets : l'ombre stagnait.

Joël, les yeux clos, pensait à l'étrange journée qu'il venait de vivre. La présence d'Omphale dans la chambre voisine ne le troublait nullement. Les filles, il en avait eu tant qu'il en voulait, et il était las d'elles, ou plutôt las de lui-même dans le rôle du jeune mâle obligé d'appliquer à toute heure la devise scoute « Toujours prêt ». Pop avait conseillé, en passant : « Ne t'épuise pas à seize ans, c'est mauvais pour la suite. » Mais Pop, qui croyait au droit de chacun à disposer de lui-même, n'avait pas insisté, et Joël se sentait épuisé jusque dans la moelle de ses os. Pour échapper à cette servitude, il lui était arrivé de jouer avec des idées absurdes telles que « Si je m'engageais dans les Marines » ou « Si je me faisais mettre en prison », comme s'il ne dépendait pas de lui de se mettre en congé de chasteté. Mais il continuait à vivre dans un monde où n'être pas un obsédé sexuel vous faisait passer pour un minus. La question se posait : « Comment font les autres ? » Certains avaient des dehors si virils qu'ils n'étaient pas contraints de faire leurs preuves. D'autres savaient dire à une fille « Tu ne me plais pas » sans qu'elle prît l'air ironique ou compatissant. « Moi, non. Dieu sait pourquoi, je me crois obligé de faire plaisir à toutes. Serait-ce mon côté français ? » (Il était Français des deux côtés.) Le refus qu'il avait opposé quelques heures plus tôt à Omphale — et il n'y avait réussi qu'à cause de l'état second où il se trouvait — lui inspirait déjà un remords plutôt qu'un regret : « J'aurais tout de même pu faire un effort. »

Pour le moment, il avait de plus graves soucis en tête. Et d'abord ce père, pauvre, toqué, si parfaitement à l'aise dans son indigence et son insanité, ce père qui, pour dormir, avait déboutonné son col de chemise mais gardé sa cravate, ce père si différent de tous les pères qu'il connaissait : « A quel point est-il gênant d'avoir un père comme ça ? »

Joël ouvrit les yeux. La respiration de Foncrest était paisible. Impossible de savoir s'il dormait. « Ennuyeux qu'il m'ait refusé l'argent. » Scrupules religieux, sans doute : le pape et le buis derrière le crucifix. Il allait falloir écrire à Pop. Lui dire la vérité ou inventer une histoire touchante ? Au fait, qu'est-ce qui serait plus touchant que la vérité ? A cela près que Marj, cette grande bringue, n'avait pas le physique attendrissant.

Tout cela n'était pas sans avoir un rapport mystérieux avec ce que Joël appelait improprement le secret honteux : à vrai dire, la honte ne s'attachait pas au secret, mais au fait de le connaître. Il n'y avait rien de ridicule à ce que les choses fussent comme elles étaient, mais il était ridicule de faire partie des rares personnes à en avoir été informées. On vit mieux dans l'ignorance. Le secret vous met continuellement dans votre tort. Et un jour il pourrait se retourner contre vous, vous retourner à l'envers, exiger tout de vous... Le moyen de refuser, si on était au courant ?

Joël chercha une meilleure position dans son fauteuil aux ressorts à la fois agressifs et dépourvus de tonus. Serait-il mieux sur le plancher ? Il n'y avait pas de moquette. Il regarda le rectangle disgracieux, tout en largeur, de la fenêtre qu'on n'avait même pas trouvé le moyen de percer au milieu du mur. On aurait cru un écran de télévision, sans programme. Il avait envie de s'évader. Cet après-midi aussi il avait eu envie de s'évader : c'était pour cela qu'il se trouvait ici. C'était peut-être la même envie qui continuait.

Il en avait de drôles d'idées, son père ! Épouser Omphale — enfin, Marj — pour des histoires de spermatozoïdes et de... Joël évoqua ses cours d'éducation sexuelle, mais il ne se rappelait plus de quoi ça a l'air, un spermatozoïde, ni avec quoi ça copule. Il avait toujours imaginé la chose comme une espèce d'hippocampe. On ne se marie pas pour des hippocampes.

Il eut envie de réveiller son père et de lui dire là, tout de suite : « Tu ne m'as pas convaincu. Non, je n'épouserai pas Marj, qui d'ailleurs n'en a pas la moindre envie. Elle vise mieux. Tu vis dans un monde complètement fictif, avec tes sinoples à enquerre. Tu es complètement sinoplé, mon pauvre vieux papa. Le XXᵉ siècle, ça ne te dit rien ? Continue à dormir, Rip van Winkle ! Le mieux serait de ne jamais te réveiller. " Je vous ai fait injure, mademoiselle ! " Omphale, qui a fait les beaux jours de l'université de Princeton ! Pop, au moins, a les pieds sur terre. Il a beau se promener dans son short bermuda des années cinquante, il connaît la vie, les hommes, et il les

aime. Il les aime, sans avoir besoin de les estimer. C'est peut-
être cela, le secret honteux, et non pas des petits bouts de
branches derrière des crucifix. »

D'impatience, Joël se leva. Il s'approcha de la fenêtre. Derrière lui, Foncrest pouffa dans la nuit.

— Et elle fait le *knix*! prononça, du fond du fauteuil, la voix
paternelle, avec un mélange de raillerie et d'émerveillement.

V

Le château de Sourdevoie était écrasé sous des marronniers tricentenaires dont les racines avaient plus d'une fois incurvé des murs, tordu des escaliers, sapé des fondations, et dont les branches, pour peu qu'il y eût du vent, venaient toquer lourdement contre les lucarnes.

Du côté du parc, deux ailes faisant saillie sur le corps central encadraient une terrasse à balustrade reposant sur trois arcades trapues ; deux volées d'escalier aux marches couvertes par les feuilles sèches de dix automnes descendaient vers le parc, lui aussi brutalisé par les marronniers, noirci de leur ombre, jonché de leurs dépouilles. La balustrade était rembourrée de mousse et des brins d'herbe se faufilaient entre les dalles descellées de la terrasse. La pierre des murs, d'un gris violine, se couvrait de lichens vert-de-grisés par-dessus la patine des pluies et le labour des vents.

A l'intérieur, on devinait un labyrinthe de salles et d'étages souvent modifié sans rien changer à l'aspect des façades, les cloisons pivotant autour des cheminées, les enfilades s'ouvrant ou se fermant, les alcôves s'encastrant, les appartements communiquant ou se calfeutrant au gré des propriétaires successifs, si bien que la même haute fenêtre divisée à la verticale ou à l'horizontale éclairait parfois deux pièces distinctes, accolées ou superposées. Une ruche dans un baril, sans relation entre le contenu et le contenant.

Les invités de Sophie étaient réunis sur la terrasse, à l'exception de Joël Paterson, qui s'était enfermé dans sa chambre pour y écrire une lettre difficile. Les Américains buvaient du scotch et les Français du bourbon.

— V'là le facteur, dit Georges, et il rit de son bon mot.

Du fond du parc, un homme à bicyclette remontait vers le château. Les pneus crissaient et quelquefois dérapaient sur les feuilles mortes. Sans hâte, le cycliste contourna un bassin octogonal où croupissaient des résidus noirâtres. Il se tenait droit sur sa machine et, de ses mains gantées, manœuvrait les hautes poignées du guidon de l'air dont il eût conduit un attelage en arbalète.

Marj étendit ses jambes sur la balustrade. Elle portait un pantalon blanc pas très frais.

— Un de vos fermiers, Sophie ?

— On l'invite à boire un pott, proposa Phillip.

Il parlait fort bien le français, mais trouvait amusant de déformer la prononciation de certains mots. Pott ! Cette syllabe incongrue titillait ce qu'il appelait son sens de l'humour.

— C'est un ami de mes parents, dit Sophie. Il est prof à Sainte-Barbe, une boîte de curés. Je me demande ce qu'il nous veut.

Omphale pensa à monter prévenir Joël, et décida de s'en abstenir, par curiosité pour ce qui allait suivre.

Foncrest freina, lança sa jambe par-dessus la selle. Si les jeunes gens avaient connu le nom et la chose, ils auraient pu s'apercevoir que son pantalon de velours côtelé était pourvu d'un solide « fond de culotte » à l'endroit le plus élimé, mais ce détail d'un autre siècle leur échappa. Ayant accoté la bicyclette contre une des arcades de soutènement de la terrasse, Foncrest se baissa pour ôter ses pinces de pantalon, pinces circulaires rabattant le tissu vers la droite sur la jambe gauche et vers la gauche sur la droite, et les glissa dans une poche de sa veste. Georges s'était penché par-dessus la balustrade pour mieux voir :

— Il enlève ses jarretelles ! annonça-t-il à la cantonade.

Foncrest se déganta, se lissa les cheveux. Puis, la tête haute et la cheville déliée, il gravit l'escalier aux degrés tordus et marcha droit aux buveurs. Gregory déplaça ses jambes pour pouvoir se lever avec élégance si le savoir-vivre venait à l'exiger. Foncrest s'arrêta devant Sophie, brunette à la frimousse agréablement chiffonnée.

— Je ne sais pas, mademoiselle, si vous vous souvenez de moi.

— Parfaitement, monsieur. Mes parents ne sont pas là.

— Ce n'est pas eux que je venais voir.

Surprise, Sophie fit les présentations : Marj, Omphale, Georges, Phillip, Gregory...

— Grégoire, je te prie. Tu sais bien que je ne supporte pas le prénom dont m'a affublé ma pauvre mère au cours d'un de ses avatars anglomanes.

Gregory avait une voix grave, pleine d'assurance, et une petite moustache blonde et rêche. Il avait l'air d'un adulte parmi ces adolescents montés en graine.

Foncrest, voyant qu'Omphale ne faisait pas mine de le reconnaître, la salua comme une étrangère. Il prit une chaise rouillée et s'assit près de Marj.

— Scotch ou bourbon ? demanda Sophie.

— Bourbon, Bourbon, toujours Bourbon, répondit gaiement Foncrest.

Il y eut un silence. Les jeunes gens ne voulaient pas reprendre leur bavardage devant cet intrus d'une autre génération et ils ne savaient pas de quoi lui parler, à lui. L'intrus regardait les profondeurs du parc et ne paraissait pas sentir l'embarras qu'il causait.

— Vous avez dû connaître tout ça quand c'était encore impeccable, dit enfin Sophie. Maintenant, c'est plutôt triste.

Elle désignait la carpette de feuilles pourrissantes, les eaux chancies, les treillages défoncés.

— Pas plus triste que la vieillesse, répondit Foncrest, et la vieillesse, à tout prendre, c'est plutôt guilleret.

— Guilleret, la vieillesse ? s'indigna Phillip. Moi, c'est ce qui me disgute le plus. Avoir quarante piges, beuh !

— La vieillesse est le parc de la mort, dit Foncrest, étonné par le goût écœurant du bourbon. Et quand on va au château il faut bien traverser le parc.

Il leva les yeux vers les marronniers qui faisaient leur plein de munitions avant de commencer leur bombardement d'automne.

— Chateaubriand appelle la vieillesse « le voyageur de nuit ». Saisissant, non ? Mais c'est parce que, la nuit, le ciel attire l'attention plus que la terre.

— Tout ça, c'était avant les *jets,* dit Georges en pouffant dans son bourbon.

— Alors comme ça, fit Grégoire, vous êtes un enssseignant.

Le nasillement et le sifflement conjugués soulignaient l'insulte secrètement contenue dans le participe.

Foncrest répondit :

— J'enseigne.

— Cela vous donne des satisfactions ?

Foncrest connaissait Gregory sans l'avoir jamais rencontré. Ces consonnes dentales, ce menton haut, ces paupières basses... « J'ai été comme cela dans ma jeunesse, Dieu me pardonne. » Ce ne fut pas tout à fait sans taquinerie qu'il répondit :

— Oui.

Georges, flairant une petite séance de persécution comme il les aimait, vint mettre son grain de sel.

— Vous enseignez chez les curés ? C'est dur, chez les curés, hein ? On ne fume pas en classe, tout au sifflet, à genoux sur les bûches ?

Foncrest se tourna poliment vers Georges. Il connaissait moins cette espèce-ci, mais il savait d'où elle sortait : « Ce que, de mon temps, on appelait les B.O.F. » Il détailla posément le pull-over de cachemire attaché autour du cou par les manches, la chemisette à crocodile, le short de tennis, les Adidas crasseuses. Il y avait des années qu'il enseignait les garçons et que, d'une manière un peu distante, il les aimait. Il se demanda comment il pourrait désarmer ce lâche sans lui faire perdre la face.

— Ce n'est pas facile tous les jours, reconnut-il platement.

Mais il ne réussit pas à rester sur cette platitude.

— Tout est une question de hiérarchie des valeurs. Dites-moi ce que vous préférez, je vous dirai qui vous êtes. Les curés, avec tous leurs défauts, préfèrent tout de même ce qui est primordial.

— C'est *coed*, votre instituchonne ? demanda Phillip, qui sentait de l'affrontement dans l'air et que son éducation sudiste invitait à aplanir les conflits.

— Je vous demande pardon ?

— Je veux dire : il y a des filles dans votre bahutte ?

— Non. Pour le moment, nous tenons bon.

Soudain Omphale, assise à l'écart :

— Qu'est-ce que vous avez contre les filles ?

— Vous allez, mademoiselle, me mettre sur mon dada : le rôle civilisateur des femmes.

Georges vida son quatrième verre et sauta à califourchon sur sa chaise.

— A-dada ! A-dada ! A-dada sur mon bidet !

Il sanglotait de rire.

Gregory méprisait Georges, mais, après quelques whiskies partagés, il ne pouvait s'empêcher de l'imiter, encore que dans un autre registre. Il tira au jugé, décidé à faire mal à ce pion. Levant haut son verre :

— A propos de bidet, je voudrais prononcer le toast des cavaliers. Aux chevaux et aux femmes que nous...

Foncrest l'interrompit, sec :

— Moi aussi, j'ai été cavalier. Enfin : ce qu'on appelle cavalier depuis qu'il n'y a plus de chevaux. Et nous disions beaucoup de sottises. Nous aussi.

Il se tourna vers Marj, une grande fille née osseuse et restée fidèle à des régimes amaigrissants. Sa charpente lui promettait une corpulence imposante, mais elle n'y succomberait qu'une fois mariée.

— Si mademoiselle Sophie permet, je voudrais vous dire quelques mots.

Utiliser mademoiselle et le prénom ne dérangeait pas Foncrest. Il n'avait pas lu les manuels de savoir-vivre et ne craignait pas d'être pris pour un domestique.

Surprise, Marj se laissa guider à l'intérieur de la maison.

— La bibliothèque, par exemple.

Il la désignait des gants qu'il avait gardés à la main.

— Qu'est-ce que c'est que ce clown ? dit Georges en se versant un verre.

— Je trouve que le vieux klaoûne a quelque chose, répliqua Phillip.

A l'intérieur de la maison, il faisait un peu froid. Marj frissonna en entrant dans la bibliothèque. Le sol de cette petite salle circulaire, dallé de losanges blanchâtres-noirâtres, déformé par l'âge, avec des bombements ici, des effondrements là, créait des effets pop'art inattendus. Les murs, qui avaient deux étages de haut, étaient entièrement couverts de rayonnages. A mi-hauteur courait une galerie à rambarde de cuivre mat, communiquant avec le premier étage du château. Une verrière poussiéreuse, tenant lieu de plafond et de toit, éclairait le tout. La cheminée émettait, au lieu de chaleur, un courant d'air frisquet.

Foncrest regarda autour de lui. Il avait connu cette barbacane entièrement bastionnée de reliures anciennes. Il en restait encore, mais les plus faciles à aimer — et peut-être à revendre — disparaissaient, depuis que le père de Sophie ne séjournait plus guère à Sourdevoie et que les amis de Sophie y venaient à volonté. Le gentilhomme était tombé dans une chausse-trape : voyant ses traditions, son château, son nom prêts à sombrer faute d'argent, il avait décidé d'en gagner. L'argent gagné enlise. Ce de-nouveau-riche possédait maintenant une jolie fortune, qui seule l'intéressait : il ne rêvait plus que lotissements et investissements, pourcentages et culbutes. Il se plaisait dans la compagnie des chevaliers d'industrie dont il avait pris le ton et à qui il racontait des histoires drôles : « J'en connais une meilleure. » Les vieilles pierres de son enfance, sauvées et trahies par lui, semblaient lui faire des reproches. Puisque c'était comme ça, il préférait ne pas les revoir, et surtout il ne voulait pas affronter le regard de Mme Lambert, en qui s'étaient réfugiées les vertus d'une fidélité, réciproque durant des générations, mais qui semblait être devenue le privilège des emplois subalternes. Fidélité toujours utile d'ailleurs : Mme Lambert, qui n'avait pas pensé à veiller sur les livres, lui avait du moins préservé son argenterie ; après la première petite cuiller envolée, elle ne servait plus les amis de Mlle Sophie que dans de l'inox.

Foncrest ne s'attristait pas outre mesure de l'éparpillement de la bibliothèque. Barbotés, certains volumes y gagnaient peut-être des lecteurs. Évidemment, si les pauvres avaient été écorchés vifs pour que leurs dos servissent à escamoter quelque bar clandestin chez un dentiste puritain d'outre-Atlantique, c'était fort triste. Mais pourquoi toujours imaginer le pire ? Certains rapts avaient pu être commis sous l'empire d'un appétit de lecture — ou de reliure — impossible à maîtriser, ce qui les justifiait presque.

Foncrest désigna deux bergères de tapisserie qui se faisaient face de part et d'autre de la cheminée. Mme Lambert avait balayé le foyer avec un vieux balai fatigué, si bien qu'on voyait sur la pierre de minces traînées de cendre ratissée.

— Vous vouliez me dire quelque chose, fit Marj, mal à l'aise dans le silence que Foncrest laissait planer en toute innocence.

— Oui. Je voudrais vous demander de sauver une vie.

Foncrest tendit la main vers la cheminée comme s'il y avait eu là un feu et qu'il eût voulu s'y réchauffer.

— Pardonnez-moi : je vais être contraint de vous parler un peu longuement. Vous comprenez bien notre langue, n'est-ce pas ? Sauver une vie, cela fait grandiloquent. C'est dans les romans d'aventure que l'on se sauve mutuellement la vie. Cela arrivait souvent, je suppose, du temps de votre Far West, et l'histoire de ma famille est pleine d'ordonnances sauvant la vie de leur officier ou même vice versa, mais ces temps-là sont passés : nous n'avons plus souvent l'occasion de nous rendre ce genre de service les uns aux autres. Les médecins s'imaginent bien sauver des vies de temps en temps ; en réalité, dans le meilleur des cas, ils ne font que les prolonger : du quantitatif. Il n'y a guère que les femmes qui puissent véritablement sauver une vie, c'est-à-dire lui accorder ou lui dénier la chance d'être. Cette occasion-là, elles l'ont aujourd'hui plus que jamais. Je vous demande pardon de vous tenir un langage aussi cru, mademoiselle : jusqu'à maintenant, le choix était relativement aléatoire, à cause de la réprobation sociale et d'une chirurgie d'amateur quelquefois insuffisante. Maintenant, si je comprends ce que je lis, le choix est absolu. S'il ne dépend pas entièrement de vous de donner la vie, il dépend de vous de la prendre — ou non.

« J'ignore si vous êtes croyante, mais vous avez entendu parler d'Ève. Supposez qu'Ève ait choisi de dire non à la maternité : nous ne serions là ni vous ni moi, et avouez que, dans votre cas, ce serait dommage. Ou bien, si vous êtes darwiniste — vous savez : la théorie de l'évolution —, imaginez que vous soyez l'algue bleue d'où nous sortons tous, paraît-il, et qu'il dépende de vous de créer la vie animale. Est-ce que l'idée seule ne vous fait pas frémir, que l'algue bleue aurait pu refuser, par paresse peut-être, ou par scepticisme, ou par angoisse d'algue ? " Je veux rester algue ! " Le blasphème suprême. Heureusement l'algue bleue a répondu : " Voici la servante du Seigneur. "

« Dans le cas que nous discutons entre amis — Marj, qui écoutait patiemment, renversée dans son fauteuil, les mains serrées entre ses cuisses, ne s'empêcha pas de sourire au mot " discutons " — les conséquences sont peut-être moins décisives. L'humanité continue sa course, quel que soit le choix de Mlle Une telle dans la solitude de sa chambre ou le cabinet de son médecin. Je ne vais même pas recourir à l'argument boomerang " Et si c'était Vincent de Paul ? " parce que vous pourriez me rétorquer " Et si c'était Robespierre ? ". Je vais simplement vous parler de la vie.

« Les pacifistes prétendent qu'ils le sont par respect de la vie. Les adversaires de la peine de mort aussi. Les végétariens aussi. Vous n'êtes rien de tout cela ? Moi non plus. Mais je prétends que si tous ces gens-là admettent qu'une mère puisse se retourner contre elle-même et, dans le secret de ses entrailles, étrangler ce qu'il y a de plus vulnérable au monde, ils ne respectent pas la vie autant que moi. Cela ne me gêne pas qu'on pleure sur les condamnés à mort, tant qu'on pleure davantage sur les victimes. Cela ne m'indigne pas qu'on vitupère la chasse à courre et même à tir. Je conçois qu'on refuse de servir dans l'armée pour n'avoir pas à tuer, encore qu'il y ait là un je ne sais quoi de moralisateur à petits frais qui... mais admettons. Ils ne supportent pas de scier l'arbre de vie, bien. La vie est sacrée, il paraît. Je ne sais pas très bien ce que cela veut dire, mais encore admettons. Et c'est toujours avec des larmes dans la voix qu'on nous parle des enfants qui meurent, que ce soit dans les bombardements, les famines ou les épidémies. Pourquoi des enfants ? N'est-ce pas aussi horrible de mourir à vingt ans, ou à quarante ? Parce que les enfants sont innocents ? Qu'y a-t-il de plus innocent qu'un enfant qui n'est même pas encore né ? Qui, littéralement, ne demande qu'à vivre, ne fait pas autre chose que de demander à vivre ? Car il n'est encore que cela : ni raison, ni cœur, ni apparence physique, ni appartenance sociale, mais appétit de vie. Et vous, crac, un coup de rame sur la tête ? Il n'existe pas de vie qui n'aspire à être vécue. Et vous : Rentre d'où tu viens ? Ce n'est pas bien, madame Hérode, de refaire le massacre des Saints-Innocents.

« Mademoiselle Marj, il y a une piété du passé. La conservation des livres, des monuments, le respect des sépultures, de la parole donnée à un mourant : l'histoire spontanée. C'est instinctif et c'est très bien. Mais, croyez-en un homme passionné d'histoire, c'est moins important que la piété de l'avenir. Parce que l'avenir est à notre merci, comme un animal qui nous appartient, que nous pouvons battre ou caresser, nourrir ou laisser mourir de faim. Nous pouvons tout infliger à l'avenir. En faire un toutou de manchon ou l'envoyer à la vivisection. Ou... le respecter. On n'est pas obligé de respecter le présent, parce qu'il se présente en force. L'avenir, lui, se présente en faiblesse, encore plus que le passé qui, du moins, est sûr d'avoir été. Avez-vous jamais songé à quel point l'utilisation de l'auxiliaire *avoir* pour former le passé est significative ? Le passé est un avoir que personne ne peut nous prendre : qu'on détruise les châteaux, qu'on désaffecte les monastères — ils *auront* été ! L'avenir, lui, n'a rien. Il est là, tout frileux, tout désarmé devant nous, sans cuir, sans poil, déplumé comme un poussin qui sort de l'incubateur... Il ne faut pas faire de mal à l'avenir.

« Bon, nous ne vivons pas dans un monde d'absolus. Il y a des moments où il peut être bien de faire le mal. Mais il y faut des raisons contraignantes. " Tu ne tueras pas. " Bien. Moi, mademoiselle, pardonnez-moi de vous dire cette chose pas très convenable : j'ai tué.

Marj, quoi qu'en pensât Foncrest, ne s'était jamais interrogée sur l'utilisation de l'auxiliaire *avoir*, mais elle plissa les paupières, car elle venait de comprendre une phrase dans le discours du vieux Frenchie qui n'allait pas très bien de la tête.

— J'aurais préféré ne pas tuer, mais j'*ai.* J'ai cet acquis d'homicide. Je le déplore — et si c'était à refaire, je le referais. (Les doux yeux noisette ne cillaient pas.) Quand des étrangers en armes marchent sur le sol de votre pays, il n'y a pas moyen de ne pas les tuer. Au contraire, une chose qui n'a pas encore vu la lumière du soleil, qui se trouve à votre merci et qui, loin de vous être étrangère, est tissée de vous...

Le regard de Foncrest se posa délibérément sur l'estomac de Marj. Alors elle devina tout et se leva, malade d'indignation devant tant de grossièreté.

— Je ne sais pas pour qui vous vous prenez. Je vous assure qu'en Amérique...

Lui, la contemplant toujours de ses yeux d'épagneul :

— Il ne faut pas vous sentir insultée. Vous avez de quoi sauver une vie. Je viens vous le demander, c'est tout simple. Quel être humain, s'il réfléchissait un instant, ne vous ferait pas la même prière : « Marj, ne tuez pas. » ?

— Une vie, une vie... La vie qui m'intéresse, c'est la mienne, répondit Marj, émue malgré elle et s'efforçant à d'autant plus de dureté. Ma vie est à moi. Mon corps est à moi. J'en fais ce que je veux. En Amérique...

— Il ne s'agit pas d'Amérique, dit Foncrest en se levant à son tour, par déférence. Les hommes sont à peu près les mêmes partout. Je ne vous demande pas grâce pour mon petit-fils, mademoiselle. Je vous demande grâce pour le fils de l'homme.

A cet instant, il y eut un bruit sur la galerie qui faisait le tour de la bibliothèque comme un chemin de ronde, un bruit indéterminé : sanglot, meuble repoussé, glissando d'une chute ou d'une fuite. Marj leva les yeux et ne vit rien. Elle les reporta aussitôt sur le vieil homme qui était sur le point de pleurnicher et commençait à lui faire peur.

— Vous n'avez pas le droit de me parler comme vous le faites.

— Si.

Il souriait d'attendrissement :

— Je suis le père de Joël.

Marj tira un paquet de cigarettes fripé de sa poche revolver, un briquet d'une autre poche. Ses mains tremblaient. Foncrest lui alluma sa cigarette avec un respect presque affectueux. Marj se gonfla de fumée. Elle se sentit protégée par ce goût familier, par ce volume dans ses poumons.

— Qu'est-ce que vous me voulez, exactement?

— Vous empêcher de commettre un meurtre qui serait aussi une espèce de suicide.

Elle fit une grimace de mépris.

— Vous exagérez, comme tous les Français.

Il souriait toujours, de son sourire rayonnant :

— Épousez Joël.

Elle devait être enrhumée, car maintenant la fumée lui sortait par une seule narine.

— Il serait trop content. Les pharmacies Whitehead, ça ne vous dit rien, peut-être? Non, monsieur, je n'épouserai pas Joël Paterson, même s'il se trouve que c'est votre p'tit garçon.

Il continuait de son côté :

— Nous le persuaderons. De toute manière, les hommes qui se marient dans l'enthousiasme, c'est assez rare. J'étais une exception. Bon, maintenant si le mariage est vraiment hors de question, il y a d'autres possibilités. Des bonnes sœurs. Après, vous n'auriez plus à vous en occuper. Je jouerais les nourrices sèches. Il y a des livres. J'apprendrais.

Il ne cessait pas de rayonner. Mais Marj avait recouvré tout son aplomb.

— Je trouve, dit-elle froidement, qu'il y a quelque chose de morbide dans l'état où vous vous mettez à propos des conséquences normales d'un acte biologique normal.

Elle allait sortir, s'échapper, et se heurta à Sophie qui entrait, embarrassée, intimidée, poussée aux épaules par Omphale.

— Monsieur, nous avons pensé, balbutiait poliment Sophie... Si vous vouliez rester à dîner... Je veux dire : si vous pouviez rester à dîner... (Elle ne savait plus si *vouliez* ou *pouviez* était plus respectueux.) Nous allons tous nous déguiser...

Omphale, un peu déjetée par sa boiterie, insista :

— Et vous, vous corrigerez notre français, pour qu'il ne dépare pas nos costumes. Parce que vous savez, nous autres, pour les imparfaits du subjonctif et les très humbles serviteurs...

Elle faisait des salamalecs avec les mains.

— D'ailleurs, vous allez vous déguiser aussi, hein ?

Foncrest répondit :

— Je resterai volontiers à dîner, si Mlle Sophie excuse mes souliers de daim. Mais je vous demanderai la permission de ne pas me costumer.

— Oh! monsieur, si je me mettais à genoux ? pressait Omphale, venimeuse. Et si je vous embrassais ? Pour de vrai ?

Foncrest rougit légèrement, sans trahir de mauvaise humeur, et secoua la tête avec fermeté.

VI

Joël écrivait au docteur Paterson.

Dear Pop.

Plus loin, cela devenait ardu.

La langue anglaise minimise les soucis comme par prestidigitation. Or, Joël n'entendait pas minimiser les siens. Il avait si souvent obtenu quelques dollars sans avoir l'air d'y toucher (Cher Pop, j'ai un petit problème — Cher Pop, j'ai un peu fait l'imbécile) que cette fois il se proposait de déployer le grand jeu, ne fût-ce que pour n'avoir pas l'air de récidiver. Mais l'anglais se gausse de lui-même dès qu'il hausse le ton, et « Cher Pop, je dois faire face à la plus grande décision de ma courte vie » ou « Cher Pop, je suis obligé d'honneur » ne passaient pas.

Joël lécha son stylo à bille bleu.

De vive voix, cela aurait été supportable, presque agréable même, car Pop aimait les problèmes humains, les difficiles, les solubles. Joël imagina la scène.

Le matin. Tôt. Quelques basques de brouillard encore accrochées aux saules. C'est un samedi. Pop, levé avant tout le monde, a mis son bermuda, une chemise écossaise, son chapeau rond, en caoutchouc, a calé sa pipe entre ses dents et a déposé son volumineux séant sur un pliant au bord de l'étang — on dit le lac — du Country Club. Cela ne se fait guère, passé treize ans, de pêcher dans l'étang : c'est trop facile. Sans parler des pêcheurs de saumon, espèce à part, supérieure à tout le monde, qui tiennent qu'on ne peut pêcher ailleurs qu'au Canada ou qu'en Alaska, un pêcheur respectueux de sa dignité va au moins jusqu'à Jacksonville, où il frète un bateau et son capitaine pour affronter les espadons voiliers et les espadons bleus, ou alors, s'il appartient au milieu très select des pêcheurs de truite, il fait (en automobile) des ascensions vertigineuses pour capturer de savoureux arcs-en-ciel dans les cascades du nord de l'État.

Oui, sortir de chez soi sans s'être rasé, les yeux encore collés de sommeil, traverser la route et mouiller sa ligne dans une pièce d'eau qui est là pour le décor et l'amusement des petits enfants, c'est mal vu. Mais Pop, l'homme le plus respectueux des usages, se moque, nul ne sait pourquoi, de celui-ci. Il suce sa pipe, attrape de vulgaires perches, les jette dans son seau de toile, les rapporte à la maison et les fait griller dans le patio, sur son barbecue. Il invite même quelquefois un voisin possédant une maison de deux cent mille dollars à partager sa friture, entre hommes, et généralement le voisin, malgré la différence sociale, ne se fait pas prier, car Pop impose le respect. Il y a en lui une intégrité dont personne n'a encore trouvé les limites. « Ai-je envie de faire ceci ? Oui. La chose causerait-elle du tort à quiconque ? Non. Alors je la fais. » Voilà sa règle de vie, et cela se sait.

Joël se voit, s'avançant vers Pop pas à pas, comme cela lui est arrivé souvent, honteux d'apporter encore une difficulté, certain de la voir bientôt réduite à de justes proportions, décomposée en problèmes et sous-problèmes, ramenée finalement à une décision nécessitant peut-être du courage, mais si indéniablement juste que toute opposition intérieure doit tomber d'elle-même. Le matin est si jeune que le monde n'a pas encore ses couleurs. Le lac et le ciel sont gris clair, et tout ce qui est plus sombre, route, arbres, résidences, est gris foncé.

JOËL. — Pop ?

POP (Après un temps, la pipe solidement fichée entre les dents, la main enserrant sans crispation la canne à pêche). — Fils ?

JOËL. — Pop. Je ne sais plus ce qui est *right* (notion protestante intraduisible : bien ? correct ? de jeu ? juste ? approprié ? légitime ? adéquat ? vertueux ?).

Pop. — On va essayer de débrouiller ça. Les situations humaines, ce ne sont pas des lignes et des hameçons. Regarde-moi comme c'est emberlificoté, ce bazar ! (Il défait des nœuds.) Inextricable. Les problèmes inextricables sont sans importance. Par définition. Car rien ne m'empêche de couper cette ligne et d'en prendre une neuve. (Il le fait.) Tu disais, fils ?

Joël. — Marj est enceinte.

Pop. — De toi ?

Joël. — Elle le dit.

Pop. — As-tu des raisons sérieuses d'en douter ?

Joël. — Non, sauf que ça pourrait être quelqu'un d'autre.

Pop. — Mais tu lui fais plutôt confiance ?

Joël. — Plutôt.

Pop. — Alors nous allons poser comme hypothèse que c'est de toi.

Joël. — D'accord. (Il s'étend sur la berge et suce un brin d'herbe.)

Pop. — Qu'est-ce qu'elle veut faire ?

Joël. — S'en débarrasser.

Pop. — Et toi ?

Joël. — C'est son problème.

Pop. — Tout de même ?

Joël. — M'est égal.

Pop. — Tu ne fais pas de réserves morales ?

Joël. — Crois pas.

Pop. — Tu n'as pas envie de garder l'enfant ?

Joël. — Crois pas.

Pop. — Tu n'es pas certain ?

Joël. — Si. Ce serait trop compliqué.

Pop. — Elle est enceinte de combien ?

Joël. — Deux mois.

Pop. — Elle n'avait pas pris de précautions ?

Joël. — Elle était en train de changer de méthode.

Pop. — A-t-elle déjà subi des opérations de ce genre ?

Joël. — Crois pas.

Pop. — Quel âge a-t-elle ?

Joël. — Vingt-trois, par là.

Pop. — Cela doit être sans danger. Tu parles bien de Marj Whitehead ?

Joël. — Ouais.

Pop. — Il me semble que c'était hier qu'elle venait demander des friandises, à la Toussaint. Elle se déguisait toujours en Mary Poppins. Ça pousse, les filles, ça pousse. Tu n'as pas de raison de croire que tu aies été le premier?

Joël. — Toutes les raisons de croire le contraire.

Pop (riant). — C'est quand même drôle que la fille Whitehead, avec toutes les pharmacies de ses parents... Au fait, sont-ils au courant? S'imaginent-ils que cela les regarde?

Joël. — Ils préfèrent ne pas savoir ce que fait Marj.

Pop. — Je ne vois vraiment pas ce qui te tracasse. Si tu veux, je lui ferai un mot pour le docteur Kirkpatrick. C'est le meilleur.

Joël. — Cela ne règle pas encore complètement la question, Pop.

Pop. — Parce que tu es catholique romain? Écoute-moi bien, Joël : les religions, ça se résume à ne pas faire de mal à autrui, et une autorité religieuse forçant à vivre un petit enfant qui ne serait pas le bienvenu dans la société serait une autorité bien discutable. Qu'en pense Marj?

Joël. — Il ne s'agit pas de ça. Marj est unitarienne — ils ont tous les droits, et moi, je ne suis pas obligé de croire en Dieu.

Pop. — Il ne faut pas dire ça, fils. Il est à peu près certain que Dieu existe et il est à peu près aussi certain qu'il ne s'occupe pas de planning familial.

Joël. — Quels que soient les moyens des Whitehead, j'ai des obligations à l'égard de Marj. Après tout, c'est elle qui prend les risques physiques. Ce serait la moindre des choses si je...

Pop. — Tu veux dire que tu as encore dépensé tes économies? On m'avait pourtant affirmé que les Français étaient près de leurs sous. Tu comprendras peut-être un jour que ce que l'on a représente très exactement ce que l'on est. Que Marj dise à Kirkpatrick de m'envoyer la note. Et qu'elle insiste : c'est un des rares qui risqueraient d'oublier.

Les choses ne pouvaient se passer aussi simplement par lettre parce que la pipe et la canne à pêche n'étaient pas là pour exorciser la frénésie de la vie. Joël avait envie d'écrire :

« *Dear Pop*, je me dégoûte. J'ai passé une heure dans l'avion à réaction des pharmacies Whitehead seul avec Marj Whitehead, et maintenant elle attend un enfant de moi. Elle ne me faisait pas vraiment envie. En un sens, elle me répugnait, mais je me suis forcé. Et maintenant, la seule solution, c'est de faire la saloperie des saloperies. A notre époque, on n'utilise plus des portemanteaux, mais je n'ai pas d'argent. Envoie-m'en, et je te promets de ne plus prendre que des filles dont j'aurai envie d'avoir des enfants et qui auront envie d'en avoir de moi. Le reste est sacrilège. »

Mais la réponse de Pop n'aurait pas été satisfaisante.

« Joël, tu devrais te méfier d'une certaine propension à réagir avec excès aux situations les plus normales. C'est probablement ton sang français qui te vaut cette tendance, que je ne t'envie pas. Je te soupçonne aussi de t'être démantibulé les nerfs avec un peu de drogue, bénigne, je veux le croire. Encore que tes pupilles, de temps en temps... passons. Se dégoûter est un état pathologique sans rapport avec les actes que l'on commet. Passe au laboratoire : on te fera quelques analyses. Il s'agit peut-être d'une avitaminose pure et simple : nous modifierons ton régime en conséquence. Pour le reste, une attirance-répulsion alternative est une façon légitime de vivre sa sexualité. L'important, dans ton cas, c'est de comprendre que, de nos jours, la science permet enfin de compenser l'inégalité féroce que la nature avait mise entre hommes et femmes sur le plan de la reproduction. Je déplore évidemment que vous n'ayez pensé ni l'un ni l'autre à prendre efficacement les mesures prophylactiques d'usage : il y a là de la négligence, de la légèreté. Mais de là à monter sur tes grands chevaux, à utiliser des mots malsonnants, à prendre des engagements impossibles à tenir... Tu diras à Marj de me faire envoyer la note de Kirkpatrick. »

Joël se boucha les oreilles. Il ne voulait pas entendre le discours qu'il prêtait lui-même à Pop. Il cria :

— Si ! Je me dégoûte !

Mais c'était à peine vrai, et il le savait. Il ne disait cela que pour entendre quel bruit cela ferait. D'ailleurs, dégoût pour dégoût, quel était le pire : d'avoir forniqué sans amour, de se préparer innocemment à un meurtre, ou de venir taper une fois de plus un parâtre indulgent ?

Un œil-de-bœuf, placé si haut dans le mur qu'on ne voyait à travers lui que le ciel grisonnant, éclairait la chambre mansardée où Joël avait été logé. La table à écrire était au pied de l'œil-de-bœuf. Joël grimpa sur sa chaise pour regarder dehors. Les marronniers plaquaient sur le toit leurs feuilles dentelées, tavelées de brun et d'orange. Au-delà, c'était un crépuscule d'automne. La géométrie du parc — pièces d'eau sans eau, espaliers supportant de vieux poiriers crucifiés dessus, termes au nez cassé, prenant des airs penchés parce que le sol s'était ameubli autour de leur base, parterres de ronces, grands arbres-patriarches couverts de bois mort — tout cela chavirait et sombrait dans un gris brun et un peu violet.

— Je me dégoûte ! répéta Joël à tue-tête. J'ai envie de me vomir !

Il sauta de sa chaise, se rassit et reprit son stylo à bille.

Dear Pop.

Il aurait aimé écrire : Envoie mille dollars et ne pose pas de questions.

Pop était capable de les envoyer, mais Joël n'avait ni assez de cynisme ni assez de générosité pour formuler ainsi sa demande.

Omphale entra sans frapper. Elle portait une jupe longue, une camisole à manches courtes, largement décolletée, et elle s'était fait une coiffure de précieuse, avec une multitude de boudins frisés pendant sur les côtés.

— Arrive. On se déguise.

— Encore ?!

— Il y a une raison spéciale. Viens au grenier. Viens.

Son frère Boubouche aurait reconnu l'expression concentrée et voluptueuse de son visage ; c'était celle qu'elle avait le jour où elle lui avait glissé une couleuvre dans son lit et où elle attendait de voir sa réaction : les yeux fixes, hypnotiques, les lèvres arquées et gonflées, l'épaule haute pour compenser la jambe boiteuse, le souffle raccourci. Elle-même connaissait bien cette expression : plus jeune, elle la prenait souvent exprès devant son miroir, se dévisageant pendant un quart d'heure avec une bougie allumée à la main, et quelquefois un cierge, dérobé dans une église.

Joël n'avait pas envie de se déguiser, mais c'était un bon prétexte pour abandonner sa lettre. Il suivit Omphale au grenier.

VII

Mme Lambert — elle faisait la cuisine et condescendait à apporter les plats jusqu'à la table, mais refusait de servir ces jeunes messieurs-dames qui n'avaient point de savoir-vivre — poussa des cris de joie en apercevant M. Foncrest, retrouva des bribes de troisième personne, donna (sur demande) des nouvelles de sa fille — « Elle a épousé un gendarme, le pauvre, il a un revolver, il ne sait pas s'en servir » —, rendit compte (sur interrogation) des progrès de ses engelures — « Il n'y avait qu'un remède : la graisse d'oie, mais on n'en trouve plus » — et détailla à mi-voix son dépit de voir le château envahi par « les fréquentations de Mlle Sophie ». Tout ce monde-là changeait de lit plus souvent que de linge — « Et pourtant, Mlle Sophie, qui était si mignonne à trois ans... » — et il convenait d'avoir l'œil sur les bibelots — « L'argenterie est sous clef ; les tableaux, ils n'osent pas, rapport aux cadres qui sont lourds ». Ce n'était pas encore là le plus grave : « Il y a toujours eu des forbans dans tous les milieux, mais dans le temps, même une dame qui se couchait plus souvent qu'à son tour savait s'asseoir. » C'était le manque de maintien qui blessait le plus cruellement Mme Lambert.

Foncrest n'était pas loin de lui donner raison (« Nous servions encore à quelque chose, pensait-il, tant que nous savions paraître ») mais il n'en disait rien, se contentant de l'écouter avec sympathie, de lui serrer ses mains qui sentaient le gant de caoutchouc, et de placer avec adresse, dans les rares plages de

silence qu'elle lui accordait, de petits cailloux plats comme
« Tout change », « Nos parents en disaient autant de nous »,
« Ces jeunes gens ont peut-être meilleur cœur que vous ou
moi, sûrement moi » et enfin « Malgré tout, la vie est belle,
madame Lambert ». Les jeunes gens observaient ces retrou-
vailles de loin et avec quelque étonnement.

Le plus surpris, naturellement, fut Joël, quand il entra au
salon, portant une redingote noire mitée et son blue-jean (par
mauvaise humeur, il avait refusé de changer de pantalon), le
cou enveloppé d'une cravate de dentelle blanche de grand prix
(mais il l'ignorait) nouée des mains d'Omphale.

— Papa ?!

Stupéfaction générale.

Seule Marj, vêtue d'une robe longue de coupe Empire qui
faisait ressortir ce que sa charpente avait de carré, les clavicules
s'emmanchant dans les épaules comme les éléments d'une
transmission mécanique, croisa les bras à angle droit et ne montra ni surprise ni absence de surprise, comme l'Américaine bien
élevée qu'elle était. Se tenant à l'écart, les lèvres froncées et les
jambes écartées par habitude du pantalon, elle attendait la suite
des événements. Mais les autres :

— Tu es le fils Foncrest ?

— C'est la croix de ma mère.

— Il n'y a qu'en France !

Joël reculait, horrifié par l'indiscrétion de la situation, se
demandant comment un père aussi compromettant, avec des
pointes de col de chemise qui partaient en charpie, se permettait de le relancer jusqu'ici.

Georges, volumineux dans un long gilet puce brodé d'or,
riait à gorge déployée : on lui voyait la luette. Gregory, qui avait
revêtu le kilt au tartan du clan dont il se targuait de descendre,
avec l'aumônière et l'épingle géante, souriait finement sous sa
moustache blonde. Phillip, le seul garçon à s'être déguisé soigneusement, de pied en cap, avec catogan, veste bleu Nattier et
culotte à la française, observait courtoisement. Omphale se
tenait dans l'ombre.

Sophie — robe rose second Empire, décolletée en accolade,
donnant tout leur éclat à ses cheveux foncés et même une cer-

taine majesté à sa frimousse de joli singe — se sentait maîtresse de maison : elle s'inquiéta. Elle prit Foncrest par le bras et le guida jusqu'à la salle à manger octogonale, où il se mit tout naturellement à sa droite.

Il regarda autour de lui, cueillit du regard les jeunes têtes fatiguées qui entouraient la table de leurs déguisements sommaires, soupira, sourit :

— Je suis content d'être parmi vous. Et puis, avec Mme Lambert — il déplia sa serviette — on va sûrement bien dîner !

Conformément à l'usage, il se tourna vers sa voisine de droite, Marj.

— Vous avez admirablement choisi votre style. Un accroche-cœur sur la tempe, et vous seriez Mme Récamier en personne. Vous savez qu'elle a failli épouser un prince de Prusse.

Omphale faisait face à Foncrest, de biais, à travers l'un des chandeliers d'argent. Sur sa camisole, elle avait mis un corselet de velours noir, lacé sous la gorge qu'il projetait en avant. Ses épaules à demi découvertes faisaient songer à quelque gibier dodu ; ses cheveux opulents, arrangés en anglaises, formaient un cadre torsadé pour son visage d'enfant lasse, d'où sourdait un regard inquiétant — non plus de gibier, mais de chasseresse.

On mangea assez gaiement le pâté en croûte. Mme Lambert qui, pour une fois, virevoltait autour de la table, en avait servi une portion double à Foncrest : il accepta de bonne grâce. Voyant que les garçons se servaient quelquefois en oubliant les filles, il commença à verser le vin blanc, un peu vert. Il parlait peu, écoutant les bribes de phrases et les onomatopées que se jetaient à la tête les jeunes gens. Ce n'était pas ce qu'il appelait, lui, de la conversation, et d'abord parce que les garçons parlaient surtout aux garçons au lieu de s'occuper de leurs voisines. Il comprit bientôt que Phillip était le fils d'un marchand de biens américain, par l'entremise de qui le père de Sophie achetait des terres outre-Atlantique pour les Français prudents qui y mettaient à l'abri leurs gros sous, avant de s'y mettre, le cas échéant, eux-mêmes. Georges travaillait à l'essai chez le père de Sophie. Gregory, Français d'origine écossaise, essayait de se créer une affaire dans le même milieu. Phillip était venu faire son tour d'Europe avec Joël, avant d'entrer dans l'agence paternelle. Joël servait à Phillip de cicérone parce que, Français de souche, il devait savoir se débrouiller en Europe. Mais Phillip n'avait aucun besoin de cicérone : petit, carré, brun, le front court, il aurait passé pour Français s'il ne s'était pas obstiné à garder son bras gauche sur ses genoux quand il mangeait. Joël, boudant dans sa redingote et sous le lorgnon romantique qu'Omphale lui avait juché sur le nez, paraissait moins à l'aise que l'étranger auquel il devait servir de guide.

Autour, les panneaux du XVIIIe d'un gris déteint, et les glaces noircies dans leurs cadres dédorés, considéraient avec mélancolie l'assemblée hétéroclite qui dînait là ce soir, aux bougies. En deux siècles, la salle à manger de Sourdevoie s'était un peu blasée sur les passions humaines, avec ou sans perruque, avec ou sans falbalas.

Omphale attendit l'arrivée du lapin à la moutarde — Mme Lambert s'arrangea pour que Foncrest eût un râble — et puis elle ouvrit les hostilités.

— Monsieur, fit-elle dans un silence, quand donc allez-vous critiquer l'exactitude historique de nos costumes ? C'est pour cela que j'ai demandé à Sophie de vous inviter à rester.

Les regards s'infléchirent vers le bonhomme.

— Je croyais, dit Foncrest, que tout le monde se costumait comme il voulait.

— Le professeur d'histoire n'est pas choqué ?

— Vous n'avez sûrement pas besoin de moi pour savoir qu'une redingote se portait rarement avec un bloudjine. Justement, je voulais vous demander, Mlle Sophie, où avez-vous trouvé ces jolis costumes ?

— Dans de vieilles malles au grenier, répondit Sophie.

Joël respira. Sophie qui, elle aussi, avait senti le danger, enchaîna :

— Alors, Phillip, tu nous la trouves, cette chasse au faisan en Georgie ?

— Il n'y a pas de faisans en Georgie, répondit Phillip. Ils ne s'entendent pas avec les bobouailltes.

— Pourquoi dites-vous Georgie ? Il faut dire Gé-or-gie, intervint Georges en rythmant les trois syllabes avec le manche de sa fourchette sur la table.

— Parce que je ne dis pas Gé-orges, mon vieux ! répliqua Sophie.

— Mademoiselle a raison, dit Foncrest. La Gé-orgie est une république soviétique ; la Georgie est un État américain.

Georges, assis à la droite de Marj, se pencha par-dessus elle. Marj se recula, pour ne pas empêcher l'altercation.

— Vous êtes sûr de ce que vous avancez ?

Ce petit monsieur avec sa cravate trop serrée faisait monter en lui une de ces haines à première vue dont rien ne rend vraiment compte. Était-ce la haine du blond sanguin et bouclé contre le brun nerveux et lisse, oïl contre oc, barons contre parfaits, lansquenets contre troubadours ? Ou celle du grand, du gros, qui, lorsqu'il se renverse sur une chaise, la fait gémir, contre le sec, le parcheminé ? Celle du pachyderme contre le lézard ? De l'homme commun contre l'homme de qualité ?

Foncrest dit :

— Géorgie vient du grec *guè*, la terre, et *ergô*, travailler, cultiver. Georgie vient du prénom anglais George, en l'occurrence celui de George II d'Angleterre. On pourrait évidemment arguer que le prénom George lui-même vient de *guè* et d'*ergô*, mais la contraction était déjà faite depuis des siècles quand le général Oglethorpe baptisa la nouvelle colonie. Il semble donc logique de prononcer Gé-orgie comme gé-orgiques et Georgie comme Georges.

Omphale souriait, lèvres closes. Joël écrasait son pain. Son père se ridiculisait. On était plus tranquille aux États-Unis où les générations ne communiquent qu'en cas d'absolue nécessité.

Georges, temporairement démonté, se versa un plein verre de vin et le vida.

Gregory, qui faisait face à Foncrest, montra les dents sous sa petite moustache blond roux. Il était beau, il le savait, il en était gêné un peu et davantage satisfait.

— Joël, dit-il, je ne sais pas comment tu t'arranges pour être aussi ignare avec un père qui sait tout.

Il trempa ses lèvres roses dans son vin et reprit :

— Puisque je vous tiens, monsieur, puis-je vous poser une question ? Vous connaissez parfaitement l'histoire et vous pourrez sans doute me dire à quel moment ma famille est devenue française.

L'attaque était plus subtile.

— Si je ne me trompe pas, répondit Foncrest, un cadet Mac Durban est venu mettre sa claymore au service de Louis XI vers 1470... en tout cas peu après l'entrevue de Péronne.

Gregory leva ses sourcils blonds, presque invisibles :

— Vous connaissez mon nom ? Sophie avait dit Grégoire, tout court.

— J'avais même dit Gregory, fit Sophie, taquine.

Foncrest riait :

— Mais, monsieur, comment voulez-vous cacher votre nom en arborant votre tartan ? C'est là une héraldique mineure à laquelle je me suis un peu intéressé, et qui donne des renseignements passablement exacts. Naturellement, vous ne porteriez pas un tartan auquel vous n'auriez pas droit.

— Te v'là feinté, Gregory, dit Phillip. Pas de pott, mon pote !

Joël fermait les yeux : comme toute la bande devait se moquer de lui !

Mais pas du tout : un revirement se faisait, que Foncrest professeur connaissait bien. « Les jeunes gens ont raison de se méfier des autorités : depuis cent ans, ils ont été floués par tant de magisters, tant de gurus ! En revanche, les connaissances précises leur en imposent, même ésotériques. »

Phillip trouvait beau que ce mangeur de grenouilles sût lire un nom et une date dans quelques bandes de tissu orange et vert ; les filles se ralliaient naturellement au vainqueur des deux petits duels qui venaient d'avoir lieu ; Georges et Gregory n'avaient pas encore trouvé de contre-attaque. Joël était le seul, passant sa main crispée dans ses cheveux oxygénés et électrisés, à n'avoir pas saisi l'humeur générale. Phillip, qui aimait que tout fût clair, se tourna vers lui.

— Si j'ai bien compris, dit-il, Pop n'est pas ton pop.

— Adoptif.

Phillip se retourna alors vers Foncrest.

— Je ne voudrais pas être indiscret, monsieur, mais quel effet cela fait-il de laisser adopter son fils ?

Il n'y avait là qu'une studieuse curiosité, aucune volonté d'insulter. Mais Marj pouffa. Gregory aspira de l'air par les narines. Omphale déplaça le chandelier pour mieux voir et recula son visage dans l'ombre.

— M'sieur dame, le tact américain, c'est quelque chose ! lança Georges.

Il pouffa aussi, à retardement, et, comme il buvait en même temps, il aspergea la nappe de gouttelettes roses. Mme Lambert soupira à l'arrière-plan.

— L'adoption est une pratique singulière, dit Foncrest d'un ton rêveur. Elle formait la base de la continuité de l'Empire romain, qui a duré plus de quatre siècles. Gabriel Marcel affirme qu'il n'y a pas de paternité sans adoption, même de ses propres enfants, alors que la maternité est im-médiate, au sens propre du mot. La continuité établie est l'aspect le plus souvent examiné de la question, et vous avez raison, monsieur, d'évoquer l'autre : non pas la liaison qui se fait, mais celle qui se défait. Jusqu'à quel point peut-elle se défaire ? Du côté du père ? Du côté du fils ?

— La voix du sang ? interrogea Gregory, et il ajouta en voix de tête un « quoi ? » un peu manqué de jeune coq.

— Vous connaissez l'histoire de l'affreux petit canard, poursuivait Foncrest, pédagogue. Le cygne adopté, d'ailleurs mal adopté, par les canards, reste un cygne. Cela signifie-t-il qu'il en aille de même des hommes ? Le mot de race s'applique mal à eux, dans la mesure où un Hottentot peut avoir des enfants avec une Hohenzollern. Cette question a beaucoup asticoté le XVIIIe et le XIXe, parce qu'on avait commencé à mettre en doute la transmission des vertus par l'hérédité. Faites élever un prince par des paysans, bon sang mentira-t-il ? Faites élever un paysan comme un prince, une odeur de fumier régnera-t-elle tout de même autour de lui ? Voyez Marivaux. Mais c'est que ces siècles-là ont été obnubilés par la notion récente et fausse de classes sociales. Quand on ne compte plus, on compte ses ancêtres, dit Chateaubriand. Et quand, n'étant rien, on veut être tout, on se figure le monde comme un escalier qu'il faut monter à tout prix, à cheval les uns, à plat ventre les autres.

« Le point le plus aigu de cette angoisse du social, le connaissez-vous ? Ce sont les dispositions prises par le gouvernement révolutionnaire pour détruire ce qui pouvait rester de royauté dans la personne de l'enfant Louis XVII. On a sciemment essayé de lui apprendre à parler, à penser, à sentir comme un homme bas. On lui a donné pour cela un précepteur, un précepteur de bassesse. Et ce n'était pas, comme on le prétendait, pour le guérir d'être prince, mais pour démontrer — pour se démontrer à soi-même, peut-être — que les princes, ça n'existe pas. Pour exorciser le mythe royal.

« Quel admirable sujet de drame ce serait que l'entreprise du cordonnier Simon qui, à la fin du premier acte, réussit à faire dire au petit roi qui parle de sa mère et de sa sœur : " Est-ce que ces catins-là (Foncrest édulcorait par égard pour les *jeunes filles*) n'ont pas encore été guillotinées ? " et qui, succombant à la fin du second au rayonnement du petit-fils de Saint Louis, s'écrie lui-même : " Je donnerais un bras pour que cet enfant fût à moi ! "

— L'histoire est belle, dit Phillip intéressé, parce que l'homme commence à aimer l'enfant, sans distinction d'origine sociale. Je verrais bien cela en film.

— A cela près, objecta Foncrest, que le duc de Normandie n'était pas un enfant aimable. Il était, de l'aveu même de sa sœur, sale, paresseux... C'est une autre magie qui a opéré la transformation.

— Si vous croyez ce que ma sœur raconte de moi ! répliqua Phillip.

— Les moins aimables sont souvent les plus aimés, murmura Omphale du fond de l'ombre.

— De toute manière, remarqua Gregory, le cordonnier savait que l'enfant était royal. Il a pu se laisser abuser...

— Comme nous par une étiquette, renchérit Foncrest, de belle humeur. Un de mes amis bordelais a eu une inondation dans ses caves. Les étiquettes nageaient ! Il a trouvé amusant de les recoller au hasard. Vous imaginez le sottisier, chaque fois qu'on servait un vin... d'avant le déluge.

— Abus de confiance, prononça Georges, qui avait le vin de plus en plus sombre.

Son déguisement rose et doré, débraillé, accentuait ce que sa grosse figure rieuse avait, malgré tout, de sinistre, sous ses cheveux bouclés. On l'imaginait aisément président d'un tribunal révolutionnaire : « Votre crime, citoyen, est d'être suspect. »

— De nos jours, reprit Foncrest, on en revient à une vision un peu moins sentimentale des choses. Faites élever un prince hémophile par des paysans : ce sera peut-être un paysan, mais hémophile. Des parents blonds peuvent produire un enfant noir, mais seulement s'il y a eu un ancêtre noir dans la famille. Assez drôlement, cette manière de considérer les choses a commencé par l'étude des pois de senteur, une de mes fleurs préférées, et ces modestes pois ont modifié notre conception de l'hérédité. Nous savons maintenant pourquoi les hortensias dégénèrent. Et la fameuse racine *g, voyelle, n* qui a donné genou, gendre, gentil, généreux, général, génie, genèse et, bien sûr, gène — j'ai lu par curiosité quelques livres de philologie (il s'en excusait) — est au cœur de ce que nous sommes parce que, à la base, nous sommes notre héritage.

Il but une gorgée du fleurie que Mme Lambert avait substitué au côtes-du-rhône quotidien.

— Là où il y a des gènes, il n'y a pas de plaisir, lança Georges.

Son jabot constellé de vin bouillonnait sur sa poitrine. L'indignation fut générale.

— Toi, avec tes jeux de mots !

— Laisse tomber !

— Va te coucher !

Foncrest, comme il le faisait systématiquement en classe, prit la défense de celui contre lequel les autres se liguaient.

— Le calembour de M. Georges est peut-être un peu osé, mais il résume parfaitement un aspect de la question. On relève, au cours de l'histoire, une lutte continue entre deux tendances fondamentales de la nature humaine : l'attrait du plaisir, qui est éparpillement, et le besoin de se perpétuer, qui est rassemblement. Aux temps forts de l'histoire, le plaisir est traité, du moins en paroles, avec dédain, tandis que les valeurs génétiques sont portées au pinacle : la République romaine, les premiers siècles chrétiens, Don Diègue. Aux temps faibles, le plaisir apparaît au contraire comme la seule valeur sûre, et aussitôt tout ce qui est famille, engendrement, culte des ancêtres, responsabilités des parents, obligations des enfants, passe au second plan : la décadence de Rome, les enfants de Rousseau à l'assistance publique, la crise démographique actuelle dans les pays ayant atteint leur plein développement. Vous savez bien, par exemple, que la morale juive, dont la nôtre est dérivée pour une si large part, repose sur l'instinct de conservation d'une toute petite nation qui ne pouvait risquer de perdre un seul de ses fils, même un de ses fils possibles...

Foncrest s'arrêta. Il s'engageait sur un terrain scabreux. Si on lui demandait des précisions, il ne pourrait les donner devant les *jeunes filles*.

Omphale, toujours presque invisible, dit :

— Avec tout ça, m'sieur, vous n'avez pas répondu à la question de Phillip. Quelle impression ça vous a fait de céder votre fils à un autre ?

Foncrest réfléchit un instant.

— C'est un sujet, dit-il, que je n'ai pas envie d'aborder.

Et il sourit.

— Reprenez du lapin, proposa Sophie.

— Volontiers : il est excellent.

Georges crut avoir trouvé un nouvel angle d'attaque.

— C'est vrai que les profs ne mangent pas toujours à leur faim ?

Son gros œil bleu exorbité était fixé sur Foncrest, comme si son orbite allait le lui décocher en plein front. De la main, il imprimait un mouvement tournant au vin dans son verre.

— Ça dépend, répondit Foncrest, de quoi ils ont faim. Si c'est de caviar, sûrement. Mais s'ils se contentent de pot-au-feu...

Gregory s'interposa. Tout le séparait de Georges, et pourtant il était lié à lui dans un indissoluble tandem : il se sentait toujours obligé de faire mieux ou pis que lui, de l'humilier sur son propre terrain ; c'était chaque fois Gregory qui gagnait, mais c'était Georges qui avait choisi les armes. Ils en retiraient l'un et l'autre des plaisirs et des écœurements.

— Vous méprisez les valeurs terrestres, quoi?

Cette fois-ci, le quoi sortit mieux. Foncrest regarda Gregory avec sympathie. Il aimait ce persiflage, ce ton, qui lui rappelaient le milieu où il avait grandi. Si l'effet n'était pas encore impeccable, le style y était, et c'est roboratif de constater que les jeunes gens imitent le style de leurs aînés. Car il y a là de la sagesse, quand même on imiterait des sottises.

— Il faudrait bien de l'orgueil pour mépriser les valeurs terrestres, dit Foncrest. Mais il y en a quelques-unes dont on apprend, assez facilement, à se passer.

Après Georges, Gregory se sentit envahir par une profonde antipathie pour le vieux chnoque : « J'ai tout ce qui compte, la jeunesse, l'argent, la vigueur, l'intelligence, et aussi cette chose que nous n'osons même plus nommer entre nous. Lui, pauvre, vieux, maigrichon, il ose me traiter comme un chiot? »

— Vous avez bien de la chance. (Gregory aussi avait bu. Il savait boire, mais il avait bu plus qu'il ne savait.) Comment peut-on vivre sans, je ne sais pas, moi, sans Gucci, sans Venise, sans Hermès, sans une amie sortable, sans lui faire des cadeaux indécents décents? Sans bateau, oui, parce qu'on a des amis qui en ont, mais sans voiture? Phillip a amené sa Corvette, Georges a une Porsche, je me suis offert une Lotus — d'occasion, c'est vrai, mais enfin... Même votre Joël qui s'est dégoté une vieille Triumph décrépite. On ne peut tout de même pas aller à pied ou rouler en Simca !

Gregory se savait, se voulait ridicule. C'était au deuxième degré qu'il bafouait Foncrest. Il ne prétendait pas lui reprocher sa pauvreté, mais lui dire en face : « Je bouffonne à vos dépens et vous ne saurez pas m'en empêcher. » Par là, Gregory se démontrait à lui-même sa supériorité sur Georges, son alter ego philistin.

Joël, qui avait honte de sa Triumph, en voulut à son père de la voir dénigrer.

— Moi, j'ai une R 5, dit Omphale dans les ténèbres.

— Tu es une fille : tu ne comptes pas, jeta Gregory.

— D'ailleurs je l'ai oubliée quelque part, je ne sais plus où, fit-elle avec langueur.

Gregory trempa de nouveau ses lèvres dans son verre de cristal. Foncrest le regardait avec approbation. Il était beau, Gregory, avec ses cheveux presque roux qui ondulaient par plis serrés, comme dans les primitifs. Tout compte fait, avec son teint clair, son visage dur et ces cheveux-là, cet Écossais ressemblait à un ange. A un ange italien en kilt.

— Évidemment, il y a le vélo, recommença Gregory, mais tout le monde, monsieur, n'a pas des cuisses de coureur cycliste.

Il s'inclina avec une déférence moqueuse.

Foncrest lui sourit à travers ses lunettes.

— Si vous saviez comme je suis d'accord avec vous ! La vie devrait être agréable, et surtout gracieuse. Il n'y a qu'une espèce de grâce : la grâce. En grec, les trois Grâces s'appelaient les trois Charités. Bien sûr qu'il est beau de bien s'habiller, de manger et de boire dans de belles vaisselles, d'avoir entre soi des relations de qualité. Vous avez compris que la beauté se devait d'être quotidienne ? En demandant le pain, nous demandons aussi la beauté du jour. On comprenait cela aux grandes époques. J'irai plus loin. Si tous les hommes ne peuvent pas vivre dans la grâce, certains du moins, une minuscule minorité, si l'on veut, ne devraient avoir d'autre but dans la vie que celui-là. C'est le seul art qui ne soit pas un métier, mais il encourage tous les autres. D'une certaine manière, rien n'est plus utile à la société que les inutiles, ceux qui ne produisent pas et font produire, ceux qui, dans l'éthique jacobine, n'ont pas le droit de manger. C'est que, voyez-vous, la grâce est exigeante. Ces choses séduisantes que vous avez énumérées, il ne suffit pas d'y avoir accès : il faut savoir en jouir, et on ne les traite pas comme elles le méritent en leur consacrant ses week-ends. Je crains bien qu'il ne soit impossible d'être un tâcheron ou un commis-voyageur tous les jours de la semaine et un seigneur le dimanche.

Le teint nordique de Gregory vira au rouge foncé. Foncrest, se reprochant de l'avoir blessé, chercha à se rattraper.

— Il n'y a pas de sot métier, et je n'entendais pas « commis-voyageur » dans un sens péjoratif. Mais vous conviendrez que les choses délicieuses auxquelles vous êtes si justement attaché — moi aussi, ajouta-t-il naïvement, j'aimerais aller à Venise avec de jolis bagages de cuir — ne sont vraiment intéressantes que lorsqu'elles sont données gratuitement, qu'on ne les a pas méritées, gagnées, échangées, qu'elles ne sont pas devenues, s'il faut tout dire, une purée de lentilles.

— Purée ? Purée ? dit Georges, feignant d'être plus ivre qu'il ne l'était. Qui est dans la purée ? Vous ?

Joël s'interrogeait : Pourquoi faut-il que nous ayons des parents ? Pourquoi faut-il que nous soyons sortis de celui-ci ou de celui-là plutôt que de la ruche ou de la fourmilière, puisque c'est là-dedans que nous serons appelés à vivre ? Quelle corvée, quelle humiliation, de traîner après soi ces cordons ombilicaux où on s'embarrasse les jambes, ces vieilles chrysalides mal détachées ! Ils se campent, ils pérorent, et les responsables, c'est nous. Platon — Joël se rappela un cours de philosophie générale — avait mis dans le mille : la paternité collective, voilà la solution. A quoi ça sert, des parents, après que la mère a fini d'allaiter et le père de fesser ? Et, dans une civilisation où on n'allaite ni ne fesse, à quoi servent-ils tout court ?

— C'est Esaü qui a préféré un potage de lentilles à son droit d'aînesse, expliqua Marj. C'est dans la Bible.

— A son droit d'ânesse ? rigolait Georges.

— L'ânesse, c'est toi, lui dit Phillip.

— Les protestants, constata Foncrest, connaissent admirablement l'Ancien Testament.

Et la mine d'Omphale fut, une fois de plus, désamorcée.

Alors elle déplaça encore le chandelier et parut en pleine lumière, les bougies éclairant de leur lueur crémeuse les grappes de tire-bouchons de ses cheveux cendrés, son visage blond et lisse, ses yeux de plomb, sa gorge opulente à la fois comprimée et offerte par son corselet noir. Elle voulait s'adresser à Foncrest par-dessus la table, en diagonale, mais se tourna malgré elle vers Joël, placé à sa gauche. Elle s'était soudain rappelé la manière dont, la veille, il l'avait dédaignée. Sur le moment, elle n'en avait guère souffert, et voilà qu'elle se découvrait grosse de rancœur contre ce haut visage en forme de losange qui, sous ces cheveux presque blancs, s'érigeait au-dessus d'elle. Ah ! le fils Foncrest n'avait pas voulu d'Omphale de Beauhaloir !

— Joël, fit-elle d'une voix sans harmoniques, moi, voici comment je comprends la situation. M. Foncrest est plutôt fauché, et ton fameux Pop, sans rouler sur l'or, a toujours eu quelques dollars de côté. Alors, comme il avait envie d'un rejeton et qu'il n'était pas capable de s'en fabriquer un lui-même, il y a eu ce qu'on appelle — elle prononça à la française — un jentleman's agrément.

La bande demeura pétrifiée. Ivre du pouvoir qu'elle exerçait, Omphale se pencha vers Joël :

— Je sais bien qu'il y a eu l'inflation, et tout, mais à l'époque, tu peux nous dire ça entre nous, tu as coûté combien ?

Joël se leva pour la gifler et, du coude, renversa une bouteille sur le gilet bleu ciel de Phillip.

— Regarde ce que tu fais, stoupide ! cria le gilet.

Joël se retourna contre lui. Voilà dix ans qu'il croyait que Phillip était son ami, et il apprenait soudain qu'il n'avait jamais aimé, que même, sans le savoir, il avait toujours eu en horreur ce visage poupin et grave, ce nez en forme de petit bouton, ces lunettes doctorales, toute cette bobine carrée de grand petit-bourgeois compassé et protecteur cent fois contemplée à travers la vitre de la Corvette bleue. Joël parvint à grincer entre ses dents :

— Je ne permets pas qu'on insulte mon père.

Il saisit Phillip de la main gauche, par le jabot, le souleva de sa place, et lança son poing droit dans le petit nez offensant. (« Dix ans que j'ai envie de faire ça. ») Puis il pivota vers Omphale. Il se sentait herculéen. Il allait la jeter par terre d'un revers de main. Mais Foncrest avait déjà fait le tour de la table :

— Je vous interdis.

Son visage aimable s'était fait impérieux ; sa voix, catégorique. Toute son énergie intérieure, Foncrest l'avait logée dans ces trois mots, comme un karatéka dont le corps entier frappe à travers trois doigts. Joël sentit qu'il ne pouvait résister à ce vouloir aigu. Il n'avait jamais été visé au cœur par une volonté pareille. Il pleurnicha :

— Elle t'a insulté.

— On ne frappe pas une femme, dit durement Foncrest, comme s'il gravait dans le marbre un onzième commandement.

Georges, cependant, volumineux et chancelant, s'appuyant au dossier des chaises de Marj, Foncrest, Sophie, Gregory, Omphale, dans l'ordre, avançait pas à pas. Pour parvenir jusqu'à Joël, il voulut repousser Foncrest, Foncrest résista.

— Suffit comme ça, Georges, commanda Gregory, en le retenant par la basque de son habit jaune. Tu es ivre comme un porc, mon cher.

Georges arracha la basque qui craqua, et, respirant très fort, posa la main sur l'épaule de Foncrest, peut-être pour l'écarter de son chemin, peut-être pour ne pas tomber.

Un instant, tout fut suspendu : les miroirs, qui en avaient vu d'autres, mais peut-être jamais rien d'aussi hétéroclite, photographièrent un tohu-bohu picaresque, avec perruques de travers, décolletés béants, bouteilles renversées, gilets tachés, kilt, lunettes, blue-jean, une Merteuil en herbe au demi-sourire ingénument satanique, un monsieur pâle et digne en complet-veston et, dans l'entrebâillement de la porte, Mme Lambert apportant son clafoutis. Puis la mécanique se libéra :

— Georges ! criait Sophie d'une voix stridente.

— Ta gueule. Vos gueules. Je vais lui casser la gueule, marmonnait Georges en malaxant l'épaule de Foncrest.

Cette main rose, baguée, grasse, sudoripare, sur l'épaule de son père, ce halètement vineux dans l'oreille de son père, Joël ne les supporta pas. Il terrassa Georges d'un coup de poing au menton et redoubla du gauche à l'estomac. Entraînant deux chaises, Georges s'effondra.

Joël ne s'était jamais battu, mais il avait vu des films. Il savait que, lorsque l'adversaire est au sol, on l'achève d'un coup de pied à la tempe. Il allait le faire.

— On ne frappe pas un homme à terre, dit Foncrest, en lui posant la main sur l'avant-bras.

C'était le douzième commandement.

Joël ne savait plus où il en était. Il pleurait. Il ne savait pas pourquoi. « Jamais plus d'herbe. » Il s'essuyait les yeux avec la manche de sa redingote contemporaine de Balzac. Il s'était écorché les phalanges. Que dirait Pop de tout ça, Pop qui prétendait qu'il ne fallait en aucun cas frapper un être humain, Pop qui pardonnait tout, sauf les bagarres ?

Foncrest s'adressa à Sophie :

— Je regrette, mademoiselle, d'avoir été l'occasion de cet incident. Étant donné les circonstances, vous me permettrez de me retirer.

Il fit une inclination de tête à la ronde et marcha vers la porte.

— Attends-moi, cria Joël.

Georges vomissait bruyamment sous la table.

Joël bondit dans l'escalier, se rua dans sa chambre, arracha lorgnon et redingote, jeta ses affaires, pêle-mêle, dans son sac — c'était la deuxième fois qu'il quittait Sourdevoie en deux jours —, redescendit quatre à quatre, se foula un peu la cheville sur la dernière marche. Il évita la salle à manger et retrouva son père au pied de la terrasse, en train de remettre posément ses pinces à pantalon. Il faisait froid, il faisait nuit, les fenêtres rectangulaires du château mettaient des trapèzes de lumière dans le parc.

— La Triumph a une galerie sur le coffre. On mettra ton vélo dessus, dit Joël avec sollicitude.

Le vent menait un tapage brutal dans les frondaisons humides. Les deux hommes contournaient le château, Joël conduisant la bicyclette de son père. Il leur sembla à tous les deux deviner dans le vent une voix qui criait :

— Je viens avec vous...

Mais chacun d'eux crut s'être trompé, puisque l'autre ne faisait pas mine d'avoir entendu. D'ailleurs ils préféraient être seuls. Ils marchèrent sans se retourner.

VIII

Malgré les conseils de Pop, Joël n'avait jamais perdu l'habitude de s'analyser. Pop disait : « L'introspection, c'est morbide. Pour vivre bien, il faut simplement accorder ses actions à ses croyances et ses croyances à son tempérament. » Mais Joël — son « côté français » sans doute — ne résistait pas au prurit des examens intérieurs. En conduisant la Triumph dans la nuit, il cherchait à s'expliquer pourquoi il avait fait ce soir ce qu'il n'avait jamais fait auparavant. « En cognant dans Phil, je cognais peut-être avec une barre de fer dans sa belle Corvette bleue ; je la lui ai assez enviée. Mais Georges ? Il ne m'a jamais rien fait. » Il jeta un regard au profil de son père, rendu sévère par l'éclairage du tableau de bord.

— Pauvre Sophie, dit Foncrest.

Il ajouta en riant :

— Pauvre Mme Lambert avec son clafoutis et pauvres de nous qui n'en avons pas eu.

Puis son visage redevint sombre.

— Mais surtout pauvre Omphale.

— Pauvre ? Avec ce qu'elle a dit de nous ? De toi ?

— Justement. On ne dit pas ce genre de chose pour rien. Elle devait souffrir.

Joël ne s'étonna qu'à moitié de cette absence de rancune. Pop non plus ne se mettait jamais en colère : il cherchait à comprendre. « C'est une méthode plus positive, disait-il. On ne multiplie pas le mal par le mal. » Mais c'était le médecin en lui qui parlait. De son côté, le père Pat prêchait à Saint-Joseph le pardon des offenses, mais c'était parce que nous avons nous-mêmes des offenses à nous faire pardonner. « C'est comme pour les infractions au code de la route, expliquait-il après avoir donné lecture de l'Évangile. Je ne vais pas dénoncer celui qui brûle les stops, moi à qui il arrive de passer au rouge ! » Et puis il ajoutait naïvement : « Ça ne m'arrive pas pour de vrai. Je ne vous racontais ça que pour l'exemple. A l'orange, peut-être. »

— Tu es très chrétien ? demanda Joël en regardant la route devant lui.

— Personne n'est chrétien. Disons que j'essaye.

— Tu essayes parce que tu sens que tu dois ?

— Non, parce que j'aime ça.

— Tu aimes quoi ?

— La Trinité, la Sainte Vierge, le Christ, l'art roman, communier, l'acte de contrition. Et même certains curés, Joël, même certains curés.

— Tu n'es pas ce qu'on appelle intégriste ?

— Intégriste, c'est un mot. Je préfère le grégorien aux chants scouts.

Joël remâcha ces renseignements.

— Comment peut-on aimer la Trinité ?

— Comme on aime l'amour.

Le petit logement si laid était maintenant pour Joël une terre connue. Il eut droit, ce soir-là, aux deux fauteuils qu'il mit face à face et bout à bout. Il s'endormit en revivant avec un peu de honte et beaucoup de volupté la scène de tout à l'heure. « Alors je le soulève par la chemise et je cogne dans son nez. L'autre arrive, et je te lui allonge un droit au menton et un crochet au ventre. » Il se sentait homme.

Ce fut Foncrest qui prépara le petit déjeuner. Joël le regardait circuler, robe de chambre, pyjama, chevilles nues, pantoufles, le tout vulnérable, dérisoire, usé, « inusable », et il se disait curieusement : « Il ne me plaît pas, mais je l'aimerais presque... Je l'aimerais presque de ne pas me plaire. »

La table fut mise dans la bibliothèque ; cette fois-ci un torchon blanc à galons rouges servit de nappe ; le café était recuit, le pain rassis, le beurre rance (« J'espère que cela ne te dérange pas : moi, j'aime assez »).

Lorsqu'on fut installé :

— Joël, dit Foncrest en mordant dans sa tartine avec ses grandes dents grises (sauf les deux en or), je ne vous ai pas encore remercié pour ce que vous avez fait hier. Je pense que vous aviez des raisons d'agir un peu confuses, mais vous avez porté au moins l'un de ces coups pour moi. Il y a eu du Rodrigue en vous, ne fût-ce qu'une fraction de seconde. Bien sûr, vous n'auriez pas dû frapper devant les dames — ne l'oubliez pas (l'index levé) : le respect des femmes est la clef de ce qui fut notre civilisation, même les garçons dits mauvais s'invitent mutuellement à « sortir *déhors* s'ils sont des hommes » — mais votre réflexe était le bon. C'est dommage de n'avoir pas su le maîtriser, c'est essentiel de l'avoir eu, car on peut apprendre à maîtriser les réflexes, pas à les avoir. Je ne rentre pas pour déjeuner. Si je vous trouve ce soir à la maison, je serai ravi. Il vous faut la clef : en voici une.

Joël resta seul dans ces odeurs encore exotiques pour lui. Vieux café. Vieux bouquins. Il se précipita à la fenêtre. En bas, son père mettait ses pinces de pantalon, enfourchait sa bécane, pédalait debout pour remonter la pente, son petit derrière rabougri basculant tantôt à gauche tantôt à droite. Et il s'était coiffé d'un béret. Le vrai mangeur de grenouilles.

— Je vais écrire à Pop.

Joël trouva du papier, mais pas de stylo à bille. Il y avait de l'encre et des crayons. Il choisit un crayon.

Dear Pop

Il se rappela le jour où il était allé demander à Pop des explications sur la venue des enfants au monde. C'était justement au bord du lac artificiel, et Pop, chapeau de caoutchouc en tête, pêchait consciencieusement les perches élevées par le Country Club.

Pop, disponible, toujours disponible quand on a besoin de lui, pousse un ou deux grognements, pose la canne sur le sol, sacrifie son plaisir sans hésiter.

— Je vais t'expliquer. Tout cela est parfaitement normal.

Avec le bout d'une autre canne à pêche, il dessine des schémas sur le sable blanc, rapporté d'une carrière.

— Ça, c'est monsieur. Ça, c'est madame.

Pop croit aux dessins. Pour lui, tout ce qui se dessine est sérieux ; tout ce qui ne se dessine pas est suspect.

Joël regarde, mais la géométrie l'intéresse moins que l'histoire.

— Tu veux dire que Mom et toi... ?

— Mais bien sûr, Joël : c'est normal.

— Souvent ?

— De temps en temps.

— Rob dit : tous les neuf mois. Pour de vrai, c'est tous les combien ?

Une ombre de gêne passe dans (non pas sur) le visage bienveillant de Pop.

— Fils, nous devons apprendre à respecter certaines délicatesses. Il y a des choses qui sont tellement intimes qu'on ne va pas les exhiber devant tout le monde. Mom, par exemple, a mis les photos de ses parents dans sa chambre, pas au salon.

— Tu n'as pas répondu à ma question.

— Ce n'est pas la fréquence qui compte, c'est la tendresse exprimée. Tu sais, n'est-ce pas, qu'il y a des enfants qui ont beaucoup d'appétit et d'autres qui en ont moins. Cela n'a pas d'importance tant qu'ils restent en bonne santé.

Joël concède ce point.

— Tout de même, tu ne m'as pas répondu.

Pop prend l'air pensif.

— Je pense que, en moyenne, les couples occidentaux normaux expriment leur tendresse plusieurs fois par mois.

— Oui, mais tu n'as toujours pas...

Et puis Joël se mord la langue et se tait. Il y a une limite à tout, même à la patience de Pop. Pourtant, pourquoi Pop a-t-il semblé gêné, alors que « tout cela est parfaitement normal » ? Il n'avait pas l'air gêné du tout quand, sur la même plage, il a dessiné l'œsophage, l'estomac, l'intestin. Y aurait-il là un mystère qui dépasserait « ce qui se dessine » ? Ou simplement Pop a-t-il trop gros appétit ? Ou pas assez gros ? Il est pourtant assez gros, lui, Pop ! Son pliant craque sous lui. Un de ces jours, il va se retrouver les quatre fers en l'air. Le petit Joël se sauve en riant. Il ne pense plus du tout à monsieur et madame ; il pense au gros Pop au bord de l'étang, les quatre fers en l'air.

Dear Pop.

La lettre ne venait pas. Joël passa la matinée à tourner dans le petit logement. Il aurait bien essayé de lire, mais il n'en avait pas l'habitude. Cependant, à force de tirer et de remettre en place Lenotre, Chiappe, Gaxotte, Muraise, Diesbach, la discrétion qu'il s'était d'abord imposée fondit. Il se hasarda dans la chambre à coucher, ouvrit les tiroirs de la commode.

Quelques chemises revenaient de chez le blanchisseur. Il y avait aussi trois caleçons non repassés et quatre paires de chaussettes. Des boutons manquaient. Quelques trous avaient été maladroitement et soigneusement reprisés. « Ma parole, il doit faire ça lui-même, les soirs où il ne s'occupe pas d'armes à enquerre. »

Penché sur la commode à laquelle il s'appuyait des deux mains, Joël contemplait ces chaussettes et ces caleçons d'un air stupide. Ces bouts d'étoffe habillaient son père. Il se sentit pris pour eux d'un mélange de tendresse et de dégoût. De tous les corps du monde, celui de son père lui était le plus intime, plus que celui des filles qu'il avait connues, plus même que celui de Mom, car sans cette origine infinitésimale aucune des intimités qui avaient suivi n'eût été possible. Chronologiquement, tout commençait pour lui avec le drôle de corps qui portait ce linge-ci.

Joël sortit pour déjeuner. Cherchant un restaurant bon marché, il se força à consulter les menus affichés dans leur cadre de fer forgé ou collés contre une vitre, ce qui lui avait toujours semblé humiliant. En mangeant son mauvais bifteck — il ne cessait d'oublier à quel point les biftecks français sont hostiles au client — il médita la situation dans laquelle il s'était mis. Pop avait payé le billet d'avion, et Joël ne devait rien à Phillip. Mais tous les plaisirs culturels et gastronomiques de ce tour d'Europe avaient été à la charge de Phillip, qui rétribuait ainsi les services du guide-interprète dont il n'avait pas besoin. Maintenant, il allait falloir rentrer, faute d'argent de poche. Or, Joël n'avait pas encore envie de rentrer. La France l'avait séduit du premier coup parce que, en elle, tout était assoupli, tanné, ruminé. Phillip avait fait un jeu de mots : « En France, les choses vont de soie : S, O, I, E. » C'était vrai. En Amérique, elles allaient d'acier ou de nylon. « Peut-être pourrais-je travailler un peu ? Quelles sont les lois ? Au noir alors ? Quels sont les risques ? » Il allait se renseigner. « Si je rentre tout de suite, la vieille vie va recommencer. Et il faut vraiment que j'arrête l'herbe. Et puis quoi, j'ai le droit de faire un peu connaissance avec mon père, non ? »

Quand il introduisit la clef dans la serrure pour rentrer, la porte résista, parce qu'il tournait la clef dans le mauvais sens. Il se sentit rejeté. Il essaya dans le sens contraire et le mécanisme joua. Il se sentit accepté. « Je rentre chez moi. » Sur la table, il y avait *Dear Pop,* mais il ne se sentit pas le courage de poursuivre. Il fouilla dans les tiroirs et trouva un manuscrit dactylographié. La frappe était pâle : Foncrest devait économiser sur les rubans. Le texte était plein de mots inintelligibles : orle, pairle, émanché, vilené, dextrochère... Gueules revenait souvent. « Vos gueules. Je vais lui casser la gueule. Oui, mais c'est moi qui... Il avait mis sa main sur l'épaule de... Et moi, je... » Le manuscrit n'avait aucun intérêt. Joël le remit en place et recommença :

Dear Pop.

Autre visite à Pop.

Cette fois-ci, c'était à la maison. Le petit Joël était allé frapper à la porte du cabinet de travail où Pop dictait ses lettres à son magnétophone (et les mots qu'il employait n'étaient pas plus clairs que le vocabulaire du blason : adénopathies sous-angulo-maxillaires et prétragiennes, tout le tremblement). Les murs étaient lambrissés de noyer foncé ; les bibliothèques vitrées, pleines d'encyclopédies noir et or. Pop avait calé ses pieds sur un tiroir entrouvert de son bureau.

Avec des larmes dans la voix :

— Pop, ça marche pas.

D'un doigt, Pop avait arrêté le magnétophone, puis il s'était frotté les yeux pour oublier la lettre où il annonçait à un de ses patients qu'il allait mourir, ou qu'il devait perdre cinquante livres, ou que sa maladie était imaginaire, ou qu'il devait trois mille dollars à ses médecins.

— Qu'est-ce qui ne marche pas, fils ?

Toujours cette attention, cette urbanité, d'autant plus délibérées peut-être que ce fils n'était pas le sien.

— Tu m'as raconté des menteries.

— Je ne t'ai jamais raconté de menteries, Joël. Tu le sais. Même pour le Père Noël, quand tu étais tout petit. De quoi s'agit-il ?

— J'ai essayé.

— Tu as essayé quoi ?

— Monsieur-madame. Comme tu as dit. Ça marche pas.

Sans hâte, Pop avait remis ses grosses lunettes à double foyer. La voix calme, encore plus calme que d'habitude :

— Qu'est-ce que tu entends au juste par « j'ai essayé » ?

— Moi et la cousine Ann. Ça n'a rien donné.

Six ans, la cousine Ann. Joël avait de nouveau tenté l'aventure avec elle dix ans plus tard : les résultats avaient été plus satisfaisants. Mais ce jour-là, la perplexité s'était répandue sur le cher gros mufle de Pop, blousé par un de ses axiomes favoris : « Il faut toujours dire la vérité et surtout aux enfants. »

Dear Pop.

L'après-midi s'égoutta. Lorsque l'autre clef tourna dans la serrure, Joël sentit qu'elle tournait aussi dans son cœur : « C'est lui. » Le complet de velours côtelé, la taille mince et voûtée, le teint bistre, les yeux noisette derrière les lunettes d'acier, tout cela était déjà familier, et tout cela souriait de belle humeur et de débonnaireté.

— Heureux de vous trouver ici, Joël. Toute la journée, je me suis demandé.

— Écoute, je vais m'habituer à te dire vous.

— Pourquoi ? C'est inutile. Nous ne sommes pas des bourgeois. Nous pouvons nous permettre de faire le contraire de ce qui se pratique. Tu me dis tu, je vous dis vous, et voilà.

Alors vinrent les questions pratiques. « Sainte-Barbe a prêté un lit-cage à Robichon, qui n'en a plus besoin. » On ficellerait le lit-cage sur le coffre de la Triumph. Foncrest, moins préoccupé que la veille, s'amusa de la petite voiture : « Livrée avec chausse-pied et tire-bouchon, quoi ? » Il était ravi qu'on le véhiculât. « Einstein n'avait pas tort : l'espace change avec la vitesse. Je fais ce parcours tous les jours à bicyclette : les angles des bâtiments ne sont pas les mêmes. » Tout en roulant, il mentionnait des repères dans l'espace et dans le temps : le nom

d'un général statufié à l'époque où la France adorait ses piou-
pious, une place qui avait été successivement Royale, Nationale, de la Paix, Karl-Marx, et que la nouvelle municipalité
souhaitait rebaptiser en place Soljenitsyne, l'emplacement d'un
théâtre du XVIIIe siècle où s'élevait maintenant une espèce de
blockhaus : « L'Inspection des Phynances de la République ».

Robichon habitait une petite maison étriquée ; entre la table
et le buffet, pas moyen de reculer sa chaise. Il portait la Légion
d'honneur et des patins. Il servit du banyuls. Il enseignait
l'anglais, mais il n'osa pas le parler devant Joël : « Moi, c'est
l'anglais d'Angleterre ; vous ne comprendriez pas. » Il aida à
fixer le lit-cage sur la Triumph qui prit l'air d'un demi-sang
bâté.

Au retour, Foncrest fit la cuisine. Ses biftecks aussi étaient
exécrables et du reste trop salés ; ses nouilles paraissaient sortir
d'un pot de colle pour papiers peints. « Ce n'est pas Lasserre »,
reconnut-il modestement, mais, si Joël avait insisté, il aurait
sans doute avoué qu'il trouvait cela presque aussi bon.

Joël usa de tact.

— Ça m'étonne que tu manges si simplement, alors que la
plupart des Français...

Foncrest fit un cours.

— Il fut un temps où les Français avaient le souci de tout
faire bien : marcher bien, prier bien, s'habiller bien, bâtir bien,
se battre bien, monter bien et aussi, accessoirement, manger
bien. Maintenant que toutes les autres valeurs sont discrédi-
tées, la nostalgie de la qualité demeure et nous nous rabattons
sur ce qui nous distingue encore des autres peuples sans trop
nous fatiguer. En outre, il y a notre méfiance, si justifiée, à
l'égard du sérieux. Plutôt que de vénérer des *lideurs* et des
fureurs divers, nous affectons de vénérer les (il se posa une
toque imaginaire sur la tête) chefs. Notez, on triche moins facilement avec une sauce qu'avec une idée. Dans mon cas, je
mange simplement, pour faire concorder mes talents et mes
moyens. Tenez, Joël, si vous étiez bon, vous iriez nous chercher
deux autres assiettes.

A deux, et pour ne pas manger grand-chose, ils en salirent
huit.

— Je vais laver. Peut-être aurez-vous la gentillesse d'essuyer.

Joël entreprit de débarrasser la table. Il empila les assiettes les unes dans les autres, souleva la pile de la main droite et saisit les deux verres entre le pouce et le majeur de la gauche.

— Ah ! non Joël, pas les doigts dans les verres, je vous prie, s'écria violemment Foncrest.

— Mais les verres sont sales et mes doigts sont propres ! protesta Joël, indigné.

Foncrest ne lui fournit pas d'explications. « Pas les doigts dans les verres » devait être son treizième commandement.

IX

— Je n'ai aucun scrupule à vous laisser en compagnie de ceux-ci, dit Foncrest à son fils le lendemain matin en lui désignant ses murailles de livres. Vous pouvez aussi vous promener. La ville est pleine de vieilles cours dans de vieux hôtels. Le musée n'est pas sans intérêt. Il y a la cathédrale, tardive mais éloquente, et deux chapelles qui ont du charme. Le château, encore que décevant, vaut la montée.

Joël commença par écrire la lettre à Pop. Il avait trouvé le biais. Il ne parlait pas de Marj, il racontait sa querelle avec Phillip : « Ce n'est ni sa faute ni tout à fait la mienne, mais nous ne voyagerons plus ensemble. Comme le semestre prochain ne commence pas avant trois mois, j'aimerais amortir le billet d'avion en restant en France un peu plus longtemps. Tant pis pour les îles grecques. Je te promets d'être raisonnable ; pourtant, il me faudrait... »

La masse de livres le découragea. D'ailleurs n'était-il pas en vacances ? Il sortit pour poster sa lettre. Son premier mouvement fut de prendre la Triumph, mais l'étroitesse des rues et la nervosité des conducteurs français conspirèrent pour l'inciter à marcher. Il faisait frais et bon. Le ciel avait des pâleurs de lait caillé.

La postière se montra hargneuse. Beaucoup des amis américains de Joël se plaignaient de l'hostilité des Français. « S'ils voyaient les Français entre eux... » Pourtant il se sentait bien ici. Contrecarré, humilié, bousculé, il respirait bien. « L'air est léger. » Les rues montaient, descendaient, se tordaient dans toutes les directions. Joël marchait, les poings dans les poches diagonales de son blouson, de sa démarche un peu laborieusement dégagée, longeant des façades qui ne lui parlaient guère.

— Il y a des gens qui prétendent reconnaître le XVIIe du XVIIIe à l'œil nu...

Il restait méfiant.

Il prit une venelle montante. Elle aboutirait, pensait-il, au château, et le mot château l'attirait, alors que visiter « de vieilles cours dans de vieux hôtels » lui paraissait saugrenu. Dommage, tout de même, que son père n'en eût pas, de château. Cette idée le fit rire : tant d'autres choses manquaient à M. Foncrest.

La partie la plus ancienne de la ville commençait à mi-pente. Des maisons aux murs maçonnés épais se pressaient les unes contre les autres, certaines déshonorées par des portes de garage peintes en bleu turquoise ou des crépis de ciment ou des raccords de parpaings, la plupart austères, sourcilleuses, refermées sur leur orgueilleuse humilité. Car ce n'étaient pas des demeures de riches, des « hôtels » comme disait le père Foncrest, mais des repaires trapus, asymétriques, rancuneux, clignant comme à regret de quelques fenêtres étroites qui rappelèrent à Joël le guichet maussade de la postière. Au-dessus des portes — il aurait dû se baisser pour passer par certaines d'entre elles — des formes sculptées dans la pierre noirâtre évoquaient des blasons, mais on ne reconnaissait plus que les contours de l'écu : toutes les figures en avaient été détruites par quelque violente érosion.

Joël grimpa jusqu'au château et ne comprit pas pourquoi son père le trouvait décevant. Les murs du Moyen Age avaient été troués de hautes baies sous la Renaissance, et des vents contraires s'entrechoquaient dans les salles, sous les solives armoriées. Un guide débitait son laïus, incompréhensible pour Joël à cause de l'accent. Par les fenêtres, on voyait la ville gris-bleu s'étager sur les pentes descendantes et, au-delà, la campagne gris-vert s'étaler jusqu'à l'horizon. Un canal traversait le tout, rectiligne et désuet, cassé par un angle obtus, et s'éloignait à perte de vue sous son allée d'arbres en boules.

Joël mangea une crêpe en contemplant l'après-midi qui s'étendait devant lui à perte de vue elle aussi. Il flâna. Il serait bien allé faire une petite visite à son père... il ne savait pas où se trouvait Sainte-Barbe et ne voulut pas demander. Des filles lui sourirent, mais ici il se sentait libre, rien ne le contraignait à engager l'éternelle et frustrante accointance : il passa. Il se dit qu'il se sentait bien en France parce qu'il ne reconnaissait à personne le droit de le juger. Jamais il n'aurait osé aux États-Unis ce qu'il avait fait si naturellement à Sourdevoie. Il lui semblait maintenant avoir entendu craquer le cartilage du petit nez de Phillip, et cela lui était agréable.

Il marcha encore. La ville acquérait pour lui un visage, se pourvoyait d'un alphabet. Il savait que telle rue menait à telle autre qui débouchait dans la rue de Regray, et que le Manoir (« manoir » le fit sourire, non sans amertume) serait à droite. Il rentra à temps pour accueillir son père. Il mit la table et ficha dans un verre trois petites fleurs violettes et déjà presque fanées qu'il avait chipées sur un mur en ruine. Puis, comme il n'avait plus rien à faire, il poursuivit des investigations de moins en moins discrètes dans les tiroirs paternels.

Il trouva un carnet de dépenses noblement intitulé Livre de Raison. Pauvres petits francs qui s'additionnaient pour mieux se soustraire ! Première dépense : le carnet lui-même. Puis : lames de rasoir, livres, bottes de poireaux, livres, paquets de lessive, livres, et une dépense mensuelle, invariable, correspondant rigoureusement à un cinquième du salaire perçu et dont la nature n'était indiquée que par un petit gribouillage à trois pointes sur lequel Joël ne sut mettre aucun nom. La clef tournait dans la serrure. Il eut à peine le temps de glisser le carnet à sa place. Foncrest entra, sourire lumineux dans le visage foncé.

Ce soir-là, Foncrest essaya de faire parler son fils de lui-même, de l'Amérique, de ses projets, mais la conversation ne prit pas. Foncrest ne pouvait poser de questions précises ni sur son ex-femme, ni sur M. Paterson, ni sur le temps que Joël se proposait de passer chez lui, et se refusait à évoquer de nouveau l'enfant condamné à mourir avant d'avoir vécu. Les réponses de Joël, qui avait lutté toute sa vie contre ses tendances à l'introspection, se limitaient à des haussements d'épaule peu gracieux et à des « Sais pas » qui ulcéraient Foncrest. Vingt ans plus tôt, il s'était résigné à ne pas avoir de fils : ce n'était pas pour en retrouver un — sympathique au demeurant — qui se tînt plus mal que les collégiens de Sainte-Barbe. Les rôles de questionneur et de répondeur s'intervertirent spontanément.

Joël voulut savoir ce qu'étaient les sculptures effacées sur les vieilles maisons tapies au pied du château :

— Effrayant : on dirait des visages écrasés.

— C'est presque cela. Ce sont des armoiries martelées par les sans-culottes.

— Pourquoi ont-ils fait ça ?

— Pour qu'il n'y ait plus de différences entre les hommes.

— Il faut qu'ils aient été sérieusement maltraités par les nobles pour les haïr si fort !

— C'est un argument, mais qui risque de vous mener loin. Si le mal qu'on fait à autrui est toujours mérité... Vous en arriverez à justifier toutes les hécatombes de l'histoire. L'exemple de Jésus-Christ est du reste là pour nous rappeler que les élites d'une part et les foules de l'autre aiment faire du mal à qui leur fait du bien. Sans compter que les armes qui vous intéressent n'étaient pas nobles : elles appartenaient à des artisans installés là de père en fils, dans la même maison, faisant le même métier depuis le Moyen Age. Ces familles-là étaient aussi gênantes que les nôtres : les uns et les autres, nous étions (l'index levé) im-pro-lé-ta-ri-sables. Mais n'allez pas croire pour autant que le vandalisme jacobin soit parti du populaire. A vrai dire, rien ne part jamais du populaire. Savez-vous comment le Christ d'Autun a perdu et retrouvé la tête ?

— Non, papa.

— Comprenez bien qu'il s'agit d'un des plus beaux christs romans de France, un des rares dont on connaisse le sculpteur : Gislebertus. Eh bien, en plein XVIIIe siècle, de bons chanoines gras et roses ont trouvé que le tympan roman sur lequel il figurait était un peu bien « gothique » pour leur goût. Cela manquait de torsades et d'angelots et de nœuds plats. Pour ne pas voir ces sculptures primitives qui n'avaient pas bénéficié des prétendues lumières des soi-disant philosophes, ils ont fait plâtrer le tout. Parfait. Mais la tête du christ, d'un relief plus haut que le reste, crevait le plâtre. Scandale. Oh! la solution fut vite trouvée : ces messieurs les chanoines de la cathédrale firent abattre à coups de marteau la tête de leur Dieu.

« Deuxième acte. La Révolution éclate et, par une délicieuse ironie de Tante Providence, la couche de plâtre dérobe les sculptures du tympan à la vue des sans-culottes qui tombent à bras raccourcis sur les autres statues. On change de siècle. Les romantiques redonnent aux Français le goût de leur passé : pour cela beaucoup leur sera pardonné. Le tympan est nettoyé, les admirables figures romanes respirent à l'air libre, mais le christ est toujours sans tête.

« Troisième acte. Un autre chanoine de la cathédrale, le dernier de France, m'assure-t-on, fouine dans le musée de la ville. Il y trouve, traînant dans un coin, une tête de christ, manifestement sculptée par Gislebertus. Serait-ce la bonne ? M. Grivot a le courage de la voler. Personne ne s'aperçoit de rien. Alors, un jour, il pose une échelle contre le linteau, et, l'énorme tête sous le bras, grimpe, grimpe, grimpe. Ses pieds se prennent dans ses jupes — à l'époque, les curés ne se déguisaient pas encore en pékins —, enfin il arrive au dernier échelon. Merveille! La tête s'adapte au col : le christ de Gislebertus est reconstitué. Mais la position du chanoine est périlleuse. Il se tient là-haut, juché-perché, les bras tendus, les reins cambrés, et soudain il sent que la tête de pierre va le faire basculer en arrière. Il m'a raconté son dilemme : « Vais-je laisser le visage du Christ aller s'écraser sur le parvis, ou vais-je tomber moi-même, en essayant de le protéger avec mon corps ? » C'était, vous vous en doutez, la colonne vertébrale cassée en deux comme une allumette.

— Qu'est-ce qu'il a fait ?

— Je suppose qu'il a prié. En tout cas, il s'est arrangé pour retrouver l'équilibre et pour redescendre avec la tête, échelon à échelon. Résultat : le Christ rayonne aujourd'hui sur Autun comme au XIIe siècle.

— Papa, dit Joël, tu racontes bien. Je ne pourrais pas assister à un de tes cours ?

Sainte-Barbe était un collège à l'ancienne, avec de gros murs couverts de suie et des fenêtres grillées disposées de manière à ne pas distraire les élèves par le spectacle de la rue. Mais, par démagogie, on avait enlevé les estrades. Les vieux pupitres bâtis d'une pièce avec un siège prévu pour deux passagers, espèces de galères à potaches, patiemment sculptées au couteau pendant un siècle, avaient aussi été sacrifiés au gai savoir contemporain et remplacés par des ais de chêne clair rivés horizontalement sur quatre pieds de fer peint et des chaises individuelles, propices à nonchaloirs et chahuts divers. Les collégiens, il est vrai, plus conservateurs que leurs maîtres, s'étaient empressés de reprendre les traditions de leurs aînés ; les tables nouvelles s'ornaient déjà d'inscriptions et de croquis irrévérencieux ; des stylos à bille avaient bavé dessus et quelques coups de canif en illustraient la surface, mais comme les heures d'étude avaient été abrégées, il faudrait davantage de générations pour arriver au même résultat.

Un gros homme rigolo et rigolard, engoncé dans un pull-over noir à col roulé, le menton rond, la bedaine ronde, bouscula Foncrest dans le couloir malodorant. Foncrest l'arrêta par l'avant-bras.

— Je vous présente mon fils. Joël, le père Jules.

Soudain, Joël sentit le secret honteux lui remonter à la gorge. Il s'inclina, raide comme un pantin :

— Père...

Le père Jules, avec son pantalon à carreaux, ne ressemblait guère au correct père Pat, toujours vêtu de noir avec le col clergyman qui mettait un trait blanc au-dessus du tableau de bord de sa Cadillac. En guise de réponse, Joël reçut un coup de poing amical au sternum.

— Appelle-moi Jules. Ton papa, il veut pas, et il veut pas m'appeler père non plus.

— Je vous appellerai père quand le carnaval sera terminé, dit aimablement Foncrest.

— Vous, fit le père Jules en le menaçant d'une main aux

doigts entrouverts, comment vous êtes-vous débrouillé pour faire ce beau garçon-là sans que nous nous en apercevions ?

— Vous oubliez que j'ai été marié.

— Taratata ! Il y a belle lurette que personne ne se marie plus.

— Sauf les curés avec les bonnes sœurs, il paraît.

— Et les pédérastes hollandais entre eux. C'est juste. Dis-moi, Joël, tu débarques d'où, comme ça ?

Joël bégaya sans savoir pourquoi.

— D'A... d'Amérique. Vous... vous connaissez l'A... l'Amérique ?

— Tutoyez donc le père Jules, dit Foncrest. Comme il est naïf, cela lui inspirera confiance.

Il passa devant Joël pour entrer en classe.

— Vous pouvez aller vous asseoir au fond.

A l'entrée de Foncrest, une quarantaine de garçons bondirent sur leurs pieds et se pétrifièrent sur place, les bouches fendues d'hilarité et les pouces en portemanteau sur les cuisses.

Foncrest les observa un instant avec satisfaction, puis ordonna :

— Ouvrez le ban !

— Toutouroutoutou ! claironna un jeune boutonneux, le poing porté aux lèvres et gonflant ses muscles buccinateurs comme s'il embouchait une trompette.

Un autre garçon proclama :

— Aujourd'hui 17 octobre. Événement remarquable : traité de Campo-Formio, signé en 1797 entre la France et l'Autriche, donnant à la France les Pays-Bas et la rive gauche du Rhin.

Un autre :

— Date d'après le calendrier révolutionnaire : 26 vendémiaire an VI.

Un autre :

— Date d'après le calendrier julien : 4 octobre.

— Le 6, corrigea Foncrest. Nous sommes au XVIIIe siècle : onze jours de décalage avec le calendrier grégorien.

Un autre :

— Date d'après le calendrier romain : 16e jour avant les calendes de novembre.

Et un sixième garçon, toujours à tue-tête :

— D'après le calendrier perpétuel, c'était un mardi, jour dédié au dieu de la guerre, Mars, appelé Arès par les Grecs.

— Fermez le ban, dit Foncrest.

— Toutouroutoutou, fit le clairon, et tout le monde s'assit.

Foncrest jeta sur sa table la vieille serviette qu'il portait suspendue au cadre de sa bicyclette, se percha à côté de la serviette, noua ses chevilles autour d'un des pieds de la table, joignit ses mains sous son menton, et attaqua :

— Eh bien, messieurs, nous en étions arrivés la dernière fois au triste moment où M. de Monluc a dû se rendre à l'ennemi. Cela ne lui était jamais arrivé, cela ne lui arriverait plus jamais. D'abord il a fait évader tous les exilés qui s'étaient battus pour le roi de France et qui risquaient la corde. Ensuite il a fait passer les salades et les hallebardes au Miror, il a fait déployer les enseignes au son des tambours, et il est sorti à la tête de ses hommes, tous en tenue numéro un. Son cheval, on pouvait lui compter les côtes, dix-huit de chaque côté, messieurs, dix-huit, et il flageolait sur ses sabots. M. de Monluc n'était pas tellement gaillard non plus. Il s'était frotté les joues avec un reste de vin pour paraître moins pâle, moins affamé, cela ne réussissait qu'à moitié, mais malgré tout il avait grande allure. Des officiers espagnols, ses vainqueurs, vinrent lui baiser la jambe. Lui baiser la jambe, messieurs ! Marignan, le marquis de Marignan, frère du futur pape Pie IV, général en chef de toute l'armée de Cosme de Médicis, au service de l'empereur Charles Quint, retenant son propre cheval qui était bourré d'avoine, chevaucha botte à botte avec le vaincu et finit par le prier de « le recommander très humblement à la bonne grâce du roi », son ennemi. Et savez-vous comment Monluc a rendu compte de sa reddition au roi ? Il lui a écrit : « Il ne me reste rien d'autre sinon Vous supplier — V majuscule : il parle au roi — Vous supplier très humblement d'être certain que si j'eusse su faire mieux, je l'eusse fait. » Il faut être sacrément fier, messieurs, pour se permettre d'être aussi humble. Et le roi, savez-vous comment le roi a accueilli ce capitaine qui avait défendu Sienne du 12 juillet 1554 au 21 avril 1555 ? Il l'a embrassé « de tous ses bras », il lui a tenu « la tête contre la poitrine tout le temps de dire une patenôtre » et lui a répété deux fois : « Hé, monsieur de Monluc, soyez le bienvenu, je pensais ne jamais vous revoir. » Un soldat vaincu ! Ça, messieurs, c'était la civilisation. Il faut dire que c'est le même Monluc qui a écrit : « La gloire de l'honneur est un poignant aiguillon. » Poignant, ça veut dire qui pique, du verbe poindre, à ne pas confondre avec pointer. La gloire de l'honneur : magnifique, quoi ? Et pas du tout pléonastique ! Car il y a l'honneur, et il y a la gloire, et l'honneur de la gloire, et la gloire de l'honneur. On respire ! On est entre gens qui se comprennent ! On parle de choses intéressantes ! Et c'est Monluc aussi qui a écrit : « Nos vies et nos biens sont à nos rois, l'âme est à Dieu, et l'honneur est à nous. » En voilà un qui ne se préoccupait pas des droits de l'homme et du citoyen ! Pavot, qu'est-ce que vous allez faire quand vous serez grand ?

Un gros garçon rouge rougit encore et répondit :

— Je serai peintre.

— Mais pour vivre ?

— Je ferai du dessin industriel.

— Et quoi d'autre ?

— C'est tout.

— Aurez-vous des enfants ?

— Ça dépendra de ma femme.

Rires.

— Eh bien, si vous en avez, vous ne serez pas seulement peintre et dessinateur industriel : vous serez aussi professeur d'histoire. Maquin, que fait votre père ?

Un jeune homme à la tête carrée, les yeux ironiques mais attentifs derrière les lunettes, dit sèchement :

— Exportateur-importateur.

— Oui, mais il est aussi professeur d'histoire.

Étonnement amusé de l'assistance. Il allait y avoir un intermède foncrestien.

— Vous ne vous êtes jamais interrogés, messieurs, sur les différences entre la classe d'histoire et les autres ? Voyons, Leroin, il vous est bien arrivé de demander à votre père ce qu'il avait fait pendant la Deuxième Guerre mondiale ?

— Ben, il est né, m'sieur, fit un noiraud maussade à besicles.

Rires.

— C'est vrai, reconnut Foncrest de belle humeur. Le temps passe. J'oubliais. Et pendant la guerre d'Algérie ?

— Il était réformé.

— Je regrette, Leroin. Je ne savais pas que monsieur votre père eût des problèmes de santé.

— Il n'en avait pas. Il connaissait un député.

Rires.

— Eh bien ça, messieurs, dit Foncrest, l'index levé, c'est de l'histoire. Qu'un député de la IVe République ait eu la possibilité de faire réformer M. Leroin, qui se portait comme un charme, c'est de l'histoire. Le fait que M. Leroin, qui se portait comme un charme, ait demandé à se faire réformer, c'est de l'histoire. Tout jugement moral suspendu, le fait que M. Leroin n'ait éprouvé ni l'envie ni l'obligation de se battre, qu'il n'ait même pas ressenti la curiosité d'aller un peu voir ce que c'est que le casse-pipe, c'est de l'histoire. Vous auriez raconté cette anecdote à des conscrits de 1792 ou à des revanchards de 1880, ils vous auraient ri au nez. Benamin, vous demandez quelquefois à votre père comment c'était, du temps qu'il avait votre âge ?

Benamin était brun, bouclé, joli. Il avait le type oriental, l'air gouailleur.

— Pas souvent. Des fois, je lui demande ses trucs pour draguer des filles.

Rires.

— On ne dit pas « des fois », mais « parfois » ou « quelquefois ». Et alors, ils marchent, ses trucs ?

— Pas souvent.

— Pourquoi ? Il n'était pas doué ?

— Si, mais les filles ont changé.

— Très bonne observation, Benamin : « Les filles ont changé », c'est de l'histoire. Messieurs, ouvrez vos cahiers de texte. Pour la prochaine fois : « Une histoire que m'a racontée mon père (ou ma mère, ou mes grands-parents : ce sont tous nos pères). Dégagez bien la différence de deux générations, de deux époques, de deux points de vue. » A partir de maintenant, je veux, messieurs, que vos pères m'exècrent et me maudissent.

Tous les soirs, en mangeant la soupe, au lieu de regarder la télévision, vous leur ferez raconter leur enfance, leur jeunesse, leurs surveillants, leurs adjudants, leurs copains, leurs flirts. Je veux que vous sachiez ce qu'ont voulu dire les mots, notez : « Zazou, beurreux, J3, merlan, doryphore, poulbot, trottin. » Et, quand vous aurez des enfants, je veux que vous leur racontiez les excentricités de votre professeur d'histoire ! (Rires.) J'étais donc en train de vous dire que Monluc, reçu par Henri... Henri le quantième ? Henri II, merci Pavot — s'entendit demander si Strozzi n'aurait pu le secourir mieux qu'il ne l'avait fait. — Sire, répondit Monluc...

A la cantine, en mangeant un infâme hachis Parmentier, Joël ne tarit pas de questions. Cela le rassurait d'avoir observé son père dans une situation professionnelle. Il avait craint de le voir moqué, ridiculisé ; au contraire, dans cette humble arène qu'est une salle de classe, Foncrest paraissait réussir haut la main. Somme toute, qui était cet homme ? Un prof. Différent des profs américains, plus nerveux, plus exigeant, plus dilettante, utilisant les noms de famille au lieu des prénoms, mais plus bonhomme aussi. Excentrique ? Sans doute. Risible ? Sûrement pas.

— Papa, pourquoi les coups de clairon au commencement ?

— Pour leur apprendre ce qu'est un calendrier. Pas de calendrier, pas d'histoire.

— Oui, mais toutouroutoutou ?

Foncrest sourit, l'air coupable, ravi d'être pris sur le fait.

— Vous avez mis le doigt sur mon point faible. Je déteste que ces dadais ne se lèvent pas quand j'entre en classe. Or, ce n'est plus obligatoire. Alors voilà : un petit stratagème.

— D'après ce que Mom racontait de toi, je me faisais beaucoup d'idées fausses. Je ne t'imaginais pas du tout professeur.

— Vous m'imaginiez quoi ?

— Militaire, puisque tu l'as été. Ou alors banquier, diplomate...

— Banquier ? Je vous en prie ! Nous n'avons pas toujours

pris grand soin de notre argent, mais au moins nous n'avons jamais fricoté avec celui des autres. Cependant je vois l'image que votre mère a voulu vous communiquer. C'est toujours le même malentendu entre service et prestige. Pour moi, il vaut mieux être pion à Sainte-Barbe que général dans une armée qui ne se bat pas. Pion, je vous jure qu'on se bat tous les jours. Voyez-vous, je n'ai pas à proprement parler de métier, et quant à faire de l'argent, comme on dit, c'est une idée qui dégage un ennui !... Enseigner, c'est tout de même servir : ni glorieusement ni dangereusement, mais servir.

— Servir qui ?

— Tiens, je ne me le suis jamais demandé. La France, je suppose, puisque la France est faite, entre autres, de Français.

— Entre autres ?

— Ah ! oui. La France n'est pas limitée aux Français comme, disons, Israël aux Juifs. La beauté d'Israël, c'est de rester Israël en Égypte, à Babylone, dans la diaspora. La beauté de la France, c'est que, si tous les Français disparaissaient demain, elle subsisterait dans l'amalgame historique des paysages. Mais, à côté de servir, il y a, plus simplement, aider. Aider les sots à devenir moins sots et les intelligents à faire fructifier leur intelligence. Il y a encore autre chose, et c'est peut-être cela qui me tient le plus à cœur : continuer.

— Continuer quoi, papa ?

— Toute culture est un héritage, et l'héritage implique des morts qui ont testé et des hoirs qui bénéficient. Quand j'étais petit, que l'artisanat existait encore, d'un apprenti qui se blessait en travaillant on disait magnifiquement : « C'est le métier qui lui entre dans le corps. » Un métier qui entre dans un corps, Joël : c'est cela, la civilisation, et c'est pourquoi la civilisation est la version laïque de l'Incarnation. Moi, malheureusement, je ne m'adresse pas au corps tout entier : à la cervelle seulement, mais, tel quel, j'incarne. J'incarne des archétypes dans des cellules grises. Et puis c'est toujours agréable de penser que je fais le même métier que Jésus-Christ.

Joël cherchait passionnément à comprendre. Il sentait que son père touchait là à des choses essentielles, en rapport avec le secret honteux et non avec les homélies du père Pat.

— Jésus ? Il était charpentier.

Foncrest but une bonne gorgée de piquette.

— Trouvez-moi un passage de l'Écriture où il soit question d'une seule charpente qu'il ait chevillée, d'une seule planche qu'il ait rabotée.

Joël fronça les sourcils, le front, tout le visage. Quand il se mettait vraiment à penser, c'était douloureux.

— La charpente, reprit Foncrest, c'est encore un coup des sentimentaux qui adorent récrire l'Évangile. Ils le trouvent un peu trop sec, un peu trop *al dente*. Jésus était un prince de la maison de David. Un prince pauvre, d'accord — d'où la poésie de ce grand roman chrétien qu'est *le Prince et le Pauvre* de votre Mark Twain. Celui qui passait pour son père exerçait, c'est vrai, un métier manuel. Dans les années 20, bien des princes russes étaient laveurs de voitures. Mais dès que le jeune prince a décidé de suivre sa voie, il est devenu pédagogue. Combien de fois le verbe enseigner figure-t-il dans le Nouveau Testament ? Comptez. Et ajoutez maître, disciple... La relation de Jésus-Christ avec ses contemporains est une relation de maître à élèves. Accessoirement, de médecin à patients et quelquefois de souverain à sujets rebelles. Mais d'artisan à client ? Pas une fois. La plupart du temps, il explique le Royaume comme on explique le théorème de Pythagore. Ses paraboles sont des problèmes de robinets, pas autre chose. Et j'aime à me figurer qu'un peu de sa gloire professorale rejaillit sur nous autres, pions. Tout membre du corps enseignant qui ne sait pas, consciemment ou inconsciemment, qu'il est, par profession, un imitateur du Christ et qui ne frémit pas du sentiment de son indignité (fût-il trois fois athée), pourrait exercer un autre métier sans dommage pour lui et sans doute pour ses élèves. Je ne veux pas dire que les tala soient de meilleurs professeurs que les autres ; je veux dire qu'ils ont moins d'excuses s'ils sont mauvais.

— Qu'est-ce que c'est que « tala » ?

— Je me fais vieux, dit Foncrest gaiement, et ça aussi, c'est de l'histoire. Les Français vont, ou ne vont pas, t-à-la messe. Vous ne saviez pas cela ?

Dans cette confrontation, une euphorie. Si cela continuait, Joël finirait par parler à son père du secret honteux.

Le soir, timidement — il commençait à trouver quelque confort dans l'inconfort des habitudes hiérarchiques — il s'enquit de savoir s'il ne pourrait inviter son père à dîner.

— Pourquoi pas, répondit Foncrest avec bonne grâce. Mais vous ne connaissez pas les endroits. Je vais vous emmener.

Ce fut, dans un quartier misérable, une gargote à couscous : tables carrées, branlantes, recouvertes de matière plastique, serviettes de papier ; on mangeait pour trente francs. Un Arabe souffreteux servait sous les ordres d'un Kabyle lugubre.

— Le patron est un ancien fellagha ; le garçon, un ancien harki. Ça aussi, c'est de l'histoire, dit Foncrest.

— Tout est de l'histoire, alors ?

— Bien sûr. Savez-vous qui avait une intuition juste de l'importance de l'histoire ? Le bon vieil Anatole France. Il fait dire à un de ses personnages qu'il déteste mais qui a toujours raison cette chose remarquable — tiens, je vais en tirer un sujet de composition. Écoutez bien : « En perdant la foi en Dieu, on perd avec l'idée de l'absolu l'intelligence du relatif et jusqu'au sentiment de l'histoire. » C'est très exactement ce qui nous est arrivé. Si vous permettez, nous allons prendre un vin supérieur.

Joël craignait quelque picrate à peine meilleur que l'ordinaire de la rue de Regray, mais il aima la Cuvée du Président dont le patron gardait quelques bouteilles pour les jours où M. Foncrest décidait de faire la nouba : à la fois ronde et râpeuse, la cuvée inspirait un bonheur capiteux. Voyant le niveau baisser alors qu'on n'en était encore qu'à découronner le volcan de semoule, Joël commanda une deuxième bouteille, et ils les burent toutes les deux, le père et le fils, fiers de partager la griserie chaleureuse qui montait en eux.

— Je peux poser des questions indiscrètes ? demanda Joël.

Foncrest fit oui de ses yeux marron.

— Qu'est-ce qui n'a pas marché entre Mom et toi ?

— Mon cher garçon, je vous connais à peine, fit Foncrest interloqué. Je suppose cependant que l'hypothèse père-fils permet de sauter par-dessus certaines étapes... S'il faut tout vous dire en un mot...

Joël attendait la suite avec angoisse.

— Je ne suis pas vraiment un homme.

— Tout de même, je suis né! (Un instant de panique :)
Vous n'êtes pas mon père?

Foncrest rougit et ne songea pas à s'en cacher.

— Vous autres, avec vos obsessions!... Non, il ne s'agit pas
de ce genre d'infirmité. Je veux dire qu'il y a une faille au fond
de moi. Je n'ai jamais été qu'un témoin, un truchement. Secrétaire de mairie, cela m'allait bien. Le maire était communiste,
naïf dans les grandes choses, compétent dans les petites, et avec
le souci sincère du bien public. J'étais à mon affaire. Ensuite
un aigrefin a été élu. J'ai dû partir. Beaucoup de gens voulaient
me persuader de me présenter moi-même : « Vous connaissez
le travail... » J'aurais pu. Et je n'ai pas de préjugés contre les
élections au niveau communal. Mais grimper sur une caisse à
savon, crier : « Votez pour moi »? Ce n'était pas dans mes
cordes. Je vous raconte cela parce que, dans le mariage, c'était
pareil. Une femme a droit à un mari qui lui fraye un chemin
dans la foule. Et qui exige des choses d'elle. Je n'ai jamais su
exiger. Il y a là un manque de générosité peut-être, ou de santé.
C'est comme sur le trottoir : je ne suis pas obséquieux, mais je
m'efface devant les gens que je rencontre, même s'ils ont la
moitié de mon âge. Il suffit pourtant de marcher devant soi et
c'est l'autre qui se met de profil : je me suis forcé à l'expérimen-
ter, quand j'étais plus jeune, et je ne crois pas être plus capon
qu'un autre. Rien à faire : je cède spontanément le haut du
pavé. Ce n'est pas de ce bois-là qu'on fait les bons maris, Joël,
ni les bons pères. J'ai pensé que cet homme que votre mère
avait choisi saurait faire ce qui était trop difficile pour moi. Je
pensais même, à cette époque, que vous ignoreriez que j'exis-
tais, que vous vous croiriez le fils de l'autre. Votre première
carte postale, Joël...

Deux larmes roulèrent des yeux de Foncrest. Il les essuya du
doigt, sans pudeur.

— Et pendant tout ce temps, tu as vécu... comment?

— Que voulez-vous dire?

— Tu as eu des petites amies?

Foncrest détestait le tour que prenait la conversation, mais il
ne se sentait pas le droit de ne pas répondre. Il dit :

— Non.

— Personne ? Pendant vingt ans ? Comment fais-tu ?

— Nul, dit Foncrest, n'est encore mort de chasteté.

— Oui, mais enfin pourquoi ? Tu n'es pas moine !

— D'abord, il y a les commandements de l'Église. Quoi qu'en disent les curés modernes, Jésus-Christ a toujours été clair sur ce point : la fornication en dehors du mariage n'est pas encouragée. « Aucun adultère n'entrera dans le Royaume. » Je veux espérer qu'il s'agit d'adultères non repentis, mais vous avouerez qu'il y a quelque chose de bas à profiter de ce que l'Église nous offre : cette liturgie, cette musique, cette architecture, cette paix, cette tradition, et à refuser la moindre contrepartie. En outre, au-delà des interdits, j'aperçois autre chose. Vous êtes un homme, vous comprendrez ce dont je parle : cette façon de grossir démesurément, d'envahir, d'écraser l'autre, cette violence, cette exploitation, fût-elle mutuelle... Il faut infiniment d'amour et de respect pour compenser cette boursouflure du moi. Or, cet amour, ce respect, qui sont les bases de ce que les chrétiens appellent le mariage, je ne les ai ressentis qu'une seule fois.

— Pour Mom ?

— Pour votre mère.

— Bon, mais l'hygiène, la nature...

— L'homme est le seul être dont l'essence consiste à contredire la nature, a dit le sage M. Saget.

— Alors quoi ? Lutter contre les tentations ? Rester « pur », les dents serrées ? De toute manière, les filles ne demandent que ça. Et puisqu'on ne cause de tort à personne...

— Il ne faut pas se faire une idée excessive des tortures de la continence. D'abord, la continence, c'est comme le reste : une habitude. Quand même on se forcerait un peu de temps en temps, ce n'est pas un mauvais exercice. A part cela : se méfier de son imagination, ne pas jouer avec les allumettes, savoir s'occuper. Dans le fond, c'est bête comme chou.

— Savoir s'occuper ? Je vois : les armes à enquerre.

Foncrest apprécia la plaisanterie.

— Les armes à enquerre, entre autres.

Quand ils sortirent du restaurant, le père prit le bras du fils dans un geste d'un autre âge, lui enserrant le biceps de ses

doigts et marchant ainsi, sans hâte, ce qui parut inconfortable à
Joël à cause du rythme différent de leurs pas.

— Mon petit, dit Foncrest, je m'en veux de revenir sur un
sujet pénible, mais il faut que je vous en touche encore un mot.
Vous ne pouvez pas souscrire à un assassinat. A l'assassinat —
y avez-vous réfléchi ? — d'un petit Foncrest.

Joël faillit éclater en sanglots. Ce n'était pas de jeu. Un instant plus tôt, les autres semblaient si loin : la bande, Phillip,
Marj, et cette petite bête qui grossissait à chaque seconde dans
le ventre de Marj. Lui-même, il se sentait si bien caché auprès
de son père. Et voilà que son père le livrait aux poursuivants.
Est-ce que vraiment la vie allait recommencer ?

Foncrest n'espérait pas de réponse immédiate et Joël ne lui
en donna pas. Le retour dans la Triumph, capote baissée, fut
silencieux.

Rue de Regray, pelotonnée sur une marche de l'escalier extérieur en béton, grelottant par saccades, attendait Omphale.

X

Elle se leva, regardant de haut en bas les deux hommes qui montaient vers elle, Joël plus ossu, Foncrest maigre et voûté, de taille à peu près égale. Avec ses bottes à mi-mollet, son blue-jean moulant ses cuisses et son ventre plat, son blouson clouté enrobant un buste un peu lourd, elle était plutôt expressive, dramatique, que provocante. Lentement, elle fit émerger de sa bouche une bulle de bubble-gum qui lui déforma grotesquement les traits et répandit une odeur sucrée avant d'exploser avec un pfft ignoble. Alors Omphale dit :

— Monsieur, je suis venue vous faire des excuses.

Elle narguait Foncrest du regard. Il avait ôté son béret et répondit gravement :

— Je vous remercie.

— Je veux être votre servante pendant quelque temps.

Il ne marqua aucun étonnement.

— Je n'ai pas besoin de servante.

— Vous n'avez pas regardé sous votre lit. Et ça fait combien de temps que vous n'avez pas nettoyé votre douche ?

— La douche se nettoie toute seule quand on se lave.

— Vous croyez ça ! Et vos fenêtres ? On ne voit plus à travers. Et vos casseroles ? Poisseuses de graisse, j'ai vérifié. Et votre lavabo ? A moitié bouché. Je ne vous promets pas de ravauder vos chaussettes : on ne m'a pas appris. Mais votre garçonnière va reluire ! Je vous ferai aussi votre popote. Une semaine : ça suffira ?

Joël ne comprenait rien. Foncrest réfléchit.

— J'accepte votre cadeau, mademoiselle, à une condition que vous voudrez bien considérer comme absolue : vous ne dépenserez pas un sou. Sinon, vous voyez bien que cela n'aurait plus de sens.

— D'accord. J'ai pris une chambre dans un hôtel, c'est à mes frais, il faut bien que je crèche quelque part. Mais c'est vous qui paierez mes hectolitres d'eau de Javel.

— C'est ainsi que je l'entends.

Omphale descendait ; Foncrest s'effaça du côté du mur ; elle repoussa Joël contre la rampe :

— De l'air !

Ils se retournèrent tous les deux pour la regarder continuer à descendre : sa tenue, faite pour souligner ce que ses formes avaient de féminin, soulignait aussi ce que sa démarche de boiteuse avait de chaste, de presque garçonnier.

Joël ne pouvait imaginer que son père fît travailler quiconque sans rétribution.

— Tu as de quoi la payer ? demanda-t-il lorsqu'elle eut disparu.

— Elle s'est déjà payée, répondit doucement Foncrest. Je vous demanderai de prendre garde qu'elle ne touche pas aux livres. Une âme noble armée d'un plumeau, c'est redoutable.

Elle revint le lendemain, quand Foncrest était déjà parti. Elle apportait un filet plein de produits d'entretien.

— Tu es cinglée ou quoi ?

— Jamais été aussi raisonnable.

— Comprends rien.

— Tu n'es pas capable.

— Après ce que tu as débloqué l'autre soir ?

— Il y a une serpillière dans cette baraque ?

Elle commença par la salle d'eau, grattant les surfaces centimètre carré à centimètre carré, saisissant toutes les occasions de se casser les ongles, de se meurtrir les mains, rampant à quatre pattes, suant, soufflant, jurant à mi-voix, s'acharnant sur des taches vieilles de vingt ans. Joël s'était résigné à lire dans la bibliothèque, mais, de temps en temps, il allait se planter à l'entrée de la salle d'eau. Un livre à la main, l'index marquant la page, il la contemplait, accroupie, toute brosses, toute éponges, les doigts rougis par les détergents.

— Tu aurais pu t'acheter des gants.

Elle le regarda de bas en haut, avec mépris.

— Ça n'aurait plus aucune valeur.

— Quoi ?

Elle ricana.

— Lui, il comprend.

Ils déjeunèrent debout à la cuisine, de pain et de fromage de tête, Omphale s'appliquant à ne pas servir Joël.

— Remets cette cochonnerie dans le frigo : c'est moi qui l'en ai sortie.

Puis elle se remit au travail. Le rideau de douche, moisi, lui donnait du mal. Elle finit par l'arracher dans un mouvement de rage, et la grande feuille de matière plastique mouillée lui tomba sur la tête. Elle sortit pour en acheter un autre et faire des courses par la même occasion.

— Je présenterai ma facture.

Vers le milieu de l'après-midi, la salle d'eau brillait doucement, lustrée de propreté. Omphale chancelait ; elle avait mal aux reins. Elle prit une douche, étrennant le nouveau rideau. Quand elle reparut, elle était méconnaissable : bandeaux blond cendré gonflés par un long brossage, cou candide émergeant d'un sobre décolleté triangulaire, robe blanche serrée à la taille par une large ceinture du même tissu. Joël en resta ébahi.

— Je ne savais pas que tu avais des fringues comme ça.

— Acheté ce matin.

Quand Foncrest rentra, il trouva la table mise, les couverts étincelants, et Omphale, portant son gros tablier à lui, affairée à la cuisine. Elle en ressortit pour lui demander d'un ton volontairement inexpressif s'il voulait un whisky. Elle en avait acheté un, de douze ans d'âge, dans une grosse bouteille carrée censée évoquer les fastes de la vieille Angleterre. Il refusa, gêné, inquiet.

— Moi, dit-elle, j'en prendrai un, bien tassé. Joël, rends-toi utile.

Les jeunes gens burent leur whisky pendant que Foncrest corrigeait des copies à l'encre rouge, soulignant les fautes d'orthographe, calligraphiant des commentaires d'une écriture penchée, soignée, pointue d'instituteur. Seule incohérence : il ne fermait ni ses o ni ses a par en haut.

Le repas justifia pleinement les inquiétudes de Foncrest : il y avait de la langouste, du canard à l'orange, un explorateur, un époisses affiné, un chablis et un corton, pris chez le meilleur traiteur de la ville.

— Mademoiselle, dit sévèrement le maître de maison, il était entendu que vous ne dépenseriez pas un sou.

— Mais j'ai tout marqué, dit Omphale. Voilà.

Elle avait additionné le détachant et le fromage, le whisky et la poudre à laver. Foncrest jeta un regard à la note et eut une pensée pour le catalogue de livres anciens qu'il venait de recevoir. Il se sentit en train de mâcher *le Parfait Capitaine* de Rohan, agrémenté de quelques pages de *l'Intérieur du sérail* de Tavernier.

— Ne faites plus jamais cela, prononça-t-il simplement.

Omphale reposa sa fourchette.

— Vous voulez dire que... ?

Elle suffoquait de confusion.

— Je vous jure, monsieur, que je n'y avais pas pensé.

Pour un peu, elle aurait rapporté au marchand ce qui restait. Foncrest lui sourit.

— Diablement bonne, votre langouste ! Mangez-la de bon appétit, mademoiselle.

Il ajouta, sans vergogne :

— Je le fais bien, moi.

Et il reprit de la mayonnaise.

La conversation roula surtout sur les alliances de la famille de Beauhaloir. Joël bâillait.

— Madame votre grand-tante, qui était Rohan — Rohan-Chabot, je ne vous apprends rien — par, si je ne me trompe, son bisaïeul maternel...

Elle n'en savait rien, Omphale ; elle s'en moquait, Omphale ; mais il ne lui déplaisait pas de voir peu à peu refleurir son arbre généalogique, elle n'était pas insensible à la gratuité loufoque et pourtant flatteuse de tous ces besants qui pleuvaient dans son giron, de tous ces fleurons qui venaient la couronner. Elle avait passé des années à essayer de tout élaguer autour d'elle pour se débarrasser des attaches et des responsabilités, et voilà que, sans la consulter on la replaçait dans une toile d'araignée de relations qui l'associaient à l'histoire de France :

— Le chevalier Cressé... Le connétable de Beauhaloir...

Cette conversation redistribuait une fois de plus les donnes de sa vie. Il y avait eu la distribution familiale, qui n'avait pas tenu longtemps, puis une réorganisation personnelle, de l'intérieur, puis l'invasion des valeurs imposées par les milieux fréquentés, et maintenant il y avait cette remontée dans le temps ancestral.

Parallèlement, Omphale revenait sur ses pas dans sa propre vie. Elle se sentait plus proche d'elle-même qu'elle ne l'avait jamais été depuis qu'elle était sortie de l'enfance. Elle redevenait la petite fille un peu ronde, en robe de velours vert et en col de dentelle, qui rendait visite à une très vieille dame : celle qui était Rohan-Chabot par son bisaïeul maternel...

Foncrest insista pour faire la vaisselle :

— Je sais où vont les assiettes, l'argenterie. Joël vous reconduira.

Elle s'interdit de sourire au mot pompeux d'argenterie.

La paix s'était faite entre les jeunes gens au cours de la journée, sans qu'ils s'en fussent aperçus. Ils marchèrent sous les étoiles, rares mais intenses. Omphale s'efforçait de ne pas montrer qu'elle tremblait de froid.

— Alors, quel effet ça te fait d'avoir un père français ? demanda-t-elle, reprenant la conversation de l'autre soir.

— Avec son béret, ses pinces à falzar et ses armes à enquerre... je le trouve plutôt exotique.

— Pas moi.

— Pas toi ? fit Joël secrètement rassuré. Si un type pareil se présentait au Country Club d'Antimony Creek...

— Il mettrait tout le monde dans sa poche en cinq minutes.

— A condition que le flic au portail le laisse entrer. Tu sais, Omphale, c'est tout de même pénible qu'il faille avoir des parents dont on se sent perpétuellement responsable. Pourvu que Mom ne raconte pas encore une fois ses débuts dans la galerie des Glaces ! Pourvu qu'elle arrive à cacher son accent français ! Tu te rends compte qu'on lui apporte du papier quand elle demande du poivre. De quoi j'ai l'air.

— Je connais. Quand on présente quelqu'un au général, et qu'il lui broie la main et le transperce de ses yeux bleus sans lui dire un mot, au bout de cinq secondes — j'ai chronométré — c'est à hurler.

Le petit hôtel borgne donnait de biais sur la rue en pente.

— Tu n'es pas trop mal là-dedans ?

Elle rit d'un beau rire de gorge.

— C'est encore trop beau pour une souillon comme moi. Je viendrai tôt demain. Je veux nettoyer la cuisine : elle pue.

Le lendemain, un peu par respect humain, un peu parce qu'il trouvait Lenotre difficile à lire, Joël proposa son aide.

— Tu n'as toujours rien compris, hein ? fit Omphale.

— Non ! Je n'ai toujours pas compris pourquoi tu es là, le nez au sol, le derrière en l'air, à lessiver le carrelage de mon vieux, et pourquoi il trouve ça naturel !

— C'est parce que, répondit gravement Omphale, ma grand-tante était Rohan par son bisaïeul maternel.

Joël donna un coup de pied dans le seau d'eau savonneuse en prenant garde à ne pas le renverser. Il alla se promener, marchant au hasard, se demandant quand Pop recevrait la lettre, de combien serait le chèque et ce qui lui resterait une fois qu'il aurait fait la part de Marj.

Une impasse l'attira et, au fond de l'impasse, une chapelle, à moitié enfoncée dans le pavé. Il entra parce qu'il n'avait rien à faire et que, en France il est congru d'entrer dans les chapelles.

L'intérieur, transformé en musée, le surprit par son modernisme : on descendait trois marches, et une moquette beige recouvrait le sol ; des projecteurs disposés au pied des colonnes ou cachés derrière les chapiteaux éclairaient les fûts et les voûtes ; les murs étaient occupés par une exposition de tableaux, crucifixions et nativités stylisées, hâtivement esquissées avec des pointes de feutre de plusieurs couleurs. Sur un lutrin reposait une bible ouverte, imprimée noir et rouille sur du papier crème. Joël lut :

« A présent faisons l'éloge de ces hommes illustres, nos pères, dans leur ordre de succession.

« Le Seigneur a créé la gloire à profusion et montré sa grandeur depuis les temps anciens.

« Souverains de leurs royaumes, renommés pour leurs hauts faits, célèbres pour leur intelligence, visionnaires de temps nouveaux,

« guides du peuple par leurs conseils, trésors de sagesse nationale, prudhommes en leur enseignement,

« inventeurs de chants mélodieux, compositeurs de récits poétiques,

« riches, immensément puissants, paisibles en leurs demeures,

« tous, les uns ou les autres, furent respectés de leurs contemporains et objets de fierté en leur temps. »

— Je n'ai jamais pensé à Pop dans ces termes, se dit Joël.

Ce soir-là, le dîner fut plus congru. Une bouteille de beaujolais, des côtelettes de porc, des pommes de terre. On continua les fromages de la veille. Joël, qui voulait éviter les Rohan et les Chabot, demanda à son père :

— Raconte-nous ton enfance.

— Il n'y a rien à raconter. J'ai été un enfant comme les autres.

— Heureux ou malheureux ?

— Tous les enfants sont heureux. Quelquefois ils s'imaginent le contraire, mais pour rendre un enfant vraiment malheureux, il faut le martyriser. Ou l'abandonner.

— Quelles études as-tu faites ?

— J'ai manqué mon bachot. Je n'ai pas recommencé.

— Votre père avait-il une profession, monsieur ?

Omphale avait récuré la cuisine de fond en comble, dans les placards, sous le réfrigérateur, sous la cuisinière. Elle n'avait jamais été si fatiguée de sa vie. Elle regardait avec satisfaction ses ongles cassés, fendillés, et ses mains qu'on aurait cru passées au papier de verre.

— Mon père ? Il se rappelait que son père à lui avait eu de l'argent : alors il essayait d'en gagner, mais sans trop de conviction. Je me rappelle surtout des banqueroutes. D'une imprimerie. D'une école de tir. D'une entreprise de bateaux-mouches.

— Vous habitiez Paris ?

— Nous avons habité un peu partout. Dans l'ensemble, mon père était le genre d'homme qui élève des vers à soie à Tourcoing, plante de la betterave en Camargue et se félicite de ce que personne n'y ait pensé avant lui. Du reste, adorable.

— Qu'est-ce que tu voulais faire quand tu serais grand ?

— Je ne pensais pas à l'âge adulte en termes de métier. A un moment, j'ai songé à me faire prêtre. Mais je m'embrouillais dans les irréels et les potentiels. A l'époque, cela comptait.

— Et ton service militaire ?

— J'y ai échappé.

— Tu as été réformé, comme le père de Leroin ?

— Non : j'étais trop occupé à faire la guerre.

— Raconte-moi ta guerre.

— Ce ne serait pas amusant pour mademoiselle.

Omphale écarquillait ses grands yeux gris. Elle ne protesta pas.

— Écoute, papa : si les autres pères sont comme toi, je ne sais pas comment tes élèves vont te faire ton papier pour la semaine prochaine.

— Vous avez raison, Joël. Je pratique mal ce que je prêche. Chacun a ses limites, et le mieux est d'apprendre à les bénir. Puis-je reprendre, mademoiselle, de cet excellent époisses ?

Au café — Omphale faisait un café passable — elle demanda d'un petit ton dur :

— Monsieur, pourrai-je m'absenter pendant le week-end ? Le personnel a droit à son samedi et à son dimanche, non ? Mes parents sont au Haloir et ils ne comprendraient pas que je ne me précipite pas pour les accabler de tendresse filiale.

— Mademoiselle, dit Foncrest, vous serez toujours la bienvenue ici. Un instant.

Il alla chercher dans la chambre une enveloppe qu'il tendit à Omphale avec un petit salut. Joël en grinça des dents.

— Viens, je te reconduis.

Dehors, c'était la nuit. Les jeunes gens marchèrent entre des façades qui, depuis quelques années, tournaient le dos à la rue ; elles ne s'intéressaient plus qu'au petit nombril bleu qui palpitait derrière leurs rideaux tirés. Joël désigna l'enveloppe.

— Ça doit faire une jolie portion de son mois de salaire. Je ne sais pas comment je me suis débrouillé pour avoir un père aussi fauché.

— Il n'avait qu'à apprendre les irréels et les potentiels, répliqua Omphale. Il serait monsignor : les bas violets lui iraient très bien. Et toi, tu ne serais même pas né. Pas une grande perte.

Le samedi, les Foncrest père et fils se promenèrent. Ils visitèrent une abbaye dont la pierre, lépreuse, se défaisait jour à jour, gris sur blanc, noir sur gris ; puis un château aux murs peinturlurés de portraits militaires naïfs : Josué, César, Alexandre, Du Guesclin, le châtelain lui-même ; puis une auberge où Rabelais avait séjourné et, prétendait-on, étiqueté trois pots de grès « Poison pour le Roy », « Poison pour la Royne » et « Poison pour le Dauphin » afin de se faire ramener gratuitement à Paris par la maréchaussée. Ils prirent le thé dans un manoir à courants d'air, chez une vieille dame au regard perçant que Foncrest appelait marquise. Joël s'en étonna en sortant :

— On ne dit pas madame ?

— Oui, dans l'usage moderne. Mais pourquoi laisser perdre ces paillettes de couleur qui avivent le monde ? Je dis marquise à une marquise et madame la duchesse à une duchesse : l'ancienne étiquette me plaît. Tant pis pour les bourgeois, dont la grisaille déteint partout.

La petite Triumph, tout émoustillée par sa première randonnée culturelle, reprit la route, s'arrêta devant un calvaire baroque, repartit. Foncrest avait étalé une carte sur ses genoux. Joël y jeta un regard. Un nom éclipsa soudain tous les autres, comme le soleil efface les étoiles :

— Foncrest ! Allons à Foncrest, papa ! Ça ne fait pas plus de cinquante kilomètres.

Il montrait du doigt un village flanqué d'un petit rectangle.

— Je vous avoue que je n'y tiens pas énormément.

— Mauvais souvenirs ?

— Aucun, je vous l'ai dit. Mais ils ont vraiment abîmé la bicoque avec leur ensolarium, leur trepidarium, je ne sais quoi. Et le village n'a pas d'intérêt.

— Amer, papa ?

— Non ! Ceux de mes amis qui ont encore leur château m'envient. Pour moi, c'est facile : pas de cas de conscience, pas de nostalgies. Foncrest a été vendu quand mon père avait cinq ans.

— Tu n'as jamais eu envie de le racheter ?

— On ne peut plus vivre dans ces machins. On se ruinerait rien qu'en encaustique. D'ailleurs quel sens cela aurait-il ? Ce n'est pas parce que j'aurai un acte de vente dans ma poche que l'histoire fera demi-tour. Les châteaux ont vécu, bien vécu. L'époque est aux achélèmes. Allons voir Saint-Barnabé. Vous prendrez le vicinal à droite.

Ce ne fut qu'à l'intérieur de l'église — cette fois il fallut aller demander les clefs au café voisin — que Joël reconnut les lieux. Cette nef étroite, ce transept encombré de vieux bancs, cette chapelle latérale et puis ce dépotoir de statues que Foncrest nomma une à une : la Sainte Vierge, sainte Thérèse, saint Roch, Jésus-Christ, saint Nicolas, saint Sébastien, sainte Jeanne d'Arc... Tout avait perdu son mystère. Avoir eu peur, avoir eu une vision dans cette bâtisse difforme aux murs verdis de moisissure, aux dalles déshonorées par les pigeons ? Joël admira sans enthousiasme la plénitude des voûtes romanes et voulut savoir pourquoi ces statues, dont il ignorait s'il devait les trouver belles ou laides, avaient été reléguées au-dehors de la nef. Foncrest hocha la tête.

— C'est l'exil de Babylone. Il faut reconnaître que l'Église du XIX e n'avait pas bon goût. Cependant le grec des pères de l'Église n'est pas non plus celui de Démosthène : est-ce une raison pour les répudier ? Encore heureux qu'ici on n'ait pas fixé des fourbis en fil de fer sur les colonnes pour figurer le chemin de croix. Les églises désaffectées ne sont pas les plus à plaindre. Savez-vous qu'il n'y a que deux espèces d'hommes : ceux qui aiment l'histoire et ceux qui la haïssent. J'aime l'art roman, je n'aime pas les saint-sulpiceries, mais je n'aurais pas plus déporté ces poupées saintes que je n'aurais cassé la tête au christ sublime d'Autun. Les chanoines philosophes, les sans-culottes iconoclastes et nos curés intellectuels qui mettent leur propre goût au-dessus de la piété de leurs arrière-grand-mères... Dieu leur pardonne ! Eux aussi, je suppose, ils cherchent la vérité.

Ils dînèrent seuls, un peu tristement, sans faire une allusion à Omphale.

Le dimanche, Foncrest proposa à son fils d'aller entendre la messe :

— Chez les traditionalistes, si cela ne vous offense pas.

Joël n'avait jamais entendu de messe en latin, jamais vu l'Élévation dos aux fidèles. Cela lui déplut. Ces dialogues inintelligibles, l'échine rigide, empesée de l'officiant qui s'agenouillait et se relevait sans cesse, quel rapport avec l'amour des hommes ? Le sermon du jeune prêtre blafard qui mourait de peur derrière ses lunettes fut trop solennel : pas un sourire, pas une histoire drôle, ce n'était pas ainsi que prêchait le père Pat à Saint-Joseph d'Antimony Creek. D'ailleurs la petite salle biscornue, écrasée entre l'hôpital et la caserne des pompiers, ne disposait pas aux émotions religieuses : pas de projecteurs, même pas de sonorisation.

— Pourquoi adorez-vous ici ? demanda Joël après l'*ite missa est.*

— Nous n'adorons pas, fit Foncrest surpris. On nous tolère.

Ils ne se comprenaient pas.

— Vous n'avez pas d'autre endroit pour adorer ?

— Vous voulez dire : adorer Dieu ? Hélas non. Monseigneur nous fait des misères.

— Pourquoi ?

— Je le soupçonne de ne pas aimer l'histoire. D'abord il n'aime pas qu'on l'appelle monseigneur. Ce qui me rappelle que le père Jules m'a chargé d'une proposition pour vous. Vous lui avez « tapé dans l'œil » pour utiliser son expression. Il aimerait vous engager comme assistant d'américain pour vous occuper de quelques internes. Cela m'ennuiera de vous voir quitter la maison ; cependant, si vous avez besoin d'argent de poche, l'occasion n'est pas mauvaise.

Foncrest était gêné de transmettre l'offre : il avait l'air de mettre son fils à la porte. Mais Joël fut ravi.

Le soir, à table, ils se permirent enfin de parler d'Omphale.

— Je pense avec plaisir à revoir demain Mlle de Beauhaloir, dit Foncrest.

— Cela m'étonnerait qu'elle revienne, répliqua Joël. Elle est folle, mais pas à ce point.

— « Il y a une logique dans sa folie », cita Foncrest. Et elle n'a encore nettoyé ni la chambre ni la bibliothèque.

XI

Elle arriva le lundi matin, comme Foncrest venait de partir. On aurait cru qu'elle avait attendu de le voir monter à bicyclette. Il y avait quelque chose de nouveau en elle : une énergie, une clarté.

— Tu es jolie ce matin.

— Débarrasse-moi le plancher. Je vais bouger les meubles.

Joël sortit, trop heureux de n'avoir pas à coopérer. Du reste, la ville, qui se précisait de plus en plus pour lui, le charmait. Il aimait ce marché couvert qui sentait le poisson et où les chalands devaient parler fort à cause de l'écho qui parlait plus fort qu'eux, ces rues commerçantes où l'on se bousculait sans acrimonie devant des vitrines qui ne manquaient pas de chic, ce café démodé pourvu d'une arrière-salle où s'entrechoquaient sereinement des boules de billard et où de vieux hommes buvaient des Suze ou des Claquesin en s'apostrophant : « A la tienne, Étienne ! » Il aimait l'église flamboyante qu'il avait vue illuminée dans la nuit et qui parlait à son sens de la beauté : « Ici, toutes les colonnes font du bel canto, tandis que dans le roman, ça bourdonne à peine en sourdine. »

Ce matin-là, il retourna voir les blasons martelés sur les façades de la vieille ville, pauvres faces laminées, bouches sans lèvres d'où ne s'échappait plus que le chuintement du martyre. Il se surprit à penser : « Ces pierres qui parlaient et qu'on a fait taire, voilà la France d'aujourd'hui. » Et aussitôt après : « Ce n'est pas moi, c'est mon père qui pense à travers moi. »

Omphale, cependant, avait déballé sa paille de fer. Elle en mit deux lambeaux sous ses semelles et elle commença à frotter. La paille raclait le bois ; la poussière s'élevait ; Omphale éternuait. Elle ouvrit la fenêtre. Mais les livres ? Ils allaient être couverts de poussière, eux aussi. Elle les transporta dans la chambre par brassées, perdant la couverture de l'un, une page d'un autre. Elle s'était imaginé que ce serait facile de transporter un millier ou deux de livres, de les ranger par piles et de les conserver dans leur ordre original, mais les piles s'effondraient, les livres s'effeuillaient, et Omphale avait mal aux bras, aux cuisses, au dos. Tant mieux. Elle mit le lit de Joël dans la salle d'eau, les fauteuils dans la chambre, la vieille table sur le palier. La bibliothèque était vide. Ça allait mieux.

Omphale se déshabilla et, à demi nue, suante, écarlate, recommença à gigoter, ses pieds allant et venant, aucune tache n'échappant à sa vigilance, les coins et les bords des murs recevant un traitement double parce qu'ils étaient les plus ardus, la couleur des planches blanchissant peu à peu dans le poudroiement des copeaux minuscules et l'abrasion du vernis vitrifiant. A certains endroits, les pieds ne suffisaient pas. Omphale, à croupetons, saisissait la paille de fer à pleines mains, s'écorchant les phalanges, se logeant des échardes dans le bout des doigts. Lorsqu'elle saigna, elle rit de plaisir.

Quand elle eut terminé, elle passa l'aspirateur emprunté au Haloir. Puis, avec les doigts et les paumes autant qu'avec le chiffon, elle enduisit le plancher d'encaustique. Pendant qu'il séchait, elle épousseta les livres. Ensuite, elle enfila ses pieds dans des brosses à lanières venant elles aussi du Haloir et entama une danse étrange, le pied droit reculant quand le pied gauche avançait et vice versa, sur un rythme accéléré. Le plancher blondi se mettait à luire, et Omphale dansait toujours, le rythme envahissant ses jambes, investissant ses entrailles, montant jusqu'à sa tête. De temps en temps, elle poussait un petit râle d'épuisement. Un vrombissement la parcourait de bas en haut. Elle avait envie de se plonger dans une piscine glacée. Lorsqu'elle n'en pouvait plus, elle s'adossait à une étagère, pour ne pas laisser une trace moite sur le mur, respirait un bon coup, et repartait.

Joël arriva comme elle terminait.

— Qu'est-ce que la table de papa fait dehors ? Tu te crois sexy dans cette tenue ?

— Remets les meubles en place pendant que je me douche.

— Tu as touché à ses livres ? Il l'avait défendu.

— On les lui rangera, ses bouquins.

Cette fois-ci, elle reparut en corsage de dentelle blanc et pantalon noir ajusté, toute propre, toute repassée, ses cheveux fleurant bon le shampooing. Elle chantonnait :

> *Femme de peine et fille de joie,*
> *Je sais tout fai-ai-re.*

Foncrest rentrant vit les étagères vides.

— Après tout, dit-il, ce n'est pas plus mal. On va faire un nouveau classement.

Le lendemain, l'assistant Paterson avait pris ses quartiers à Sainte-Barbe. Comme Omphale avait annoncé qu'elle n'aurait pas le temps de faire de courses, Foncrest se permit, pour le dîner, quelques achats sortant de l'ordinaire : un poulet tout rôti, une bouteille de bergerac. Il était déjà si largement sorti de son budget que de pareilles bagatelles ne comptaient plus, et ce n'était pas sans un certain agrément qu'il envisageait de dîner en tête à tête avec Mlle de Beauhaloir. Joël lui manquerait cependant. Il commençait à s'habituer à ce grand flandrin maladroit aux cheveux blancs. Non que son fils, à vrai dire, lui plût : mille détails l'agaçaient dans cet Américain qui n'avait pas l'excuse d'être Américain, mais, de même qu'autrefois il s'était fait avec aisance à la solitude, il y avait renoncé sans déplaisir, et trouvait confortable de corriger ses copies ou de détailler ses armoiries avec cette présence, somme toute sympathique, auprès de lui.

Quand il rentra chez lui, Mlle de Beauhaloir en était partie. Le logement sentait le propre ; le plancher était maintenant ciré dans les deux pièces ; le tapis de la chambre, brossé, avait retrouvé quelque couleur ; plus une toile d'araignée nulle part ; les livres — comme on s'était amusé, tous les trois, la veille au soir, à les ranger jusqu'à une heure avancée ! — se tenaient au port d'armes, fiers de leur nouveau classement alphabétique. Foncrest sourit en se rappelant que Joël avait voulu mettre La Rochefoucauld dans les D et puis dans les R...

Il s'installa pour dîner, prenant acte de sa solitude retrouvée. Absurde, cette bouteille et ce poulet pour lui tout seul. Il songea à les mettre de côté en attendant un jour où Joël serait là, mais ce pauvre poulet ne méritait pas d'être mangé réchauffé. Foncrest mit la table, aussi soigneusement que d'habitude. Il ne restait rien d'Omphale que la bouteille de whisky. Il s'en octroya un doigt, pour goûter ; trouva cela aussi mauvais que le jour où les Anglais lui en avaient fait boire du temps qu'il portait sur la tête leur plat à barbe ; avala tout de même, par correction.

Il s'interdisait de lire en mangeant : il trouvait cela négligé. Aussi continua-t-il à réfléchir en fendant délicatement la cuisse du poulet au niveau de l'articulation. Peut-être s'accorderait-il aussi un blanc tout à l'heure, s'il était en veine de goinfrerie : il adorait le blanc. Le bergerac un peu plat coula délicieusement dans son gosier.

Avait-il eu raison de laisser partir Joël, qui aurait pu être assis en face de lui, à mastiquer laborieusement l'autre cuisse ? « Je retrouve un fils perdu depuis vingt ans et je le jette dehors au bout de deux jours. » Mais aurait-il été honnête de ne pas lui faire la commission du père Jules ? D'un autre côté, devait-on l'aider à gagner de l'argent alors qu'il allait peut-être l'utiliser pour commettre un crime ? Non, ce n'était pas une question d'argent : Marj n'avait pas l'air d'une pauvresse ; Joël ne tenait à payer que parce qu'il s'imaginait qu'il y allait de son honneur. « Il ne dépend pas de moi de sauver la vie de mon petit-fils — ou de ma petite-fille, c'est tout un. Il y a quelque chose de pourri dans la république de Danemark. Est-ce à moi de rien reprocher au Danemark ? J'ai bien ma fêlure intime, moi : propre, mais incurable. »

Il se servit le blanc. Le bergerac descendait bien. « Mlle de Beauhaloir est-elle amoureuse de Joël ? Il me semble bien qu'elle me l'a laissé entendre. » Il se la rappela en haut de cet escalier, lui crachant puérilement son bubble-gum à la figure, avant de lui faire de nobles excuses. « C'était légitime. Il fallait bien qu'elle se protégeât. Elle ne savait pas comment j'allais la recevoir. J'aurais pu être un malotru. » Était-ce elle qui, à Sourdevoie, avait crié : « Je viens avec vous ? » Pourquoi ne pas l'avoir attendue ? Par égoïsme, pour retrouver une certaine paix. Rien n'est plus vulgaire que l'égoïsme. Moi, moi, moi : ce croassement. « Et je suis plus égoïste que quiconque, avec ma petite vie de souris dans un fromage. »

A propos de fromage, il tira du réfrigérateur ce qui restait de l'époisses. Un peu écrasant pour le bergerac, l'époisses, mais Foncrest s'en aperçut à peine. Il trouvait tout exquis.

Cette euphorie n'empêchait pas que l'enfant de Joël lui pesât lourdement sur la conscience. Il aurait tout sacrifié à l'enfant, parce que tel est le sens du monde, croyait-il, le sens chrétien du monde qui vogue vers la parousie. L'enfant prime. « Que les morts enterrent leurs morts » — *leurs* morts ! quel dédain ! — mais « Gloire à celui qui vient au nom du Seigneur ». L'enfant est par excellence celui qui vient. Tout enfant est le Christ, alors qu'un vieillard n'est au mieux que le Siméon du *Nunc dimittis.* C'est là le sens des interminables et contradictoires généalogies de Jésus-Christ dans Luc et Matthieu : le salut est au bout de la lignée. Dieu peut bien demander à Abraham le sacrifice d'Isaac, mais il arrêtera le bras paternel. Tuer son père, c'est un parricide ; tuer son fils, cela n'a littéralement pas de nom. Oui, Foncrest aurait fait n'importe quoi pour que l'*homunculus sapiens* enfoui dans cette parcelle de terre américaine qu'était Marj continuât de vivre, car le passé est sacré, mais l'avenir encore plus : c'est le secret de la paternité.

Cependant, s'il fallait vraiment que le cours de l'histoire fût étranglé dans ce défilé-là, Foncrest avait trop l'habitude ancestrale des cataclysmes pour ne pas mettre la main en visière devant ses yeux et regarder une étape plus loin. Oui, il conviendrait que l'enfant fût sauvé, comme auraient dû être sauvés Mégare, Numance, la Vendée, les Cosaques, les harkis, le Biafra, mais, s'il fallait qu'une fois de plus l'inacceptable eût lieu — et on finissait toujours par accepter l'inacceptable — Joël se trouverait libre... libre de conclure une alliance sûrement moins profitable et pourtant plus séduisante que celle des pharmacies

Whitehead. Sur une feuille de papier, Foncrest esquissa — il savait mieux que personne que l'usage s'en perdait, mais quel mal y a-t-il à faire une variation discrète sur un thème désuet ? — des armes écartelées dont le premier et le quatrième quartiers étaient Foncrest, tandis que le deuxième et le troisième portaient une croix potencée de sinople sur champ de gueules.

— Mais je n'y suis plus du tout ? Pourquoi Foncrest ? Paterson ! Tous les Américains ont des armoiries.

L'idée d'armoiries américaines lui gâcha un peu son plaisir. Il décida d'aller se coucher. Dans la cabine de douche, il vit un cheveu en forme d'S collé à la paroi.

Il y a un mystère des cheveux, car ils sont et ne sont pas la personne à qui ils appartiennent. Certains leur vouent un culte et classent les boucles ineffables avec les myosotis séchés ; à d'autres ils répugnent autant que des rognures d'ongles. Foncrest avait bonne opinion des cheveux, surtout à cause des tests trichoscopiques qui servent à prouver que l'enfant mort au Temple sous le nom de Louis XVII n'était pas Louis XVII. Il cueillit celui qu'il avait trouvé et, le rapportant dans la bibliothèque, le posa sur une feuille de papier toilé, dans laquelle il avait conservé jadis des empreintes de sceaux sur des pastilles de cire : il y avait encore quelques grains de poussière rouge dans les plis du papier blanc ; cela fit ressortir la teinte blond rouillé du cheveu. Penché sur la table, dans son vieux pyjama dont les rayures se distinguaient à peine du fond, Foncrest le contempla longuement, avec approbation. Omphale qui, à première vue, paraissait blond cendré, n'avait pas tous les cheveux de la même couleur, ce qui passe pour un signe de bonne race.

Puis, après avoir dit ses prières sagement agenouillé à côté de son lit, comme il l'avait fait tous les soirs depuis son enfance, Foncrest se coucha.

Il se rappela alors que la tête d'Omphale avait reposé sur le même oreiller que la sienne, et retrouva en outre une vignette de souvenir qui le laissa perplexe : il voyait cette tête presque entièrement enfouie sous le drap, mais une épaule ronde en dépassant, comme si la tête était en quelque sorte embusquée derrière l'épaule. Si vraiment il avait vu cela, ce ne pouvait être que le matin du jour où Omphale avait couché là. Était-il entré par erreur ? Ou pour la réveiller ? Il ne s'en souvenait plus. Peut-être avait-il rêvé cette image. Mais il la voyait si clairement, dans sa perspective de primitif : le lit, saisi dans toute sa longueur et, au bout, la sinuosité de la couverture et du drap, puis la rondeur de l'épaule et l'ébouriffé de la tête presque invisible.

Foncrest, couché où Omphale l'avait été, mais sur le dos, et les bras noués derrière la nuque, s'imagina par un effet de contre-champ se tenant dans l'embrasure de la porte, tel qu'il avait dû s'y tenir ce jour-là si vraiment il était entré. Il se prêtait, comme tout le monde, un physique plus jeune que ne l'était le sien ; il n'avait pas conscience de l'air à la fois doctoral et candide que lui donnaient les lunettes d'acier qui lui grossissaient les yeux ni même de la ligne toujours plus fuyante de ses cheveux, mais il ne se prenait pas non plus pour un éphèbe ; si bien que, se voyant apparaître au coin du chambranle, il se vit sous l'aspect d'un gnome sympathiquement grotesque, un Riquet à la Houppe, un génie protecteur venu jeter là un coup d'œil attendri et se demandant quel cadeau il pourrait déposer dans le berceau de la petite Omphale. Cela le fit rire, et il s'imagina que c'était Omphale qui riait du bonhomme, riait comme une petite fille, comme Gisèle devait rire de M. Tocambel : qu'il est donc ridicule et qu'il est gentil !

De même qu'il n'avait jamais cessé de prier, Foncrest n'avait jamais cessé de se raconter des histoires pour s'endormir, sauf pendant l'interlude de son mariage : un corps chaud étendu à côté de vous ne prête pas aux imaginations magiques de l'enfance ; la chasteté seule les transporte jusque dans l'âge mûr, et c'était presque avec soulagement qu'il avait retrouvé avec le célibat l'exutoire poétique auquel il avait été si longtemps fidèle : le Petit Poucet se révélant un sur-ogre et croquant l'autre, pour jouir de sa surprise plutôt que par fringale, le Petit Chaperon Rouge s'offrant un cuissot de loup, l'âne refusant de se laisser écorcher, la Belle manquant le rendez-vous et transformée en Bête... Ce soir-là, Foncrest finit donc par se caser douillettement, en chien de fusil, et il se prépara à imaginer pour la millième fois le Petit Poucet enfonçant ses canines dans l'orteil de l'ogre, mais un nouveau conte lui vint, un conte doux et doré, sans péripéties, avec, pour personnage principal, un satyreau pudique dont la tête dépassait d'un chambranle comme un massacre de cerf et qui formait des vœux mirifiques pour une petite enfant à l'épaule ronde.

Le lendemain, M. Foncrest croisa dans un couloir de Sainte-Barbe l'assistant Paterson.

— Vous allez bien ?

— Je vais très bien.

« Ah ! bon, j'ai un fils. D'ailleurs il est Paterson. »

Toute la journée, Foncrest se sentit tantôt gai, tantôt mélancolique. Pendant une heure creuse, il alla faire une partie de billard à la salle des professeurs.

— Votre petit se débrouille comme un chef, annonça le père Jules en brandissant une queue tel un javelot. Nos gars lui tournent autour comme des mouches. Vous pensez : l'A-mé-rique !... Je lui ai dit de leur apprendre des gros mots américains : c'est excellent pour la prononciation, et ils ne se lasseront pas de les répéter. Je les entends déjà qui s'exercent aux récréations. Rien que des voyelles brèves. Et c'est pourtant coton, les voyelles brèves ! Robichon n'avait jamais voulu essayer ma méthode. Je le soupçonne d'être ignorant, le vieux puceau.

Foncrest réussit un joli carambolage : toc toc, et les boules revinrent, complaisantes, se mettre en position. Toc toc. Et encore en position. Toc toc. Et encore.

— Vous, lui dit le père Jules, vous avez une veine de cocu. C'est à se demander à quoi vous passez vos veilles. Je trouve que ça n'avance pas vite, votre brochure sur les armes à équerre.

Le soir, Foncrest rentra chez lui, guilleret. Joël lui avait promis une visite pour un autre jour. C'était bien qu'il en eût promis une, et c'était bien aussi qu'elle ne fût pas pour aujourd'hui. Aujourd'hui, Foncrest passerait une soirée studieuse, exquisement solitaire. Pas complètement solitaire, au fait : le serpenteau blond dans son papier toilé lui tiendrait compagnie.

Le serpenteau blond s'était enroulé sur lui-même. On aurait cru un de ces anneaux à clefs qu'il est difficile de disjoindre pour y enfiler une clef supplémentaire. Foncrest dîna vite — il restait du poulet —, se déshabilla, passa sa bonne robe de chambre, ses bonnes pantoufles, et se carra voluptueusement devant un blason qui ne laissait pas que de poser quelques problèmes assez délectables.

Les Radziwill portent d'argent à trois cors de sable appointés en pairle, embouchés, enguichés et virolés d'or. Il s'agit précisément de *cors* : foin de ces héraldistes qui utilisent abusivement le mot *huchet* pour désigner un honnête cor pourvu de sa guiche (sans parler des béotiens qui confondent héraldique et vénerie et poussent le ridicule jusqu'à écrire *trompe* !). Fondamentalement, de même que les gastronomes ne reconnaissent que deux cuisines, la française et la chinoise, Foncrest tenait qu'il n'existe que deux blasons : le français et le japonais. Mais, étant libéral de son naturel, il n'interdisait pas aux Espagnols, aux Italiens, aux Anglais, aux Allemands, d'imiter les Français, ne s'insurgeait pas outre mesure contre les usages polonais et russes (encore que le heaume de face pour de simples gentilshommes lui parût de mauvais goût) et s'intéressait même, *cum grano salis,* aux fantaisies du Nouveau Monde dans ce domaine. Que les Radziwill eussent mis or sur argent ne l'aurait donc pas scandalisé excessivement, mais voilà : les armes des Radziwill appartiennent au clan Tromby — or, les Tromby, encore que Polonais, passent pour être de noblesse féodale, ou, pour le moins, d'ancienne chevalerie (« Distinction artificielle, soit, monsieur du Puy de Clinchamps, vous n'avez pas tort, mais reconnaissez qu'elle est bien commode »). Tombant de Charybde en Scylla, une famille russe d'origine tartare, ayant appartenu au même clan, s'est ajouté en pointe un anneau d'or chatonné de gueules. Le séduisant, dans tout cela, était de remonter aux Tromby et de voir si, à l'origine, il ne s'agissait pas simplement de huchets non embouchés, ou embouchés du même, cè qui eût absous les Tromby, laissant aux Radziwill et à ces Tartares la responsabilité de leurs regrettables fantaisies.

Foncrest prit sa collection d'encres de Chine et se mit à peindre les armes des Tromby avec les diverses variations qu'il leur supposait. Le chauffage central ronflait l'automne, et le Canson de première qualité que s'offrait l'héraldiste impécunieux crissait agréablement tout en commençant à faire le gros dos sous la carapace d'argent qui séchait dessus sans le gondoler.

On sonna.

Foncrest y alla, traînant les pieds dans ses pantoufles. C'était Omphale. Une autre Omphale.

XII

D'abord elle était plus grande : talons, mais aussi buste droit. Elle avait ramené ses cheveux en arrière et ils étaient maintenus par un simple ruban rouge ; ses épaules rondes étaient très nues ; plus bas, sa robe était très sage : blanche, en broderie anglaise, étranglée par une ceinture rouge. Dans ses bras elle tenait, en oblique, comme elle eût tenu un nourrisson, une opulente gerbe de lis blancs avec, au milieu, un magnifique lis rouge tirant sur le violet et piqueté de noir.

Elle restait là, immobile, et son visage, dénudé par les cheveux rejetés, avait pris une grandeur austère. Le regard inflexible était celui d'une statue, et, comme une statue archaïque, elle hésitait à mettre le pied en avant. Foncrest pensa que cette raideur noble avait la même fonction que le bubble-gum de l'autre jour. Il recula.

Après un temps, elle franchit le seuil. Elle lui tendit les fleurs, et il les prit gauchement, les serrant contre sa robe de chambre marron passé, de ses deux belles mains basanées. Omphale le regardait dans les yeux, le souffle court. Elle finit par dire, indiquant les lis :

— Le rouge, c'est moi.

Elle ajouta avec dérision :

— Le rouge un peu pourri.

Elle avança dans la pièce au plafond bas. Il referma la porte et resta planté là, avec ces fleurs somptueuses dans les bras et ses chevilles pointues dépassant de ses pantoufles.

Elle se tourna vers lui et lui cracha au visage :

— Je vous aime !

Il maîtrisa un tremblement qui avait commencé tout au fond de lui. Ah ! non, ça n'allait pas recommencer ! On était si tranquille sans amour.

Alors elle se détourna, comme les comédiennes se détournent de leur partenaire et parlent sombrement au public, mais ici, il n'y avait pas de public.

— Je vous aime. Je ne savais pas ce que ça voulait dire. J'avais tout essayé. Ce n'était jamais ce qu'on raconte, cette douleur, cette bête dans la gorge qui vous empêche de respirer, ce pieu au travers de la gorge. Vous, c'est ça. Oui, vous pourriez être mon trisaïeul, je sais. Je n'y puis rien : c'est là. Si vous croyez que ça me fait plaisir... Mais ce serait si lâche de désobéir. Je grattais votre évier avec mes ongles et j'aimais ça. Vous ne savez pas ce que c'est qu'être une fille à notre époque. Personne à qui tenir l'étrier : rien que des gars qui font du pognon. Ou alors de petits crétins intellectuels qui ne se lavent pas. Vous, dès que je vous ai vu... tilt ! J'ai eu horreur de ça. Prise au piège, faite aux pattes, ma fille ! L'Aliénation avec un grand A ! Rencontrer celui pour qui on ferait n'importe quoi, c'est terrible, vous comprenez ? On voudrait se retenir. Mais ça, c'est l'avarice, la médiocrité. Quand on comprend qu'il ne s'agit pas de se retenir, mais de se découper en petits morceaux, de les numéroter et de faire cadeau de chacun d'entre eux, dans l'ordre, et qu'on sanglote parce qu'on a si peu à donner et que lui va être pauvre alors qu'on voudrait qu'il soit riche, si riche... Et quand on se rend compte qu'en réalité, il est déjà l'homme le plus riche du monde sans qu'on y soit pour rien, qu'on ne peut rien lui ajouter... Car vous êtes riche !

Elle l'en accusait. Il inclina la tête. Il était très riche. Et très reconnaissant. A qui de droit.

— Pourquoi croyez-vous que je sois partie pendant ce week-end ? Pour prendre du champ ? Pour savoir si je pouvais me passer de vous ? Bien sûr. Mais aussi pour savoir qui était ce monsieur présomptueux qui prétendait être mon seigneur.

Foncrest fit un geste de dénégation.

— Parce que vous vous imaginez que n'importe qui peut

être mon seigneur ? J'ai des étalons à l'écurie, oui, qui se figurent qu'ils me prennent quand je les emploie. Mais mon seigneur ? Et maintenant, je sais que vous êtes digne, que vous êtes le seul digne. J'ai pris mes renseignements. Si j'avais aimé comme je vous aime le pion que vous faites semblant d'être, j'aurais emprunté son revolver à papa, ou je serais allée faire le tapin à Singapour. Mais vous êtes...

Elle marcha sur lui. Il ne pouvait se défendre : il tenait les fleurs. Elle lui effleura la joue du bout de ses doigts piquetés de paille de fer et parfumés au Chant d'arômes.

— Vous êtes..., reprit-elle avec exaltation.

Puis, changeant de ton :

— Et moi, vous allez dire, est-ce que je le suis, digne de vous ? Qu'est-ce que c'est que cette morveuse qui se jette à ma tête ? Je suis peut-être indigne, mais moins que les autres. Depuis que je suis devenue capable de juger les hommes, et on l'est très tôt — six ans ? sept ans ? —, j'ai compris que nous étions inondés par la gadoue. Notre époque, c'est la marée montante de la crotte. Je voyais ça partout autour de moi. Mon père...

Foncrest eut un mouvement pour protester.

— Ah ! je lui dois le respect ? C'est le chef de famille ? Bon, bon, je le respecte, mais je le méprise tout de même. Trop jeune pour l'Indo, un petit commandement pépère en Algérie — il ne torturait pas, mais quand ses sous-offs lui fournissaient du renseignement, c'était lui qui récoltait les bananes — et quand il a fallu choisir entre la carrière et l'honneur, il n'a pas hésité. Ensuite, les ambassades ! Savez-vous que ce cavalier a peur des chevaux ? Et pourtant, je l'ai adoré et même je l'adore toujours. D'abord il est beau, et c'est important pour un homme d'être beau. Vous aussi, vous êtes beau, mais il a quelque chose d'impérial : il est tout le temps aussi beau que vous l'avez été le soir où vous avez interdit à Joël de me frapper. Il a des yeux insoutenables, et ça m'est égal si c'est de la frime, comme George Scott dans Patton. Ça m'est égal, mais ça ne m'est pas égal non plus, parce que dans le fond je sais bien que mon père, ce n'est même pas une culotte de peau, c'est un fayot ! Et ma mère ? Une bourgeoise, je veux dire dans l'âme, avec tous ses quartiers. Snob, oh ! ça oui, mais jamais le snobisme sublime, celui pour lequel on meurt. Prudent, le sien, prudent. Le jour où elle m'a dit : « Ma petite fille, la virginité, c'est un capital », j'ai fait un saut jusqu'au lit du premier garçon dans mon carnet d'adresses. Son nom commençait par un A, c'est tout ce que je me rappelle. Elle suppute tout, ma mère. C'est une supputassière. « Oui, Bruno aura une belle situation à tant par mois à trente-cinq ans, mais tu sais comment c'est, la publicité : à quarante, il sera sur la paille. Tandis que Benoît, sous-préfet à vingt-sept, il faudra peut-être serrer la ceinture quelques années, mais après, le placement est plus sûr. » Pourquoi mon père a-t-il épousé cette machine à calculer ? Et mes frères ! Dieu, que j'aurais aimé vénérer mes frères ! Remarquez, il y a peut-être encore de l'espoir pour le dernier : ma mère lui a collé un Y à la fin de son nom, mais en classe il écrit Rémi avec un I, c'est bien, non ? A moins que ce ne soit par couardise. Mais je ne crois pas : il a neuf ans et déjà le nez cassé. Il se bat toujours avec de plus grands. Il dit : « C'est comme ça qu'on s'apprend. » Mais alors les deux autres ! Boubouche n'est pas très doué, il aurait eu toutes les excuses pour se faire militaire, eh bien non : d'abord il a eu la Vvvôkhâsssion, et maintenant, il veut entrer dans les P et T ! Jocelyn, lui, ne sacrifie qu'à saint Fric. Pourtant il est beau, Jocelyn : ma couleur de cheveux, mais ils bouclent, un nez impertinent, une bouche... on en mangerait. Je l'ai supplié : la Marine, Jocelyn ! Avec tes yeux de loup de mer ! Ou alors, je ne sais pas moi, si tu as peur de l'eau, refuse le monde. Fais-toi stylite sur la tour Eiffel. Ou va soigner les lépreux. Ou fais-toi fusiller, comme Bastien-Thiry ! Je me traînais à ses pieds. Lui, ce qu'il aime, c'est compter les portraits de Pascal. Et j'aurais pu devenir comme eux. La jupe plissée, mais pas trop longue, parce que la mère Beauhaloir est réaliste : la virginité, c'est un capital... à condition de le mettre en vitrine.

« Moi, je ne savais plus à quel saint me vouer, alors j'ai essayé les pécheurs. Ça peut être gai, une fille qui tombe dans les bras d'un garçon comme ça, pour rien, avec légèreté, pour continuer à danser. Mais alors le garçon, il lui faut peut-être un peu de panache, une fleur au fusil ou, à la rigueur, au chapeau ? Seulement, ils n'ont plus ni fusil, ni fleur, ni, grâce au Ciel, chapeau. Ils sont des consommateurs et nous sommes des consommatrices et nous nous consommons les uns les autres et c'est ça la société de consommation. Comme les Romains qui se faisaient vomir pour prendre deux repas de suite, nous on se gave de pilules pour continuer à consommer sans risques. J'en ai eu, des garçons ! Je leur demandais : Comment voudrais-tu mourir ? Qu'est-ce qui te fait vivre ? Qu'est-ce qui t'empêche de te suicider ? Enfin, il y en aurait un qui m'aurait dit : " J'ai vendu mon âme au diable pour te posséder ce soir " ou " Demain je vais assassiner le pape " ou au moins " Je serai médecin sans frontières " ou " Je vais cambrioler la Banque de France " ou même, si vraiment il n'était pas capable d'autre chose : " Je serai prix Nobel de littérature "... mais rien, rien ! Des binoclards pavanant leur Q.I. ou de beaux mâles pavanant leurs pectoraux, mais alors ceux-là, il faut les voir quand ils ont perdu une lentille de contact : ils broutent l'air, ils sont affolés, on dirait qu'ils se cherchent des puces. Avec tout ça, ils se sentent supérieurs, les uns comme les autres. Supérieur à qui ? Pourquoi ? Parce que tu as eu dix-sept et demi à l'oral ? Ils ne comprendront jamais que la seule supériorité, c'est le sacrifice.

— Joyeux, corrigea Foncrest.

— Qu'est-ce que vous dites ?

— Le sacrifice joyeux.

— Vous avez raison. Autrement, ce n'est pas la peine. Les cyrards, en casoar et gants blancs, à cheval, fauchés par les mitrailleuses, mais ils se marraient ! C'est ça que les limaçons ne comprendront jamais. Et les martyrs dans l'arène, ils aimaient ça ! Blandine a dû être déçue le premier jour. (J'ai failli m'appeler Blandine avant que ma mère n'ait trouvé Omphale. Omphale, je vous demande un peu ! Heureusement que c'est harmonieux.) Alors, quand on a senti toute cette canaille vous passer dessus, et Hache Eh Cé et Eh Henne Ah et qu'on n'a plus d'espoir qu'en Polytechnique, et que le major de promotion se défile dans une multinationale et qu'on fait appel aux Eaux et Forêts et que ceux-là calculent déjà leur retraite, et qu'on se dit : Vive l'Amérique, et que les Américains n'osent rien faire tant qu'ils ne sont pas bourrés... alors quoi ? Pigalle ou le Carmel ?

— Il y a une noblesse de l'excès, dit Foncrest, mais entre deux excès, il y en a toujours un moins noble que l'autre.

Omphale ne l'écoutait pas.

— J'ai essayé de puiser dans mon enfance. Qu'est-ce que j'y ai trouvé ? Un grand-père sublime, franc-tireur à dix-sept ans, mort de chagrin parce que la France n'était plus sa France, des oncles dispersés, des tantes caquetantes. Mes parents, je vous l'ai dit : lui, le nez sur le tableau d'avancement ; elle, sur la feuille d'impôts. Mes camarades de jeux ? Ils s'arrêtaient toujours de jouer avant moi, et il ne fallait jamais que ça devienne trop sérieux ou trop dangereux ou trop absurde... Moi, j'aurais continué à jouer toute la vie. Plus tard, les garçons ? Je sautais les mêmes obstacles qu'eux, je descendais les mêmes pistes, j'avais de meilleures notes en maths quand je voulais. Il aurait pu y avoir les curés, mais ils n'étaient plus tout à fait sûrs s'ils nous administraient le Corps du Christ ou de la galette, et l'enfer, c'était, pour eux, se priver de la contemplation de Dieu. Mais alors j'y suis, en enfer, car je vous assure que je ne le contemple pas souvent, Dieu, et ça ne m'empêche pas de vivre, enfin si peu.

« Bon, il y avait le Haloir, oui, je l'aime, mais il faudrait s'y geler les mois d'hiver, y vivre, en vivre, et non pas y passer des vacances, et puis il sera en indivis, et Jocelyn vendra pour s'offrir un appartement à La Défense, et je n'aurai pas de quoi leur racheter leurs parts, alors ce n'est pas la peine de m'attacher à ce tas de cailloux. La formule n'est pas de moi, mais je l'ai lue, c'est assez drôle, sur le mur d'une salle de bain chez des amis, en Amérique : " Ne m'intéresse que ce qui me dépasse. " Je ne sais pas si c'est original, mais pour moi, c'est vrai. Eh bien, cela peut vous paraître énorme, mais je n'ai — je n'avais — encore rien trouvé qui me dépasse.

Elle le regardait : lunettes d'acier, robe de chambre, pantoufles, un lis martagon entre une vingtaine de blancs dans du papier cellophane.

— Je suis loin de mériter, mademoiselle...

— Pas de platitudes, je vous prie. Dès le premier instant, j'ai su que vous étiez un vaisseau de haute mer, pas une planche à voile.

Il souriait :

— Je suis un caboteur, mademoiselle.

Elle ne l'entendait pas.

— Quand vous avez cru que vous m'aviez blessée, il y avait, dans votre honte, à la fois du saint et du grand seigneur. Ensuite, ce dîner, avec tous ces jocrisses que j'avais lâchés sur vous, comme des chiens. Vous, pas un mot, pas un geste qui vous aurait diminué. La seule chose qui vous inquiétait, c'est que Joël pût se déshonorer. Quand vous êtes parti, j'ai couru après vous, vous ne m'avez pas entendue, je ne criais pas très fort, exprès, pour que vous ne m'entendiez pas. Alors je me suis mise à la torture : comment avais-je pu traiter ainsi celui que j'attendais depuis si longtemps ? J'ai décidé d'expier, mais, en même temps, j'espérais que vous me renverriez, que vous ne sauriez pas accepter... et alors je retournerais à la facilité. Mais vous, pas une hésitation : Vas-y, ma fille, gratte ma crasse. C'était si généreux de votre part ! Grandiose ! Alors j'ai gratté, et puis j'ai voulu savoir qui il était enfin, cet homme qui était un homme. Au Haloir, j'ai laissé votre nom tomber, négligemment. Vous auriez entendu ma mère ! Alors là, le snobisme, oui. « Pauvre comme un rat d'église, mais... !!! » Votre nom, votre intelligence, votre courage, vos grandes manières, tout y est passé. C'était sans danger : vous êtes trop vieux. Il y avait là des amis, venus prendre un verre. Eux aussi vous connaissaient. Ils ont raconté des anecdotes. C'est pour cela que l'histoire de la bonne femme est ressortie.

Foncrest ne demanda pas quelle bonne femme.

— J'ai vu si clairement la scène. Les résistants de la dernière heure, ceux qui avaient pris soin de ne plus trouver d'Allemands à se mettre sous la dent. La racaille, les ratés, les tordus, les lâches, les farceurs. Breughel. Plus quelques finauds qui avaient fait du marché noir et voulaient se dédouaner. Quelques bonnes femmes aussi, des ivrognesses à grosse croupe, celles qui rient quand le cochon hurle, pendu par les pattes de derrière et la gorge à moitié tranchée. Elle, c'était une professionnelle, oui ? Pas une châtelaine qui aurait caressé de beaux Allemands pendant que son mari crevait dans un camp. Elle faisait son métier, oui ? Elle a du reste continué avec les

Ricains. Mais il leur fallait une victime, à ces vertueux. Alors, ils la mettent nue, ça elle avait l'habitude, mais pas devant des femmes, et le coiffeur du village, qui lui devait de l'argent depuis samedi dernier, parce qu'elle faisait crédit, la pauvre gourde, lui rase la tête. Ses cheveux gras tombent par terre. Quelqu'un dit : « On va la tremper dans le lavoir. » Ils ne savaient pas eux-mêmes s'ils voulaient la noyer ou lui faire peur, ils auraient bien fini par la noyer à force de lui renfoncer la tête sous l'eau, pour rire. Un détail : elle ne pouvait pas marcher pieds nus, alors quelqu'un lui a prêté des sabots, et on ne saura jamais si c'était pour aller plus vite ou par compassion. Ils descendent la rue, elle nue, avec ces sabots qui lui meurtrissent le cou-de-pied, eux roulant des mécaniques, des patriotes. Ils la claquent, ils la pincent, ils lui font des croche-pieds. « On va te laver de toute ta saleté boche. » Et alors, vous, vous sortez de votre petite maison, au bas de la pente, et vous vous plantez devant eux, au milieu de la chaussée. Vous aviez quel âge ? Mais, dans ces circonstances-là, l'âge ne compte pas. Ils vous connaissaient. Ils s'arrêtent. Vous, vous n'aviez pas de preuves à faire. Vous n'aviez jamais assassiné de fridolin ivre, mais vous transmettiez des renseignements aux Anglais depuis trois ans, et, après la Libération, vous aviez jeté le masque. Alors — je vous vois d'ici — vous enlevez lentement votre béret : « Mademoiselle, donnez-vous la peine d'entrer chez moi. » Ils beuglent, les autres ! Ils étaient armés : j'ai posé la question. Et vous, vous n'aviez rien qu'une petite grenade de rien du tout, et vous jouiez avec, vous jongliez avec, main droite, main gauche, la paume, le dessus. Ils ont crié : « Pas vous, m'sieur Foncrest ! Vous savez pas ce qu'elle a fricoté avec les frisés. » Il paraît que vous étiez souriant, très souriant. Vous leur avez simplement dit : « Maintenant, cela suffit. Mademoiselle sera mieux chez moi. » Vous avez enlevé votre veste de chasse, et vous la lui avez mise, à la fille. Ça ne la vêtait pas beaucoup, à mi-hanches, mais c'était symbolique : elle avait retrouvé sa dignité. Eh bien, un homme qui...

Foncrest secouait la tête.

— J'en faisais des choses avec les mains ! Et le béret, et la grenade — comme si on pouvait jongler avec un poids pareil !

— et la veste de chasse ! En réalité, je n'avais ni veste de chasse ni béret, mais mon uniforme anglais, ce qui m'a bien facilité les choses. Et la grenade, en voulez-vous l'histoire ? J'étais pion au collège. Les élèves de rhétorique et de philosophie s'imaginaient qu'ils faisaient de la résistance parce qu'ils avaient des cousins au maquis. Un jour, j'en prends un qui jouait avec quelque chose dans son pupitre. « Apportez-moi ça. » Il apporte le gros œuf de fonte quadrillée. « Savez-vous ce que c'est ? — Oui, monsieur. C'est une bombe ! » Je leur ai fait un cours : je leur ai montré la cuiller, la goupille, je leur ai expliqué comment ça fonctionnait. Et j'ai confisqué la chose.

— Vous aviez peur qu'ils se tuent ?

— Je craignais surtout qu'ils ne la lancent sur un Allemand, par-dessus un mur. Cela nous aurait coûté dix otages fusillés.

— Et c'est cette grenade du hasard que vous avez montrée aux patriotes qui, eux, avaient des mitraillettes ?

— Ils ne savaient pas s'en servir, de leurs mitraillettes. Et c'étaient peut-être de braves garçons. Après tout, la fille en avait vu d'autres. Et c'est triste d'avoir eu une guerre à portée de la main et de l'avoir manquée. Il leur aurait suffi de rien, d'un Du Guesclin de clocher, pour devenir des héros, peut-être.

— Ce jour-là, les héros ont filé devant vous, la queue entre les jambes. Ils étaient combien ?

— Le nombre ne fait rien à l'affaire. Ils avaient tort et ils l'ont compris.

Omphale regardait Foncrest sans sourire ni des lèvres ni des yeux, refermée sur son secret de joie, gonflée d'une jubilation souterraine.

— Je vous connais maintenant. Je sais qui vous êtes. Je me demandais quels sacrifices je pourrais vous faire. Vous les méritez tous.

— Vous avez déjà nettoyé mon écurie d'Augias, dit Foncrest, pour faire baisser la conversation d'un ton.

Peine perdue. Omphale lui montrait un briquet brillant dans sa paume.

— Tenez, cette bricole. Je l'ai fauchée à un Américain. Il m'avait dit : C'est de l'or, pas du plaqué. Il en était si fier ! Il l'avait posé à côté de lui, sur le bar. Je lui ai dit : « Comme c'est gentil, Donald. Juste ce que je voulais. » Et je l'ai fourré dans mon sac. Il n'a rien osé me dire. Il m'avait promis monts et merveilles, et il m'emmenait dans les bars à l'heure où on a deux verres pour le prix d'un ! Naturellement, il a voulu se payer. Je ne l'ai pas laissé. Pas ce soir-là, en tout cas. Après, je ne sais plus, précisa-t-elle par honnêteté.

Elle marcha jusqu'à la fenêtre, l'ouvrit, et lança le briquet au loin, d'une détente maladroite du bras, comme les petites filles lancent les balles. Elle revint à Foncrest, traînant un peu la jambe. Elle lui prit les fleurs et ouvrit du pied la porte de la chambre à coucher. A gauche, la symphonie héraldique ; à droite, le crincrin des photos décolorées ; au milieu, le crucifix. Omphale jeta les lis sur la couverture, les éparpilla pour leur faire occuper toute la surface. Puis elle se retourna.

— Il y en a vingt-trois. Vingt-deux blancs, pour chacune de mes années vides. Un rouge pour cette année-ci, où je vous ai rencontré.

Il l'avait suivie jusqu'au seuil et la regardait faire. Elle marcha vers lui :

— Voilà.

Elle ne contenait plus son rayonnement. Ses joues, son cou, ses épaules s'étaient couverts d'une rougeur intense. Elle récita, bas, vite :

— Pour vous, j'aurais voulu être vierge. Je vous ai trouvé trop tard. Pardon. Prenez-moi comme je suis.

Elle avait porté la main gauche à sa gorge.

Foncrest la regardait.

— Je sais, dit Omphale, je suis une boiteuse, mais ça n'est pas répugnant : c'est une chute de cheval.

Il la regardait toujours. Un instant, les yeux noisette, émerveillés, cherchèrent derrière elle un autre objectif, puis ils se reportèrent, plus foncés, plus irradiants sur elle. Elle sentit alors qu'elle avait échoué, mais le moment n'était pas encore venu de prendre acte de cet échec, et elle se mit délibérément à genoux devant lui.

Baissant les yeux, elle reconnut ce coin de plancher ; « Ici, il y avait une tache. En regardant bien... encore un petit coup de papier de verre... » Au-dessus d'elle, la voix de Foncrest se fit entendre, basse, à peine intelligible :

— Je ne savais pas qu'il y eût encore des femmes telles que vous.

Une éternité s'écoula. Omphale cherchait toujours la tache rentrée dans le grain du bois. Enfin elle sentit l'odeur de vieille laine de la robe de chambre s'approcher d'elle, une articulation craqua, et Foncrest s'agenouilla à son tour.

— Je crains, dit-il, que nous n'ayons l'air de Mlle Clairon et de Voltaire tombés aux genoux l'un de l'autre et ne parvenant pas à se relever. Ne m'en veuillez pas de toujours voir le côté cocasse : cela aide à vivre, et ce n'est pas vraiment irrespectueux. Vous voulez me faire le plus grand cadeau qui soit, car, je l'ai bien compris, c'est votre âme que vous voulez me donner. Mais j'ai moi-même l'âme trop petite, trop rabougrie... Lorsque le prêtre dit *Sursum corda*, j'ai l'impression de tendre à bout de bras une dérisoire carcasse d'insecte... Je sais que ce n'est pas courtois de refuser un cadeau, mais ce serait encore plus grossier de refuser le cadeau et de garder l'emballage.

Il ne bougeait pas, regardait avec tendresse cette tête baissée devant lui, ces cheveux longuement brossés, ces épaules nues.

Omphale avait envie de pleurer. Elle demanda :

— Vous m'en voulez toujours ?

— Non, dit Foncrest. Vous m'avez fait mal et vous avez guéri ce mal.

Elle releva la tête timidement. Elle ne comprenait pas pourquoi il refusait.

— Vous voulez rester fidèle à votre femme ?

— C'est à vous que je veux rester fidèle.

Il se releva.

Elle aussi, mais sa jambe la portait mal. Elle chancela. Il lui saisit le coude pour l'empêcher de tomber et le relâcha.

— Savez-vous ce que nous formions ensemble, vous et moi, à genoux, il y a un instant ?

Elle secoua la tête. Elle ne voulait pas parler, de peur d'éclater en sanglots.

— Nous formions une pièce honorable dans un blason.

Alors elle faillit éclater de rire. Quel vieux fou, tout de même ! Du bout des lèvres, sans oser le regarder, elle demanda :

— Et qu'est-ce qu'elle voulait dire, votre pièce honorable ?

— Rien. Une pièce honorable est, elle ne signifie pas. Mais elle suggère des sujets de contemplation. Dans notre cas, la devise aurait pu se lire : « Plus être par moins avoir ».

D'un signe de tête, Omphale indiqua qu'elle comprenait, qu'elle acceptait, qu'il n'y avait plus rien à ajouter. Elle gagna la porte. Foncrest l'arrêta en lui prenant la main :

— Mademoiselle...

Il ne savait pas ce qu'il allait dire. Il bredouilla, de manière peu cohérente :

— Dans l'ancien temps, on baisait la main du seigneur. En son absence, le verrou du manoir. Permettez que je...

Il s'inclina très bas et ses lèvres caressèrent un instant la main d'Omphale.

S'excusant sur son âge, il mit un pardessus pour reconduire la visiteuse, mais il faisait bon ce soir-là, et le pardessus n'était là que pour cacher la robe de chambre : on ne compromet pas une jeune fille.

Elle partit sans un adieu, et il resta, piqué droit sur le macadam, attendant, pour rentrer, que la Renault eût enfilé la rue de Regray.

XIII

Dear Marj,

Je t'envoie par le même courrier un mandat-poste. Sans rancune, n'est-ce pas, et merci.

Joël

Si tu changeais d'avis, cela pourrait s'arranger aussi. Après tout, ce n'est pas juste que tu sois seule à avoir des problèmes. Tes parents n'auront pas à savoir. Je peux gagner de l'argent, quitte à cesser mes études pour quelque temps. On trouverait quelqu'un pour s'en occuper. Tu peux compter sur moi absolument. C'est à toi de décider.

Cher Joël,

Merci.

Marj

P.S. Tu es dingue ou quoi ?

XIV

Les semaines qui suivirent furent heureuses pour Frédéric Foncrest. Il ne connaissait pas la décision de son fils, il savait qu'il n'y pouvait plus rien, et il était de ceux qui trouvent une certaine paix de l'âme dans l'impuissance, une fois qu'ils ont tenté les efforts qui dépendaient d'eux. « Ils me tuent mon petit-fils » traversait sa conscience de temps en temps. Mais il se considérait comme l'enfant d'une plus grande catastrophe et toutes les catastrophes mineures qu'il ne pouvait empêcher le laissaient non pas indifférent : impassible. Ainsi les soldats : ils donneraient leur vie pour emporter une place, et si, dans l'entre-temps, la paix a été signée, ils se retirent avec placidité.

Les vingt-trois lis laissés par Omphale séchaient dans vingt-trois des livres préférés de Foncrest et en maculaient tendrement les pages. Lui-même marchait la cheville plus souple, sa taille voûtée se dépliait, il cherchait des querelles innocentes au père Jules, secouait ses élèves (qui se laissaient secouer avec plaisir) et se figurait que c'était la présence de son fils qui le rendait si heureux.

Car il voyait souvent Joël et se disait : « Dans le fond, on n'aime pas ses enfants : on s'habitue à eux ; or, rien n'est plus solide qu'une habitude. Si je m'étais habitué à celui-ci depuis le berceau, je croirais l'aimer. D'ailleurs... je l'aime bien. » Sans se garder volontairement de trop s'attacher à son fils — une telle vigilance lui aurait paru mesquine — il n'oubliait jamais que ce fils s'appelait Paterson, qu'il n'était là que jusqu'à la fin du semestre, qu'aussitôt l'Atlantique traversé il laisserait sans doute sombrer dans un arrière-fond de mémoire l'existence même de ce père de rencontre. En attendant, il recevait fréquemment Joël chez lui, corrigeait ses manières, se rengorgeait quand le père Jules chantait les louanges de l'assistant d'américain, et, plus profondément, trouvait une délectation primitive dans l'idée que, sur cette terre aussi, il ne mourrait pas tout à fait : « Mes petites cellules continueront à courir la prétantaine quand je n'y serai plus. » En outre, un projet ésotérique mûrissait dans son esprit, visant à une réimplantation de Joël Paterson dans la continuité du cosmos en général et dans la Maison de Foncrest en particulier.

En même temps, Frédéric Foncrest connaissait un autre bonheur, qu'il retrouvait consciemment toutes les nuits. Au lit, dès qu'il avait relâché, pour s'endormir, les contrôles bien exercés de son état de veille, il se tournait du flanc droit sur le gauche, plus intime ; son cœur lui paraissait ainsi mieux englobé, mieux enrobé par son corps, à la façon d'un enfant ou d'un animal sur lequel il se serait roulé pour le protéger. Alors, au lieu de se raconter une fois de plus le petit Ogrillon ou la Belle devenue Bête, il pénétrait, au-delà du rêve et en deçà du sommeil, dans une rêverie bienheureuse, indéfinissable, qu'il avait explorée adolescent et qu'il était ravi de retrouver. Il en riait quelquefois sous ses draps : « Je retombe en adolescence : est-ce un début ? »

C'est qu'en vérité il vivait une seconde adolescence. Il recommençait à lire les poètes qu'il avait aimés : Malherbe, Lamartine, La Ville de Mirmont. Il remarquait les couchers de soleil reflétés dans les fenêtres de la cathédrale flamboyante à laquelle ils ajoutaient çà et là un vitrail. Le monde extérieur n'avait guère existé pour lui que pendant la brève période où l'amour devenu possible mais non expérimenté projetait partout ses vertiges kaléidoscopiques : oui, de quinze à dix-sept ans, il avait perçu des couleurs nuancées à l'infini, qui s'étaient ensuite solidifiées en six émaux et deux métaux plaqués sur le gris sale du quotidien. Et voilà que, de nouveau, Frédéric Foncrest était sensible aux verts bouteille de la nuit, aux orangés du matin, aux bombardements blancs de midi, aux poussières bleutées de cinq heures précédant la guillotine écarlate de la fin du jour.

Il se surprenait à rouler à bicyclette dans des rues où il

n'avait que faire, s'affligeant de ne plus trouver tels repères — un réverbère modern-style, un balcon à l'espagnole — emportés par les progrès de l'urbanisme, mais s'en affligeant gaiement, comme si ces manques étaient la rançon d'un grand bonheur à venir. A chaque instant il lui semblait qu'il était heureux, mais que l'instant prochain il le serait encore plus, et davantage à l'instant suivant. Il savait que, le soir, il boirait son corbières, dégagerait de plus en plus clairement ce qu'il fallait penser des héraldistes de Paul Ier et retrouverait ensuite la rêverie irremplaçable. Quand Omphale lui avait dit qu'elle l'aimait, il avait gémi : « Ça ne va pas recommencer ! », et ça avait recommencé et il ne gémissait plus. Simplement il feignait d'ignorer que c'était arrivé et que cela pouvait être dangereux. Il se sentait jeune, il se savait vieux : la folie de ce plaisir-là était multipliée par la sécurité de celui-ci.

Cependant le projet ésotérique avait été mis en œuvre. La demande fut envoyée sur papier ministre ; l'autorisation arriva, signée par un secrétaire qui avait fait suivre son patronyme de trois noms de terre, et Foncrest demanda timidement à son Paterson de fils s'il se prêterait à la cérémonie. Joël fut déconcerté, mais comment refuser une joie à ce père, à l'égard duquel il éprouvait une fascination croissante, renforcée par la fréquentation des collégiens de Sainte-Barbe ?

Il avait découvert que, parmi eux au moins, il pouvait être fier de son vieux. « Le père Fonfon » leur paraissait plutôt moins ridicule que leurs autres professeurs ; ils aimaient sa fantaisie et sa rigueur, sa drôlerie et sa foi. Ils aimaient qu'il ne jouât pas à l'autorité infaillible et, tout autant, qu'il ne se livrât à aucune manœuvre démagogique. Ils aimaient qu'il punît rarement mais dur, sachant reconnaître les natures qui avaient besoin du mors et celles qui profiteraient de l'éperon.

Joël recevait des confidences. « Tu sais ce qu'il m'a dit quand il m'a bouclé pour un week-end ? " Mouruau, vous avez assez de qualité pour mériter une punition exemplaire et je vous ferais tort en usant d'indulgence à votre égard. " Sur le coup, je l'ai trouvée saumâtre. Je le lui ai dit : " J'aimerais mieux que vous me fassiez tort et passer dimanche chez moi. " Il m'a répliqué : " Mouruau, vous me peinez. Vous aurez une heure de retenue. C'est ce que j'aurais donné à n'importe qui. " Eh bien, figure-toi, je suis resté le week-end au bahut, et pourtant le dimanche je devais voir Yolande. — Qu'est-ce que tu avais fait de si grave ? — Ce n'était pas joli-joli. J'avais écrit sur le tableau en imitant l'écriture de Benhammouche. Tu sais comment il forme ses lettres, Benhammouche : c'est facile. — Qu'est-ce que tu avais écrit ? — Une saleté sur la religion. Parce que Benhammouche, il est musulman, alors c'était logique. Enfin, ça paraissait. Je ne pouvais pas savoir qu'eux aussi ils vénèrent la Sainte Vierge. Fonfon en a profité pour nous faire un cours sur le Coran, l'Alcoran, comme il dit. — Oui, mais comment il t'a coincé ? — C'est ça le plus bête. Il a envoyé Benhammouche faire une course, et il nous a demandé à tous d'imiter son écriture. Je suis tombé dans le panneau. Il y avait trente Benhammouche dans la classe. Sauf moi ! Et quand je lui ai expliqué que, cette semaine-là, à la maison il y aurait Yolande, il m'a dit : " Mouruau, si j'étais vous, je préférerais mettre un peu de temps entre cette faiblesse et le moment où je reverrais Mlle Yolande. " Je voyais bien ce qu'il insinuait. " Ça ne changera rien, je lui ai dit : j'aurai tout de même fait ce que j'ai fait. " Alors lui : " Vous êtes bien prétentieux, Mouruau. Tout s'use, jusqu'au crime d'Oreste, qui avait tué sa mère ! " Et il m'a cité Eschyle. Dans le texte. »

Le moyen, dans ces conditions, de ne pas acquiescer, non sans une angoisse mêlée de fous rires, à la proposition biscornue de M. Foncrest ?

Pour l'occasion, Foncrest retira d'un sac en plastique un complet bleu marine croisé aux revers larges et aux basques fournies qui sentait la naphtaline à plein nez. Les genoux et les coudes brillaient comme cubitières et genouillères. Foncrest lui-même avait élagué aux ciseaux les fils qui frangeaient le bas du pantalon, et il se déclarait fort satisfait de l'effet produit. « Heureusement, je n'ai pas grossi comme certains. Savez-vous que je me suis fait faire ce costume peu de temps après mon mariage avec votre mère ? Il me serre à peine. Les boutons des manches sont disparates — je les recousais au fur et à mesure — mais cela ne se remarque pas. »

Il se dandinait devant le miroir de la salle d'eau. Joël observait, mal à l'aise. Il avait lui-même fait l'acquisition d'une chemise blanche pour l'occasion, et, cravaté, engoncé, il craignait d'avoir l'air d'un chimpanzé déguisé.

Dehors, il faisait froid. Le givre amidonnait les champs. La Triumph pétaradait. Foncrest effleura la main de Joël sur le volant.

— J'aime cela.

— Tu aimes quoi ?

— Que mon fils m'emmène voir mon roi.

— Ton roi, comme tu y vas ! Et qu'est-ce qu'on lui dit, à ton roi ? Votre Majesté est mal culottée ?

— On lui dit Monseigneur et on lui parle à la troisième personne.

— Je croyais que c'étaient seulement les larbins qui...

— Il ne faut pas mépriser les gens de service, Joël : c'est un trait bourgeois. Au reste, ne vous inquiétez pas : il est compréhensif. Dites-lui *Monseigneur* et *vous* : cela ira très bien. Vous direz *Monseigneur* aussi au fils du prince, sauf en présence de son père : alors vous lui direz *Prince*.

— Au père ?

— Non, au fils.

— Je ne te suis plus.

— Le duc de Normandie est le roi, mais, comme il ne règne pas, on l'appelle *le* prince. Le duc de Bourgogne, son fils, est *un* prince.

— Il est duc et prince à la fois ?

— Vous comprenez bien que *prince,* dans son cas, n'est pas un titre. D'ailleurs il n'y a de princes français que les princes de France. Le duc de Bourgogne est le dauphin : il a été autorisé à porter les armes écartelées de France et de Bourgogne.

— Autorisé par qui ?

— Par son père, naturellement. Par qui d'autre ?

— C'est bien utile, tout votre système ?

Une fossette gentiment ironique creusait la joue de Joël. Il aimait taquiner son père. Il y a dans la taquinerie une confiance nonpareille. Foncrest riait.

— Utile ? Savez-vous quel objet de première utilité M. Walesa a apporté dans les locaux de son syndicat ? Un crucifix. L'utilité est la notion la plus insaisissable.

— Oui, bon, enfin... La France, c'est tout de même la liberté, l'égalité...

— La Terreur...

— Les droits de l'homme.

— Depuis deux cents ans, peut-être, mais la France existe depuis mille.

— Ce qu'on en connaît dans le monde...

Foncrest ne cacha pas son irritation :

— C'est la trinité Voltaire-Robespierre-Napoléon, l'idole de la France chauvine qui prétendait apprendre à vivre aux rois et aux peuples, mais ne savait pas distinguer, dans son propre empire colonial, entre les cannibales d'A.E.F. et les poètes d'Indochine, la France qui a exilé ses princes et persécuté Dreyfus, la France de M. Homais et de vos postières hargneuses, la France qui croyait que la fraternité est possible sans la paternité, qu'Abel et Caïn se seraient mieux entendus si, d'un commun accord, ils avaient coupé le cou d'Adam, la France œdipéenne de 93. Mais il y a, Joël, une autre trinité française : Saint Louis-Rabelais-Charette, et une autre France : celle de Bernanos, Lalande, Pascal, Louise Labé, Berlioz, Georges de La Tour, Chateaubriand, Malherbe, Molière, Péguy, Bloy, Aymé... celle de M. Jacques Perret.

— Jamais entendu parler de la plupart de ces bonshommes.

— Et pour commencer, si vous voulez, celle de saint Rémi. Je vous ennuie ? C'est une longue histoire.

— C'est une longue route.

Foncrest se carra au mieux sur son sportif petit siège, à peu près aussi confortable qu'une miséricorde, et se mit à raconter l'histoire de France à son fils. A sa façon : en commençant par le Saint-Esprit.

— Lorsque, en 496, saint Rémi baptisa Clovis, la colombe du Saint-Esprit apporta dans son bec une ampoule...

— Combien de watts, papa ?

— Assez pour éclairer la France pendant treize siècles. Ce petit flacon contenait le chrême du sacre, une huile qui faisait du roi de France, au sens propre, un christ. Notez que ce mot, qui signifie « oint » est appliqué d'abord à David et aux princes de sa maison, et que Jésus en était, de la maison de David, ce que les catholiques jacobins s'efforcent d'oublier, comme les catholiques racistes ont longtemps voulu oublier qu'il était Juif. Que se passe-t-il alors ? Le fier Sicambre, Clovis, le casseur, le dur, le chef des rockers motocyclistes de l'époque, s'arrête en pleine carrière et, les yeux au ciel, confesse : A partir de maintenant, je règne au nom d'un plus grand roi que moi ! Vous imaginez le dépouillement, la métamorphose ? Or, ce baptême a eu lieu à Reims.

« C'est donc à Reims que tout commence, bien avant la cathédrale, que je n'aime pas beaucoup, du reste (ce que j'aime, c'est Autun et Vézelay)... tout de même ça étincelle, ça grésille, c'est le champagne du gothique, quoi ! Pourquoi Reims ? C'est mystérieux, mais le fait est là : trente-cinq rois, c'est-à-dire presque tous, sont venus là, avec un entêtement animal, boire à la source, se brancher sur la pile, toucher terre comme Atlas. Cette terre-ci, ce carré-ci, pourquoi ? On naissait où on pouvait, on mourait où on devait, mais on se faisait sacrer à Reims et enterrer à Saint-Denis.

— Une vieille habitude.

— Très vieille, comme celle des arbres de votre pays, Joël, qui restent si longtemps à la même place qu'ils finissent par devenir pierre.

— La forêt pétrifiée ? C'est un phénomène naturel : le bois est agatisé.

— Chez vous, c'est la forêt ; chez nous, c'est l'histoire qui s'agatise. Quoi qu'il en soit, l'attirance de Reims n'est pas niable. Voyez Jeanne d'Arc, la dernière étoile de la nuit du Moyen Age, la dernière leçon de ténèbres reçue par la France avant le faux jour de la pseudo-Renaissance. Jeanne, contre toute logique, contre toute apparente nécessité, traîne son petit roi jusqu'à Reims parce que là palpite la Sainte Ampoule.

— On aurait pu la transporter ailleurs.

— Savoir... ? Pour un sacre cela ne s'est jamais fait. Henri IV a été sacré à Chartres avec le baume miraculeux de Marmoutier : l'Ampoule ne s'est pas dérangée. Si elle l'avait fait, cela aurait pu être sous notre protection, Joël, car les Foncrest ont eu droit à ce titre quelque peu insolite de « baron de la Sainte Ampoule ».

Le jeune baron de la Sainte Ampoule était occupé à doubler élégamment un poids lourd.

— Tu ne vas tout de même pas me dire, papa, que tu crois à cette histoire de colombe dressée à porter des fioles dans son bec ! Le Saint-Esprit, c'est une idée.

— Le Saint-Esprit n'est pas une idée : c'est une réalité. La colombe n'est pas une idée non plus : c'est une image. Et les images comparées aux idées, c'est la fission nucléaire à côté de la poudre à canon. Je voulais simplement vous montrer que s'il y a toujours une France, si elle a su repousser d'un coude les Anglais, de l'autre les Austro-Espagnols, des deux mains les Allemands et d'un doigt le pape, si elle a sécrété sa propre langue, si elle a fait épanouir sa civilisation propre, c'est par le ciment de la royauté, autrement dit par le miracle de la Sainte Ampoule.

— Ce n'est pas simplement par le sens de l'histoire ?

Joël connaissait déjà les expressions qui mettaient son père hors de lui.

— Le sens de l'histoire ? Vous me pardonnerez, Joël, nous sommes entre hommes : il y a un sens de la digestion, il n'y a pas de sens de l'histoire. Dans l'histoire, il y a des masses aimantées, et la France en aura été une. Revenons à l'Ampoule. Le saint chrême qu'elle contenait était en quantité limitée. A chaque sacre, l'archevêque en prélevait une fraction microscopique au moyen d'une aiguille d'or et la diluait dans une huile consacrée plus ordinaire.

— C'était de la triche.

— Non. Quand on prend la communion, on n'absorbe pas un fragment du corps de Jésus, mais le Corps total du Christ. L'onction sacrée donnait aux rois de France un pouvoir guérisseur auquel seuls les rois d'Angleterre aussi ont prétendu. En particulier, ils procédaient rituellement au toucher des écrouelles. Trois mois avant sa mort, Louis XIV touchait encore mille sept cents scrofuleux. Louis XV en a touché deux mille pour son sacre, et Louis XVI, deux mille quatre cents.

— C'est quoi, ces écrouelles ?

— Une dégénérescence des glandes du cou.

— Pourquoi spécialement cette maladie-là ?

— Je ne sais pas. Je dirais que, si le roi est vraiment christ, il est normal qu'il dispose d'un certain pouvoir christique, mais, étant foncièrement impur, puisqu'il s'occupe du gouvernement des hommes, il ne peut prétendre aux grandes guérisons spectaculaires. Le mot écrouelle vient de *scrofa*, la truie. Jésus-Christ guérit de la lèpre ; les rois, d'une maladie de cochon : affaire de proportion. Les présidents de la République ne guérissent de rien.

— Papa, tu ne crois tout de même pas que les rois guérissaient qui que ce soit ?

— La question n'est pas là. Les apôtres aussi, si vous vous rappelez, manquaient leurs miracles parce qu'ils n'avaient pas assez prié, assez jeûné, qu'ils n'avaient pas assez de foi. L'important, c'est que le miracle, même s'il ne se produit jamais, soit considéré comme une possibilité. Il faut donner sa chance au droit divin.

— Alors là, papa, tu attiges. Une monarchie constitutionnelle, à la rigueur.

— Vous confondez les difficultés, dit Foncrest. Constitutionnelle ou non, il n'y a pas de royauté sans droit divin. Des dictatures bienfaisantes, ce qu'on a appelé des despotismes éclairés, héréditaires à la rigueur, oui ; des royautés, non. Je n'avais pas terminé l'histoire de l'Ampoule, au sujet de laquelle votre scepticisme est aussi justifié que stérile. Pendant treize cents ans, des gouttes infinitésimales d'une huile dont l'origine ne sera jamais connue ont marqué, génération après génération, des hommes de la même lignée, c'est-à-dire issus d'une succession de gouttes également infinitésimales qui faisaient qu'ils étaient les fils les uns des autres.

« Là-dessus la Révolution éclate. L'important était de tuer non pas Louis XVI — les Bourbons prolifèrent, il y en aura toujours assez pour prendre la place des décapités — mais la royauté, c'est-à-dire quoi ? Un consensus populaire selon lequel l'origine du pouvoir séculier était divine. Tuer le roi, remarquez, c'était déjà un bon début, pourvu que cela fût fait en public, avec l'assentiment — fût-il muet — de la France — fût-elle représentée par la seule ville de Paris. Les Henri poignardés, aucun rapport. Les royalistes ne s'y sont pas trompés.

Combien de mouchoirs trempés à la sauvette dans le sang de Louis, et conservés, tout cassants, jusqu'à aujourd'hui, par de vieux messieurs qui ne savent pas à qui léguer cette relique : leurs fils sont socialistes ou vendent des sardines en gros, leurs curés font du syndicalisme. Et la robe de la reine ! Combien de parcelles glissées dans des reliures ou exposées sous verre contre les murs moisis de quelque manoir mal chauffé en passe de devenir sous-préfecture, hostellerie ou préventorium !

« N'importe. L'essentiel était de trancher le fil d'immortalité le-roi-est-mort-vive-le-roi. D'où provenait ce fil ? De l'Ampoule. Il fallait détruire l'Ampoule. Et il s'est trouvé un M. Ruhl, Philippe-Jacques, pasteur fils de pasteur, date de naissance inconnue — c'est curieux — mort suicidé — c'est remarquable — pour prendre un marteau et faire voler la Sainte Ampoule en éclats sur la place royale de Reims. Auparavant, un certain abbé Seraine aurait dérobé une partie du baume, lequel a encore servi au sacre de Charles X et dont les restes ont été retrouvés en 1979 par M. l'abbé Goy. Il y a donc là un espoir. Il y en a un autre. D'après Éric Muraise, la famille Ruhl prétend qu'une fausse ampoule a été martelée. La vraie, ils se la seraient transmise de père en fils jusqu'au moment où le dernier du nom l'aurait remise — tenez-vous bien — au général de Gaulle qui, à son tour, l'aurait rendue " à qui de droit ".

— C'est qui, ça ?

— Les avis diffèrent. Tant de prétendants se disputent le trône...

— Qui n'existe pas. Si bien qu'ils risquent de se retrouver le derrière par terre s'ils essaient de s'asseoir dessus.

Foncrest ne releva pas l'inconvenance.

— Il y a les Bourbon-Orléans, qui prennent acte de la renonciation des Bourbon-Madrid au royaume de France. Il y a les Bourbon-Madrid qui la tiennent pour nulle, et leurs partisans qui considèrent les Orléans disqualifiés parce qu'ils descendent d'un régicide.

— Toi, tu penses quoi ?

— Que c'est un faux problème, parce que le duc de Normandie, descendant direct de Louis XVII, passe avant le comte de Paris et le duc d'Anjou.

— Pourquoi les autres ne s'inclinent-ils pas ?

— Parce qu'ils prétendent que Louis XVII est mort dans la prison du Temple.

— Mais ce n'est pas prouvé ?

— Ce qui est prouvé, par tests trichoscopiques, c'est-à-dire par comparaison de cheveux examinés au microscope, c'est que l'enfant enterré sous le nom de Louis XVII n'était pas Louis XVII. L'enfant royal a été enlevé par des royalistes et caché en province.

— Et il ne s'est pas fait connaître quand le danger était passé ?

— Il a pu avoir ses raisons. D'une part, son oncle Louis XVIII n'avait peut-être pas envie de lui céder le trône et il a pu juger prudent de ne pas se montrer. D'autre part, le duc de Normandie a sa théorie là-dessus. Avant de monter à l'échafaud, Louis XVI, la chose est connue, a fait promettre à son fils de ne jamais chercher à le venger. C'était une idée de bon chrétien, pas de grand prince. Louis XVII, lui, ne désirait rien tant que de châtier les assassins de son père : cela lui paraissait la condition indispensable d'une véritable restauration, mais il se considérait lié par son serment. Il a donc préféré rester dans l'ombre. Il s'est marié, il a eu des enfants. C'est son petit-fils qui a repris le nom, déjà sous Napoléon III.

— Il n'y a pas eu des imposteurs qui ont prétendu descendre de Louis XVII ?

— Plusieurs. Mais le duc de Normandie en descend vraiment. Il a une preuve secrète de sa filiation, il me l'a dit lui-même.

Joël ne demanda pas de précisions. Son père pouvait s'offrir tous les princes qu'il voulait.

Le père et le fils passèrent la nuit dans un petit hôtel inconfortable de la banlieue parisienne où Foncrest descendait régulièrement une fois par an, quand il venait renouveler au prince son hommage de fidélité. (« Madame Garret, je vous présente mon fils. — Comment, papa, on n'a pas de douche ? »)

Le lendemain, Foncrest se leva, plein d'une joyeuse expectative.

— Je suis ravi de constater, Joël, que vous avez renoncé à vous oxygéner les cheveux.

En se rasant devant la glace fêlée qui surmontait le lavabo caché par un paravent à petites fleurs, il chantonnait *Vive Henri IV.*

— Tu t'astiques, papa, tu te parfumes, tu fredonnes : on dirait que tu vas voir une fille.

— Rien d'étonnant. Young écrivait au XVIIIe : « Un Français aime son roi comme sa maîtresse : à la folie. »

La Triumph enfila une avenue plantée d'acacias étiques, bordée de pavillons 1910 et 1930. Les marquises de verre dépoli posées sur des nervures de fer forgé alternaient avec les portes de garage en lamelles de bois, et, à des fenêtres hexagonales percées dans des murs au crépi taloché gros, succédaient des poivrières à chapeaux d'ardoise soulignés par des mâchicoulis. Des jardinets s'encadraient entre grille et façade, ceinturés de maçonnerie, telles des tombes. Certaines villas portaient des noms romantiques comme les *Glycines* ou facétieux comme

La résidence du duc de Normandie ne se distinguait guère de celles de ses voisins. La grille en était renforcée à mi-hauteur de plaques de métal peintes en vert foncé, si bien que, de la rue, on ne voyait que le premier étage de la maison : deux fenêtres de taille moyenne séparées par la petite, en verre opaque, qui éclairait la salle de bain. Cependant, au-dessus du timbre de cuivre, une plaque d'émail portait des armes que Foncrest s'offrit le plaisir de blasonner tout en pressant la sonnette :

— Écartelé, au premier et au quatrième de France : d'azur aux trois fleurdelys d'or, deux et une ; au deuxième et au troisième de Normandie : de gueules aux deux léopards d'or. Le prince a bien voulu accepter ce cadeau que je me suis permis de lui faire.

— Trop heureux ! C'est superbe, ton machin. A propos, tu dis fleurdeli, sans *S*, comme en anglais.

— Prononciation héraldique.

Ils étaient émus tous les deux : Foncrest d'un plaisir presque sensuel, Joël de timidité : tout de même, voir une espèce de roi...

L'homme qui ouvrit la grille avait quelque quarante ans. Il était volumineux, rouge, avec des paupières lourdes, des joues charnues, et, sous un pif magistral, une petite bouche ironique. Derrière son maintien compassé se dissimulait peut-être un noceur convaincu. « Le Dauphin », souffla Foncrest, se cassant en deux.

— Monsieur Foncrest, dit le Dauphin, mon père se fait une joie de votre visite.

Les paroles étaient aimables, le ton glacé. Sous les paupières protubérantes, les yeux vert d'eau n'avaient aucune expression. La bouchette bien rouge était seule à sourire.

En deux enjambées, le Dauphin traversa le jardin ; d'une seule, il gravit le perron, poussa la porte vitrée protégée par une grille de fer forgé représentant une corbeille de fleurs, et s'effaça :

— Messieurs.

— Nous ne passerons pas avant monseigneur, dit Foncrest scandalisé, en retenant Joël qui avait fait un pas en avant.

Le Dauphin n'insista pas. Il précéda les visiteurs dans un corridor servant de vestibule et dans une salle à manger avec napperon de dentelle sur table de noyer.

— Monseigneur me permet-il de lui présenter mon fils, Joël Paterson ?

Monseigneur parut amusé.

— Paterson ?

— Avec un seul T, précisa sottement Joël.

Il essaya de s'incliner ; mais, soit gaucherie naturelle, soit arthrite démocratique, la courbette sortit mal.

— Mon fils est Américain, expliquait Foncrest.

— De quelle région ?

— J'habite le Sud...

Sous l'œil paternel, Joël se contraignit à ajouter :

— Monseigneur.

— Dites-moi, monsieur Paterson, est-ce qu'on y boit beaucoup de bourgogne, dans votre Sud ?

Les paupières d'éléphant s'étaient soudain soulevées avec intérêt.

— Du bourgogne américain... monseigneur ?

— Du bourgogne américain ? Oh oh ! Je ne connaissais pas l'existence d'un tel breuvage. Non, je voulais dire du bourgogne de cette Bourgogne dont je suis censé être le duc.

« Se moque-t-il de moi ? » se demanda Joël. Il répondit :

— Antimony Creek se trouve dans un comté sec.

Le duc de Bourgogne avait-il jamais entendu parler des comtés, qui sont les arrondissements des démocratiques États-Unis ? Savait-il que « sec » signifie « où la vente d'alcool est interdite » ? Il ne laissa transparaître ni compréhension ni incompréhension sur son visage tout en chair.

— Intéressant. Messieurs, asseyez-vous. (Il désignait deux chaises de salle à manger disposées de part et d'autre d'une cheminée d'angle devant laquelle une plante grasse distillait assidûment sa chlorophylle.) Je vais voir si mon père...

Il gratta à une porte à deux battants dont les petits carreaux de verre avaient été remplacés par des miroirs, et disparut.

— Il n'a pas l'air d'un prince, chuchota Joël.

— Pourquoi ?

— Les rois, ça peut être vieux. Les princes, c'est jeune et mince.

Déjà la porte se rouvrait :

— Messieurs.

Le cabinet de travail du duc de Normandie était d'un style moins petit-bourgeois que la salle à manger. Sur la cheminée de marbre gris foncé, plusieurs cadres ovales contenaient des miniatures anciennes. Des rubans, des croix et des plaques sous verre émaillaient les murs gris clair, ornés de moulures simulant des panneaux. Un grand poêle en céramique brun et orange ronronnait. Un petit bureau rococo était posé de biais. Dans un coin, un vieux drapeau rougeâtre, à frange dorée, était planté dans un porte-parapluie. Le parquet formait une marqueterie à losanges, disjointe par endroits. Des doubles rideaux vert amande encadraient la porte-fenêtre qui donnait sur un petit jardin déplumé, aux plates-bandes givrées. Une légère odeur de sauce au vin flottait : dans la cuisine toute proche, la reine devait être en train de s'activer.

Non pas derrière — comme s'y attendait Joël — mais devant le bureau était assis un vieux petit monsieur en complet gris trois pièces, le bedon barré d'une chaîne de montre en or. Il tenait ses pouces dans les poches de son gilet et il regardait droit devant lui d'un air débonnaire. Il ressemblait assez à son fils, mais trois pointures au-dessous, et avec un teint blafard : si le duc de Bourgogne était tout chair, le duc de Normandie était plutôt poisson.

— Foncrest, Foncrest, je suis heureux de vous voir.

Il fit le geste de se soulever sur son fauteuil au dossier canné, les bras tendus en avant, tandis que Foncrest s'inclinait très bas, pliant même un peu la jambe. Un instant, ils restèrent ainsi suspendus, et puis le duc de Normandie se laissa retomber tandis que Foncrest se redressait.

— Un fidèle, un fidèle, balbutiait le prince.

Leurs yeux ne se quittaient pas.

Et, devant Joël médusé, ce n'étaient pas seulement M. Frédéric Foncrest et le duc de Normandie qui s'unissaient ainsi dans la foi donnée et reçue, c'étaient tous les Foncrest et tous les rois de France qui composaient l'idéogramme Hommage, fait d'une accolade et d'un agenouillement.

— Foncrest, dit enfin le duc de Normandie, d'une voix de fausset légèrement éraillée, la Révolution a eu ceci de bon qu'elle nous a permis à tous de mesurer la profondeur de nos fidélités. Parmi les fidèles, il y a d'abord eu quelques reconnaissants — tous ne l'étaient pas — puis des héros, puis des martyrs, puis des obstinés de l'espoir, et enfin il ne reste plus que les fidèles purs : ceux qui sont fidèles à la fidélité. La fine fleur, Foncrest, la fine fleur.

Il paraissait sincèrement ému. Foncrest voulut lui épargner cet embarras.

— Monseigneur m'a permis de lui amener mon grand dadais de fils.

— Bien sûr. Un fidèle aussi, un fidèle ?

Les yeux usés du prince se tournèrent vers Joël, qui craignit de devoir manquer soit à la courtoisie soit à l'honnêteté. C'était mal connaître son père.

— Joël Paterson, monseigneur, est Américain, et sa fidélité la plus immédiate va au pays qui l'a nourri, comme celle du maréchal de Schomberg, par exemple, allait au roi de France.

— Tout naturel, tout naturel...

Le prince tendait une main sèche, ridée, que Joël serra faiblement.

— Puis-je vous demander, monsieur Paterson — les yeux pâles ne manquaient ni d'humour ni de bonhomie — car je sais qu'aux États-Unis il n'est pas indiscret de poser cette question, puis-je vous demander si vous êtes démocrate ou républicain ?

Mom était républicaine, Pop démocrate, Joël n'avait jamais voté. Que répondre ? Il n'avait pas la repartie facile et faillit dire l'un ou l'autre, au hasard. Mais au dernier moment, la bouche déjà ouverte, il sentit que les mots « républicain » et « démocrate » seraient aussi déplacés l'un que l'autre dans le lieu où il se trouvait, que la question du prince contenait forcément un piège (peut-être inconscient) dans lequel il ne fallait pas tomber, et que son père attendait de lui une réponse de courtisan. Or, il ne désirait rien tant que de faire plaisir à son père.

— En Amérique, prononça-t-il gravement, je n'ai pas encore étudié la question. En France... je ne pourrais être — évidemment — ni l'un ni l'autre.

Sur « évidemment » il adressa au prince un petit salut qui, cette fois-ci, ne manquait pas de grâce.

Tout le monde rit. Le duc de Normandie menaça Foncrest du doigt.

— Il va falloir nous méfier de votre fils : nos flatteurs sont nos pires ennemis, nous savons cela.

Alors Joël sentit que, sans l'avoir voulu, il venait de pénétrer dans l'idéogramme immémorial qu'il avait entr'aperçu tout à l'heure. La scène loufoque qui se déroulait dans ce pavillon de banlieue ne concernait pas seulement un professeur d'histoire excentrique, une paire de ducs vrais ou faux et un grand Iroquois étranglé par sa cravate. Il s'agissait de la cent millième reprise d'une oblation sur laquelle le père Pat avait un jour prêché à Saint-Joseph, sans y avoir, le malheureux, compris grand-chose. Déjà sur le moment Joël avait été choqué par les commentaires sentimentaux du prédicateur ; maintenant il découvrait le sens véritable de l'événement.

Car, dans la Bible, l'histoire est si nue ! Dieu appelle. Abraham dit : Me voici. Dieu dit : Prends ton fils que tu aimes et sacrifie-le. Abraham se lève tôt, charge son âne et part. Isaac

dit : Je ne vois pas l'agneau pour le sacrifice. Abraham dit :
Dieu y pourvoira. Il arrive au lieu indiqué par Dieu, construit
l'autel, attache son fils dessus et tire son couteau. Dieu appelle.
Abraham dit encore : Me voici. Dieu dit : Je vois que tu
m'aimes par-dessus tout. Ne fais pas de mal à l'enfant.

C'est tout. Sur le chagrin d'Abraham, pas un mot. Sur le
soulagement d'Abraham, pas un mot. Sur la terreur d'Isaac
quand il voit son père le couteau en main, pas un mot. Ces
lacunes, le père Pat les avait comblées d'abondance. On avait
vu le pauvre père essuyant une larme du revers de sa main cal-
leuse de travailleur, on avait entendu le petit garçon hurler
d'abord : « Me fais pas mal » et puis susurrer : « Regarde-moi :
je pleure plus » en tendant son petit cou, on s'était réjoui de
constater qu'Abraham avait passé son test avec succès et que
l'examinateur éternel lui décernait un A +. « Vous de même,
mes chers frères et sœurs, soyez fermes dans l'épreuve, et Dieu,
qui veut votre bien, vous récompensera. »

En réalité, il s'agissait de bien autre chose. L'essentiel, dans
tout cela, appartenait à l'univers du secret honteux. L'essentiel,
c'était qu'Isaac n'avait été consulté à aucun instant et qu'Abraham ne gardait son fils que parce qu'il avait accepté de le donner. S'il l'avait refusé, Dieu aurait sûrement trouvé une colonne
de feu pour consumer le petit Isaac sur place. L'opération qui
s'était déroulée conformément au choix du père et indépen-
damment de la volonté du fils consistait à transporter le père et
le fils ensemble à un niveau supérieur, où leur qualité s'était
accrue du sacrifice consenti. Il n'y avait pas eu épreuve, mais
passage réel d'un monde dans un autre, et ce passage avait été
acquis par la soumission du fils au père et du père au Père.

Sans âne et sans couteau, c'était dans le même esprit que
Foncrest avait amené son fils à son roi. La vie de Joël appartenait désormais à ce vieux monsieur bedonnant dans sa bergère.
Le rite de la présentation, outre sa signification mondaine, avait
une face tragique : « Je vous donne mon fils » — et le roi le
rend au père, comme on restitue, la garde en avant, une épée
remise en signe de reddition. Sans doute Foncrest ne sentait-il pas
cela clairement : il ne voyait dans cette cérémonie qu'un témoignage de fidélité d'autant plus touchant qu'il était entièrement

désintéressé, mais Joël visionnaire plongeait plus loin que son père : il s'agissait ici d'un baptême, d'une initiation. Le fils amené neutre repartirait marqué d'un signe invisible mais sacré.

Joël en ressentit de la révolte. Il était un être complet, il n'avait pas besoin d'additifs. Il refusait de croire qu'on se relève plus grand de s'être agenouillé. Les hommes naissent égaux, l'adoubement n'est qu'une superstition. Il en voulut à son père de les avoir ainsi humiliés tous les deux. Non, ils ne devaient rien, ni l'un ni l'autre, à ce citoyen qui n'était qu'un imposteur, fût-il trois fois descendant de Saint Louis.

— Philippe, dit le duc de Normandie à son fils, montrez donc le musée à M. Paterson. L'Amérique est un pays admirable, mais je parie que c'est quelque chose qu'il n'y aura pas vu.

Dans le corridor prenait un escalier mesquin magnifiquement ciré. Le duc de Bourgogne gravit les marches deux à deux. Son large postérieur sur lequel béait la fente unique de son veston indisposa encore plus Joël.

Une des chambres avait été en effet transformée en musée. Les volets étaient fermés, les rideaux tirés, de manière que des éclairages étudiés pussent jouer comme il convenait. Aux murs, un drapeau fleurdelisé, des Sacrés-Cœurs de chouans, des portraits de messieurs du temps passé en civil et en uniforme, de dames en décolleté ou en capeline ; au milieu, une vitrine formant table, pleine d'éventails, de tabatières, de cachets munis de manches en cloisonné, avec en outre un cornet à chaussures et un instrument terminé par un crochet, dont Joël ne reconnut pas l'utilité. Il tendit le doigt :

— A quoi ça sert ? demanda-t-il, avec un mélange de bonne et de mauvaise volonté, trouvant gênant de ne poser aucune question et refusant de s'intéresser aux objets d'aspect plus sérieux.

— C'est avec ce crochet que mon arrière-arrière-arrière-grand-père boutonnait ses bottines, répondit dignement le duc de Bourgogne.

— C'était qui, votre arrière-arrière... ?

— Le fils de Louis XVII.

La bouchette souriait. Le gros nez bougeait-il ?

— Il est de mon devoir, reprit le Dauphin, d'attirer votre attention sur ceci.

Ceci était une gravure du fameux portrait de Louis XIV de profil, en vieil épervier furibond, avec, placée à côté, une photographie du duc de Normandie prise sous le même angle. La ressemblance était peut-être fortuite, mais indéniable.

— Et sur cela.

Cela était, dans un grand cadre doré, un ensemble de deux agrandissements photographiques. Sur l'un et l'autre on voyait une bande sinueuse parcourue dans le sens de la longueur par une autre bande, plus étroite. Les agrandissements n'étaient pas identiques, mais sur tous les deux la bande étroite était excentrée par rapport à la bande large. Sous le grand cadre, un cadre plus petit contenait une boucle de cheveux blonds noués d'un ruban bleu déteint.

— Cette boucle, monsieur Paterson, appartenait à mon arrière-arrière-arrière-arrière-grand-père. Je ne sais pas si vous me suivez. Le père de celui qui faisait usage du crochet à bottines. Elle a été pieusement transmise de génération en génération. Avec le crochet. La photographie de droite représente un cheveu vu au microscope. A la différence des cheveux ordinaires, celui-ci a une particularité : le canal médullaire n'est pas au milieu mais sur le côté du cheveu. Or, il s'agit d'un cheveu qui, tout le monde en est d'accord, a poussé sur la tête de Louis XVII alors qu'il n'était encore qu'un petit garçon s'amusant à jardiner aux Tuileries. Donnez-vous la peine, monsieur Paterson, de remarquer la même particularité sur la photo de gauche, qui représente un cheveu emprunté à la boucle de mon arrière-arrière-arrière-arrière-grand-père.

Joël se tourna vers le duc de Bourgogne qui l'observait d'un air goguenard.

— Qu'est-ce que ça prouve ?

— Que mon arrière-et cetera et Louis XVII, qui étaient contemporains — ce qui, vous l'avouerez, constitue déjà une coïncidence — avaient en outre, l'un comme l'autre, le canal médullaire de traviole.

Les yeux impassibles du Dauphin, entre ses paupières épaisses, ressemblaient à deux perles dans deux écrins entrebâillés.

— Est-ce que c'est là... la preuve secrète dont m'a parlé mon père ?

La petite bouche humide se fronça ironiquement.

— Non, monsieur Paterson. La preuve secrète est... secrète, par définition. La visite du musée est terminée. Nous pouvons regagner le palais.

Il prononçait *palais* avec trois *l*.

En bas, Foncrest rappelait au duc de Normandie les mots de Marmont, né quinze ans avant la Révolution : « J'avais pour le roi un sentiment difficile à décrire, un sentiment de dévouement avec un caractère religieux. Le mot de roi avait alors une magie, une puissance que rien n'avait altérées. Dans les cœurs droits et purs, cet amour devenait une espèce de culte. »

— Une magie, oui, une magie, répétait le prince, les yeux plongés dans le passé.

— Le plus étrange, monseigneur, c'est qu'une magie pareille ait pu s'évaporer. Le royalisme, aux hommes de ce temps-là, paraissait aussi fondamental que l'instinct maternel. Et pourtant force nous est de reconnaître que dans beaucoup d'âmes il s'est atrophié. Quelquefois je bénis le Seigneur d'être né dans une famille où il m'a été inculqué, si bien que je ne me promène pas, comme tant d'autres, avec cet organe-là desséché. Il y a dans les seuls mots « Vive le roi » une joie si profonde et si pure que je plains ceux qui l'ignorent. N'est-il pas triste, monseigneur, d'être un mutant régressif ?

Le duc de Normandie se leva pour signifier que l'audience était terminée. Foncrest et Paterson prirent congé et se retrouvèrent dans la rue. Rien ne s'était passé. L'indicible avait eu lieu.

— Ne me regarde pas comme ça, dit Joël. On croirait une mère qui dévisage sa fille au retour du voyage de noces.

Foncrest rit haut et clair. Il avait présenté son fils à son roi, et son fils lui avait été rendu estampillé. En outre, au fond de lui, il y avait cette chose nouvelle, cette basse fondamentale qui, depuis quelques semaines, multipliait par elle-même les événements de la vie.

— Joël, s'écria-t-il, ce n'est pas pour vous embarrasser, et cela n'a, de toute manière, aucune importance, et il ne faudrait surtout pas faire la moindre peine à M. Paterson, mais si jamais vous vouliez reprendre votre, je veux dire mon, je veux dire notre nom... il doit y avoir des moyens.

Joël s'arrêta, la main sur la Triumph.

— J'ai horreur de te voir t'humilier devant ce vieux type. Tu vaux cent fois mieux que lui.

Foncrest sourit de ses yeux marron.

— D'abord, vous le comprendrez un jour, s'humilier, ça n'existe pas. Les premiers et les derniers : vous avez peut-être lu cela dans l'Évangile. Se mettre à la dernière place, c'est postuler la première. D'autre part, la valeur personnelle — il serait bon que vous compreniez cela aussi — n'a rien à voir dans l'affaire. Je pourrais être Einstein, saint Vincent de Paul et Turenne — pour ne pas dire Napoléon — dans la même personne, rien ne fera de moi un descendant de Saint Louis.

— Et si ton arrière-grand-mère avait fricoté avec un Bourbon quelconque ? Tu serais Bourbon ?

— Une bâtardise ? Le sang y serait, Joël, mais pas la lumière. Ces grandes choses-là, cela exige la lumière. La reine de France accouchait en public.

— Supposons qu'un de tes arrière-grands-pères ait tapé dans l'œil de la reine ? Alors ce serait le duc de Normandie qui serait Foncrest ?

Ils roulaient gaiement, quittant la banlieue, attaquant la campagne gelée. Cette discussion qui aurait pu être amère n'était qu'agréable.

— Il est évidemment possible que Louis XIII n'ait pas été le fils d'Henri IV, et ainsi de suite. Mais nous croyons à cette lignée. C'est un acte de foi. Et la foi, que voulez-vous, moi, ça me porte à la gaieté. Tenez, nous allons faire un bon déjeuner dans le restaurant que vous voyez apparaître sur votre gauche. Il ne paie pas de mine, mais la terrine, mon cher, la terrine !...

A table ils parlèrent encore de leurs princes.

— De quoi vivent-ils ? demanda Joël.

— Le duc de Bourgogne est représentant en vins et spiritueux, confessa Foncrest.

— En vins de Bourgogne, je suppose ? Je comprends mieux sa question. Et le duc de Normandie ? Il représente le camembert ?

— Son fils l'entretient. Et puis de vieilles baronnes doivent lui envoyer quelques francs du haut de leurs nids à chouettes...

Pour une fois Foncrest paraissait mal à l'aise. Soudain Joël se rappela la récurrence, dans le livre de raison de son père, d'un grigri à trois pointes, qui n'était pas sans rappeler une fleur de lis et signalait une dépense toujours égale au cinquième du salaire perçu. Il ricana :

— Il n'y a pas que les baronnes, si je comprends bien.

Sans plus. Après un café et un armagnac, ils sortirent d'excellente humeur et, au moment de monter en voiture, Joël proposa à son père de conduire.

— Mais je ne sais pas, mon pauvre.

— Tu ne sais pas conduire ?

— Je n'ai jamais eu d'auto.

— Monte. Je vais t'apprendre.

Ils s'installèrent. Joël mit le contact et le coupa.

— A ton tour. Plusieurs fois.

Clic clac, clic clac.

— C'est amusant, dit Foncrest.

— Tu sais à quoi servent les pédales ?

— Pas à pédaler. Pour le reste...

— La première, c'est... comment ça s'appelle en français. Le *clutch*.

— Kleutch ?

— Oui, kleutch. C'est pour connecter le moteur et les roues par l'intermédiaire des *gears*. Ce manche, ce sont les *gears*.

— Guirz ?

— Guiiiiiirz.

— Et ça s'écrit ?

— Comme ça se prononce : G, E, A, R, S.

— Moi, je prononcerais : *jar*.

— Alors ne prononce pas. Enfonce le kleutch. Passe le premier guir. Comme ça. Maintenant, le deuxième.

— A quoi servent-ils, vos guirz ?

— C'est comme un système de leviers : plus longs ou plus courts. En appliquant la même énergie, tu peux obtenir plus de vitesse ou plus de force. Pour mettre en marche, il faut de la force, parce que la masse résiste ; ensuite, de la vitesse : tu comprends ? Passe-les encore une fois. Première, neutre, deuxième, neutre...

— Vous êtes un excellent professeur, Joël : vous ne faites pas, vous faites faire.

— Bon, maintenant contact et accélérateur. Appuie sur la troisième pédale. Pas si fort. Plus fort.

La Triumph rugissait, crachait des nuages de fumée blanche. Des passants haussaient les épaules.

— Deuxième pédale : le frein. Tâte. Sens comme il résiste. Pousse-le à fond. Relâche. Caresse-le. Tu es prêt ? Appuie sur le kleutch. Garde ton pied dessus. Passe le premier guir. Non : ici. (La main rose et jeune coiffait la main vieille et bistre qui coiffait le cabochon du levier.) A présent, relâche lentement, très lentement, le pied gauche, et appuie lentement, très lentement, le pied droit. Voilà, elle démarre, bravo... Ah ! elle a calé.

— Je ne vous ai rien cassé ?

— Mais non. Recommence. Attends : il y a un *cop*.

— Vous avez vu qu'elle a avancé au moins d'un mètre ? Vous êtes sûr que je ne lui ai pas fait de mal ? Elle a avancé pour de bon, Joël !

— J'ai vu, papa. Ça n'a rien d'extraordinaire, une voiture qui avance. Allez, le kleutch, le premier guir, maintenant l'accélérateur et relâche le kleutch, doucement, doucement...

La Triumph décolla du trottoir.

— Enlève ton pied du kleutch, accélère gentiment.

Les mains dégantées, pour mieux s'intégrer au mécanisme, Foncrest pilotait précautionneusement la Triumph comme il eût fait d'un porte-avions.

— Elle bouge, Joël, elle bouge ! Je tourne un peu à droite... elle y va ! Et maintenant à gauche... Elle répond, Joël ! C'est tout à fait comme la vie, une voiture : elle nous porte et nous la guidons.

— Maintenant, papa, si on roule pour de vrai, passe-moi le volant.

— Mais c'est facile ! Je pourrais conduire jusqu'à la maison.

— En premier guir ? Freine et enfonce le kleutch. Demain tu auras ta deuxième leçon.

La route était longue. La petite Triumph roulait allègre, fidèle, cousant ensemble en quelques heures les villes et les provinces, comme une aiguillée de fil trace un bâti sur un tissu tissé pendant des semaines. A la fin de l'automne, le soir tombe sobrement : à part quelques reflets orange sur un étang et des isolateurs qui s'empourprèrent soudain sur un poteau électrique, le gris blanc du jour le céda sans enjolivures au gris noir du crépuscule.

— Laisse-moi allumer les phares, supplia Foncrest.

Joël lui indiqua la commande, et la Triumph se transforma en astronef, couvant sa propre chaleur, rayonnant sa propre lumière dans l'espace. De temps en temps, Foncrest allumait à l'intérieur pour jeter un regard sur la carte, et alors l'impression d'isolement s'accroissait encore : une cellule dicotylédone avait été jetée dans l'univers, contenant un père et un fils, rien de plus.

Ils ne parlaient pas. Une fois seulement Joël ouvrit la bouche :

— Je suis content que ce soit toi, mon père, et pas l'autre, tout duc qu'il soit.

— Qu'il est, corrigea doucement Foncrest. Et je suppose que tu veux dire prince.

Des cafés encore ouverts, de plus en plus rares, s'allumaient dans la nuit. Quelquefois Joël se demandait quel motard apocalyptique roulait à sa hauteur, mais c'était son propre reflet dans la vitre. Puis le vide revenait. Joël sentait qu'un instant crucial approchait. Il le laissait mûrir patiemment.

Si peu sybarite que fût Foncrest, trois repas par jour lui paraissaient indispensables, plus pour le rythme circadien que pour la nutrition, et il exigea de s'arrêter devant un estaminet éclairé, pour y manger du pâté de campagne et y boire une piquette. Puis ils reprirent la route, retrouvant avec joie leur tanière ambulante.

— Quand j'étais petit, se rappelait Foncrest, mon lit était un tank, un avion, un sous-marin, ou simplement une voiture lancée dans la nuit.

Et Joël rêvait :

— C'est comme si nous ne voyagions pas seulement dans l'espace mais aussi dans le temps. Je ne sais pas où nous allons arriver. Peut-être à la cour du roi Arthur, comme le Yankee de Mark Twain...

Il fouillait la nuit avec ses phares, prolongements de ses yeux, antennes rétractiles qui tantôt tâtonnaient le vide d'une prairie, tantôt s'écrasaient contre quelque vieux mur maçonné déshonoré par une gravelure gribouillée à la peinture rouge. Les noms de lieux défilaient. Joël s'étonnait de reconnaître, si peu qu'il sût d'histoire, des noms de bataille ou d'édits royaux. Quoi ? C'était vraiment à cet endroit que des hommes bardés de fer s'étaient maladroitement entrechoqués ? Que d'autres hommes, en perruque poudrée, s'étaient inclinés aux marche-pieds des carrosses ? Pour ces siècles passés, dont jamais il ne s'était soucié, il fut soudain pris d'une nostalgie infiniment cuisante. « Jamais plus... jamais plus... » Une larme le gêna pour conduire, il l'écrasa de l'index. Et puis, sans oser un regard au profil de son père, regardant résolument le noir qu'ils entaillaient ensemble (« Nous sommes une paire de ciseaux tranchant une étoffe, l'étoffe de la nuit, l'étoffe du temps »), il prononça :

— Je connais le secret honteux.

Il y avait en lui un vrombissement étrange, du sexe au crâne.

Foncrest respirait tranquillement, attendant la suite.

— C'est le secret le mieux caché parce qu'on le cache dès qu'on le révèle. Les curés, plus que les autres. Mon père Pat et ton père Jules, ils croient le connaître, mais ça m'étonnerait. En tout cas, ils croient le révéler, et ils le camouflent. Plus ils le hurlent sur les toits, plus on passe à côté. Si peu de gens le connaissent vraiment ! Même ton petit curé intégriste... Toi ? Peut-être. Si tu le connais, il faut que je te dise que moi aussi. Si tu ne le connais pas, il faudrait que je te l'apprenne, seulement on ne peut pas l'apprendre à ceux qui ne le connaissent pas déjà. Pourtant il me semble, c'est absurde, que si tu ne le connais pas tu le connais tout de même, parce que tu es mon père, parce que tu es père : ce n'est pas ton intelligence qui le connaît, ce sont... tes glandes. Et — c'est encore plus absurde — il me semble que si je ne le connaissais pas, je le connaîtrais encore, parce que je suis ton fils, parce que je suis fils. Mon seul avantage, en ce moment, n'est pas de le connaître, mais de savoir que je le connais. C'est cela qui est gênant. En réalité tous ceux qui ne le connaissent pas le connaissent, Pat et Jules aussi, et pourtant eux moins que les autres, parce que c'est leur profession d'être pères, et qu'un secret pareil ne peut pas être professionnel... enfin, tu vois ce que je veux dire.

Ils roulèrent longtemps. Foncrest pensait à Platon, à la lettre volée d'Edgar Poe, aux poèmes du cousin Beaujeux, récemment publiés ; Joël suffoquait de la tendresse que dégage la fusion de cette pierre qu'est tout cœur de qualité.

Enfin Foncrest dit, respectueusement :

— Tu veux dire : Dieu ? Mais pas que Dieu existe, n'est-ce pas ?

Joël se sentit devenir fou de reconnaissance.

— Non, bien sûr, pas que Dieu existe. Dieu n'existe pas. Mais il y a Dieu.

— Oui, dit Foncrest, les yeux pleins de nuit, souriant d'un plaisir, presque d'une gourmandise, angélique. Il y a Dieu.

XV

Une après-midi, comme Foncrest sortait de Sainte-Barbe, tenant sa bicyclette d'une main, par le joint du guidon, il vit, sur le trottoir, Omphale.

Elle portait une toque de vison blanc, un long manteau taupe clair, façon redingote, des gants et des bottes de cuir grenat. Les garçons qui sortaient du collège par troupeaux la contemplaient avec angoisse, tant elle leur paraissait belle, et la contournaient sans la bousculer. Quelques « Vise la minette » avaient fusé d'abord, mais le regard ironique et triste des grands yeux gris autant que le chic du costume étaient si intimidants que les collégiens se séparaient en deux flots, laissant l'inconnue isolée dans un îlot de respect.

Foncrest, sans pardessus, mais engoncé dans une superposition de chandails qui boudinaient sous la veste de velours côtelé marron, toujours la même, ôta son béret. Omphale se mit à marcher auprès de lui, ne cachant pas qu'elle l'avait attendu, et lui n'exprima à ce sujet aucun étonnement, ne fit rien pour éteindre les ondes de bonheur qui émanaient de lui.

Ils marchèrent sans autre but que de mettre quelque distance entre Sainte-Barbe et eux. Le froid sec picotait ; des plaques de verglas brun marbraient le trottoir. Foncrest, maintenant, conduisait son vélo par la selle, ce qui, comme la jonglerie, était un de ses petits talents. Ils traversèrent des quartiers médiocres, assemblés de petites maisons frileuses collées flanc à flanc, avec des portes vert foncé et des rideaux en filet à la fenêtre du rez-de-chaussée. Le ciel s'abaissait de plus en plus vite. Ils arrivèrent sur une place en étoile. Ils n'avaient pas encore échangé un mot.

— Allons jusqu'au canal, proposa Foncrest.

Chaque fois qu'ils traversaient une rue, Foncrest prenait le bas du pavé, ce qui les contraignait de temps en temps à un petit ballet auquel Omphale se prêtait avec bonne grâce. Au loin, apparaissaient les tilleuls bordant le canal ; leurs branches noires, compactes et nues, semblaient s'excuser de ne pas porter de feuilles : « Pardonnez-nous, c'est temporaire, nous préparons la nouvelle collection. »

On accédait au canal par une allée pavée de grosses pierres couleur saumon, arrondies sur le dessus, si bien qu'il fallait prendre garde à ne pas glisser. Étroit, rectiligne, enserré entre ses quais de maçonnerie, il s'allongeait à l'infini dans les deux directions. On aurait dit une étude de perspective. Quelques feuilles mortes flottaient sur l'eau placide et foncée. On ne distinguait pas l'ombre des tilleuls de leurs reflets.

Un pêcheur solitaire, pétrifié de froid, jeta un regard hargneux aux promeneurs insolites qui allaient lui effaroucher son poisson.

— J'aime les canaux, dit enfin Foncrest. Quand j'étais petit, nous apprenions par cœur leurs noms et leurs itinéraires : du Rhône au Rhin, de la Sambre à l'Oise... Une table de multiplication hydrographique.

— Pourquoi les aimez-vous ? demanda Omphale.

Ils avaient pris le chemin de halage.

— D'abord je les trouve beaux : ils sont paisibles, utiles, souriants. Un résumé de la civilisation : à mi-chemin entre l'idée et la nature. Dessinés et creusés de main d'homme, mais sentant l'eau et l'herbe, poissonneux et rectilignes ! Et les écluses m'ont toujours fasciné. Elles étaient représentées en miniature au musée des Travaux publics où mon père m'emmenait quelquefois : on voyait des péniches-jouets monter, descendre entre les bajoyers, utilisant à leur profit, de manière si imprévue, si élégante, sans rien de mécanique, les lois de la gravité.

« Mais ce que j'aime surtout dans les canaux, c'est qu'ils sont œuvre royale, typiquement royale. Ce n'est pas seulement que

Childebert pensait déjà au halage au vιᵉ siècle — (l'index levé :) au vιᵉ siècle ! — ni que les plus beaux canaux nous viennent de l'Ancien Régime : Briare, Loing, Orléans, Midi, Bourgogne : Louis XIV traçait déjà ces longs chemins d'eau, et le xιxᵉ n'a fait que continuer imperturbablement les grands travaux commencés au xvιιιᵉ — c'est beau, vous ne trouvez pas, ces ouvrages enjambant les siècles et les régimes. Mais l'idée même de canal ! Elle est si royalement française ! Les routes aussi, bien sûr, ont été construites par nos rois, mais elles sont centralisatrices : elles conduisent toutes à ce cœur pléthorique, cancéreux, qu'est Paris. Les canaux, au contraire, sont plus ou moins parallèles à la circonférence des frontières : ils unissent les provinces non pas à la capitale, mais entre elles. Sur eux, la circulation se fait au hasard des nécessités et non selon un arbitraire qui va déboucher sur le jacobinisme. Nous pensons trop à la royauté comme à un mythe solaire : c'est à cause de Louis XIV, mais n'oubliez pas que deux Louis de plus et c'était la Révolution. La vérité royale française est plutôt celle de la nuit étoilée. L'écu de Saint Louis était semé de lis sans nombre ; Charles V les a réduits à trois en l'honneur de la Sainte-Trinité ; Napoléon n'a plus voulu qu'un seul aigle : vous voyez l'évolution. Les canaux, c'est la lenteur réfléchie des correspondances... C'est le contraire du réseau de chemin de fer républicain, avec ses nœuds gordiens autant que ferroviaires.

« Ce qui est très français aussi, c'est le coup de pouce donné à la nature, sans la contredire et sans l'imiter. Ni le polder ni le jardin à l'anglaise, mais l'intelligence de l'homme s'imprimant dans la réalité, respectant les pentes, les bassins, la végétation, s'intégrant à ce qui est et l'améliorant. L'homme jardinant le carré du bon Dieu. Avouez que c'est plus plaisant, ce long miroir sombre, plein de grenouilles, vieux de deux cents ans et plus, que deux nigauds de rails d'acier qui vont du Finistère au Kamchatka sans jamais se rejoindre, comme une sempiternelle illustration du postulat d'Euclide : au bout d'un kilomètre on avait compris. Oui, mademoiselle, j'aime ces sillons que nos rois ont tracés légèrement, à la pointe de l'ongle, dans la chair de la France, et qui charrient toujours les bonnes grosses péniches de mon enfance, pavoisées de jupes et de bourgerons.

Des ronds se formaient sur l'eau, sans qu'on sût pourquoi.

Le courant peignait des plantes aquatiques miroitant dans les profondeurs.

— Encore une nuit comme la dernière et nous aurons une croûte de glace. Surtout au débouché des rues, qui font soufflerie.

Elle écoutait et n'écoutait pas, répondant par monosyllabes, au hasard. De temps en temps, quand ils se tournaient l'un vers l'autre, la vapeur qui s'échappait de leurs bouches se mêlait.

Alors Foncrest fut encore plus heureux qu'auparavant. Car Omphale vint souvent le chercher à la porte du collège, et il vécut dans l'attente jubilante de ce rendez-vous toujours possible, jamais certain. Il constata qu'il n'avait pas perdu le don de seconde vue qu'il avait possédé dans sa jeunesse : s'il se recueillait profondément vers midi, il pouvait déterminer à l'avance si Omphale viendrait à quatre heures (il la voyait, par les yeux de l'esprit, fichée au bord du trottoir, ou bien il ne voyait que le trottoir et des passants sans visage), mais il renonça bientôt à cette divination épuisante. Il préférait se garder la surprise. Si Omphale n'était pas là, il éprouverait une sensation de vide au coin du cœur et il se consolerait vite : « Elle viendra demain ; et ce soir, les Radziwill... » S'il l'apercevait, une claire chaleur l'envahirait, il rirait de joie intérieurement et, aussitôt, les couleurs du monde s'aviveraient.

Ils passaient leur temps commun à marcher. Foncrest, qui avait pris des habitudes de frugalité, ne pensait pas à proposer d'entrer dans un café, et Omphale, malgré sa boiterie, ne se plaignait pas. Elle ne désirait qu'une seule chose : être traitée par un homme autrement qu'elle ne l'avait été par ceux qu'elle avait connus, et elle était satisfaite.

Ils parcoururent tous les quartiers de la ville, mais ils hantaient surtout le canal, parce que Foncrest avait une prédilection pour ce lieu, et aussi parce qu'il leur rappelait déjà des souvenirs. Parfois Foncrest ramassait une brindille et la jetait dans l'eau : il s'amusait à la voir prendre le large, tourbillonner dans un entonnoir ou s'encalminer derrière un caillou, et Omphale s'emplissait alors d'une grande tendresse pour lui : « Je voudrais qu'il soit mon petit garçon... »

Ils parlaient de choses diverses, ou plutôt c'était Foncrest qui en discourait, s'interrompant de temps à autre pour lancer : « Je suis un vieux bavard, quoi ? » et recommencer aussitôt. Il n'y avait pas là que de la loquacité. Pour qu'Omphale se mît à parler, il aurait fallu l'interroger, et il y répugnait : d'un côté par discrétion — la questionner eût abouti à raccourcir les distances qui les séparaient, et il jugeait indigne de lui de s'y employer —, de l'autre côté parce qu'il tenait à la vision qu'il avait d'elle, mirage suspendu entre ses yeux et le soleil, qu'une réponse malvenue aurait suffi, croyait-il, à faire évanouir. Non qu'il préférât son Omphale à la vraie, mais il était persuadé que l'Omphale accidentelle du quotidien ne pourrait être à la hauteur de l'Omphale absolue, à laquelle il croyait avoir seul accès, de par la gnose de l'amour.

Il parlait donc, d'abondance, et de n'importe quoi, prenant plaisir à dérouler ses vieilles idées et ses vieux souvenirs. Comme il s'arrêtait sur le chemin de halage pour gratter, par-dessus un grillage rapiécé, le chanfrein mité d'un vieux cheval, Omphale lui demandait :

— Vous aimez les chevaux ? Vous montez ?

— Figurez-vous que je n'ai jamais essayé. Trop cher. (Elle ne se figurait pas : le cheval était une de ses moindres dépenses.) Mon père, oui, quand il était petit. Il en avait conservé pour les chevaux une passion... Il m'emmenait à Chantilly, et nous regardions l'entraînement des chevaux de course à travers les barreaux. Cela le réjouissait de voir ces superbes bêtes. Nous étions heureux. Il me disait : « Tout sent bon dans un cheval, même le crottin. »

— Comme c'est triste !

— Mais non. Il était ravi de venir là. Juste avant de mourir, il me disait encore : « Frédéric, c'est un de mes meilleurs souvenirs. Nous nous tenions par la main, il y avait des lambeaux de brume, et le crottin fumait dans le soleil levant. »

Quelquefois, traversant le canal sur un pont en dos d'âne, ils s'accoudaient à la rambarde pour regarder l'eau couler.

— J'ai toujours rêvé de faire le tour des canaux de France en péniche, disait Foncrest.

— C'est facile. Les Américains font ça. On s'arrête dans les villes où il y a des restaurants à étoiles.

Foncrest n'avait pas entendu.

— Un vieux rêve, qui doit remonter à *Sans Famille*. Vous vous rappelez *Sans Famille* ?

— Je ne l'ai pas lu, mais je connais le titre. Quand j'étais petite, je me disais : En voilà des gens qui ont de la chance !

Parfois c'était Omphale qui interrogeait Foncrest. Elle voulait lui arracher ses souvenirs héroïques.

— Comment êtes-vous entré dans l'armée ?

— Les Anglais m'ont accepté à la Libération.

— Pourquoi n'y êtes-vous pas resté ?

Il jeta trois cailloux dans l'eau.

— Je n'aimais pas beaucoup tuer des hommes. Ce qu'on n'aime pas, il n'est pas juste d'en faire un métier.

— Vous avez tué ? Vous ?

Il continua à lancer des cailloux.

Elle pensait qu'il avait manqué sa vie et ne l'en aimait que plus. Il y avait dans son passé, imaginait-elle, quelque exploit ou quelque sacrifice qui avait causé cet échec, mais elle n'osait trop sonder de ce côté. Cependant il se livrait de plus en plus, poussant sa bicyclette le long du canal où le gel commençait à prendre.

— Dans la vie, j'ai toujours eu beaucoup de chance, et je le constate d'autant mieux maintenant que j'ai vue sur la perspective du passé. Ma famille d'abord. Ma mère est morte jeune, mais pas avant de m'avoir donné... quoi exactement ? Le sens du mystère, mais du mystère accessible. C'est grâce à elle que je n'ai jamais eu aucun mal à croire à l'Eucharistie. Car il y a très peu de choses dans le monde qui ne sont que ce qu'elles semblent être, et celles-là n'ont guère d'intérêt. Elle avait une façon de prononcer les mots comme des formules magiques. « Mouchez-vous le nez » — et mon nez était mouché. « Aujourd'hui, c'est la Fête-Dieu » — et cela devenait la fête de Dieu. Mon père, lui, n'avait pas cette maîtrise du monde, mais il était plein de fantaisie. Il s'imaginait qu'il voulait gagner de l'argent. Il n'aimait que l'aventure. Avec tous ses talents, il s'est arrangé pour mourir sur la paille.

— Par élégance ?

— Non. Par une inconsciente spiritualité. S'il avait réussi à devenir riche, soit il aurait tout donné, soit il aurait été un très mauvais riche. Il n'y avait pas pour lui de demi-salut.

« Comme un écho de ma mère, j'ai beaucoup aimé ma tante Héloïse. D'une certaine manière, elle se sentait plus en confiance avec moi qu'avec ses propres fils. J'aimais ces vacances, si poétiques, à la Belle-Joie... Après la famille, il y a eu l'Église. Songez à nos pauvres petits contemporains, la progéniture de M. Réfrigérateur et Mlle Télévision. L'Église mentirait comme une arracheuse de dents qu'elle serait encore notre seule chance ! Grâce à elle, j'ai respiré un air où tout signifiait quelque chose : le sacré, le profane, le Bien, le Mal. Grâce à elle, j'ai vécu en relief et en couleurs. Oh ! je n'étais pas un petit saint, mais la terreur même de nos propres péchés, n'est-ce pas une sensation irremplaçable ? Cela ne nous donnet-il pas l'intuition de la profondeur du monde ?

« Et puis, il y a eu la France.

Elle le taquinait :

— Vous, chauvin ?

— J'aime Shakespeare, mais je me sens plus proche de Molière ; j'aime Raphaël, mais je me sens plus proche de Chardin.

— Vous vous sentez plus proche d'eux parce que, par hasard, vous êtes né Français.

— Je vous disais bien que j'avais eu toutes les chances !

A la réflexion il ajoutait :

— J'ai eu celle, aussi, de beaucoup aimer.

Le cœur d'Omphale se dérobait. Elle serrait les dents.

— Cela a commencé très tôt, poursuivait Foncrest sans s'apercevoir de rien. Avant tout, j'ai été enfant de Marie, ce qui a beaucoup joué dans ma vie. Cela me libérait, c'était comme de l'air chaud dans une montgolfière, cela m'aidait à marcher sans poser le pied trop lourdement. C'est ainsi que j'ai aimé ma mère : comme une figure, une incarnation de la Sainte Vierge. Rien à voir avec les mômans culottées que vous rencontrez, le mégot au bec, dans les supermarchés. Et lorsqu'on aime sa mère comme ce que la terre a produit de plus ressemblant au ciel, on se prépare à voir dans toute jeune fille la même Marie médiatrice, la même Étoile de la mer. La littérature occitane ne veut rien dire d'autre. Tout cela signifie-t-il encore quelque chose pour vous ? Quand j'ai rencontré ma première jeune fille, assez tard dans la vie, elle est devenue pour moi la boussole du monde. Et je n'avais pas tort : elle était d'une telle qualité, d'une telle certitude dans la navigation du rêve... Moi j'avais été souillé, éraflé par la vie, comme un vieux meuble au marché aux puces. Elle était intacte. Bien sûr, j'ai échoué.

— Malgré votre qualité à vous ?

— Il faut un volume critique de pureté pour qu'elle ait sa chance dans le monde. Je n'en avais pas assez.

— Mais vous l'aimiez ?

— Bathilde ? Je croyais être l'amour en personne, tant je l'aimais. Naturellement, je ne crois pas au divorce, mais je suis heureux qu'elle ait trouvé la paix. Il n'y a rien de plus beau sur terre.

Ce n'était pas, loin de là, l'avis d'Omphale, qui rêvait batailles et victoires ou du moins efforts et périls. Pourtant, elle acceptait : « S'il a soif de paix, je veux lui donner la paix. »

Ils rentraient, traînant un peu les pieds. Elle avait son plan, mais il s'en fallait encore de quelques éclaircissements avant qu'elle pût le mettre en action.

Certains jours, elle ne pouvait s'empêcher de lui faire elle-même quelques confidences, mais qui tournaient toujours autour de lui.

— Vous êtes pour moi, lui disait-elle, trouvant un prétexte pour lui saisir le bras s'ils marchaient, pour s'appuyer contre son épaule s'ils se tenaient au balcon d'un vieil hôtel, ou sur la galerie de la cathédrale, ou sur la terrasse éventée, intenable, du château (car il leur arrivait de visiter la ville, comme des étudiants), vous êtes pour moi — je veux dire outre ce que je sens pour vous d'essentiel —, vous êtes, là, comme ça, de but en blanc, plouf, vous êtes... Je vais vous expliquer. L'appartement de mes parents donne sur la rue Berton où se trouve encore la borne séparant les seigneuries d'Auteuil et de Passy. Eh bien, vous êtes cette grosse borne plantée là, depuis des siècles, avec une inscription gravée dessus, et personne, pas les Américains, pas les marxistes, pas les intellectuels, personne n'en fera jamais une autre. Ma borne ! Vous êtes celui que je cherche depuis que je cherche mon salut par les hommes, par un homme. Il y a sûrement d'admirables épiciers indiens qui sont parfaits pour les épicières indiennes, et des pêcheurs esquimaux pour les Esquimaudes, mais vous, vous êtes la clef de moi. Une grande vieille clef un peu rouillée, pas une de ces petites clefs plates pour serrures Yale. Parce que — eh bien, oui, vous avez raison —, parce que vous êtes Français, et catholique, je suppose, et surtout (le mot était tabou dans son milieu, mais elle fit un effort et le claironna) : un gentilhomme.

Il fit faire quelques zigzags de virtuose à son vélo.

— Je suis surtout un pion, mademoiselle. Il ne faut pas vous faire d'illusions : la déformation professionnelle, ça existe. Regardez les policiers, les prêtres, les représentants de commerce. J'ai connu des garçons très bien nés, très bien élevés, qui plaçaient d'excellent champagne pendant dix ans et finissaient par vous raconter des histoires de belles-mères. Les pions ne valent pas mieux. Ces gestes pédants de la main qui appuient la démonstration, cette façon d'avoir toujours raison, de continuer à persuader ceux qui le sont déjà, et tant d'autres défauts que je ne saurais plus nommer parce qu'ils sont devenus les miens, ne fût-ce que cette exécrable habitude de pérorer, de pérorer... Vous en savez quelque chose, ma pauvre.

Mais elle ne s'y trompait pas : le mot qu'elle avait osé prononcer et que, par pudeur, il ne répétait pas, il ne l'avait pas répudié. Elle se disait :

— Il n'aura pas dérogé de toute sa vie, et peut-être même il aura passé sa vie à ne pas déroger.

Foncrest ne cherchait pas à se tromper sur ses sentiments.

Oui, « ça » avait recommencé, et « ça » ne signifiait pas les tortures exquises de la chair — il ne désirait pas encore

Omphale ; pour le moment, il eût ressenti comme un inceste l'envie de la posséder. « Ça » résumait toute la mathématique non euclidienne qui fait que le monde se focalise sur un seul être, que la vie entière, minute à minute, se joue par rapport à lui. Il y a là un tel accord de toute la personne, d'ordinaire tiraillée à hue et à dia, une telle réconciliation intérieure (et de quoi avons-nous davantage besoin ?) qu'il en résulte aussitôt une musique, une lévitation qui peuvent inquiéter, passée la maturité. « Qu'est-ce que je fais en l'air ? se demande l'amoureux vieillissant. Ne vais-je pas me casser le nez en retombant ? »

Foncrest avait eu peur, mais ce n'était pas une raison pour ne pas accepter ce que le bon Dieu lui envoyait, l'accepter avec une soumission presque militaire, et la ferme résolution de ne pas enterrer ce talent supplémentaire. Foncrest n'était pas homme à reculer devant l'amour si l'amour venait le défier. Pour le moment, il en ressentait surtout les effets bénéfiques : sa démarche se faisait plus légère, sa respiration plus profonde, sa bienveillance plus espiègle. Il se levait le matin avec une facilité qu'il ne se connaissait plus depuis trente ans ; le soleil et la pluie le réjouissaient également ; ses humbles nourritures, ses vins détestables, faisaient chanter ses papilles ; il découvrait qu'il aimait Joël beaucoup plus qu'il ne l'avait cru tout d'abord.

Étant plus heureux, il acquérait d'autant plus de droits sur l'amour, et Omphale, qui avait trouvé des prétextes pour passer l'hiver au Haloir (« J'étudie mieux ici qu'à la Fac, je rattrape le retard que j'ai pris aux États-Unis ») et qui faisait soixante kilomètres sur des routes verglacées pour venir passer une heure ou deux avec lui, s'estimait comblée ou près de l'être. Les plaisirs du dévergondage ne lui manquaient pas. Elle gelait dans ses vieux murs, se lavait à l'eau froide, épluchait ses pommes de terre solitaire et voyait dans cette ascèse une purification, un retour à la case de départ, comme au jeu de l'oie. Seulement, cette fois-ci, elle irait jusqu'au bout du parcours.

La parcimonie de leurs rencontres faisait partie de ce programme de régénération. Omphale avait eu l'habitude de sauter à pieds joints dans le lit des garçons qui lui plaisaient, et ensuite d'y passer des journées entières, ou alors de traîner ces garçons partout où elle allait, cours, réception, manège, boutiques, s'ennuyant bientôt dans leur tiédeur fade, mais ne voulant pas renoncer à leur compagnie, devenant insatiable, collante, se punissant peut-être ainsi d'une facilité qu'au fond d'elle-même elle n'approuvait pas. Avec Foncrest, c'était le contraire : elle se préparait pendant des journées entières aux quelques moments qu'ils s'accordaient, et la pâte de ces journées levait superbement.

A Sainte-Barbe, « la nana à Fonfon » était devenue un sujet de conversation, mais on l'évoquait avec faveur ou envie plutôt qu'avec dérision. Personne ne soupçonnait une liaison. On aurait cru à un lien de parenté si Joël n'avait assuré le contraire. On sentait le respect avec lequel Fonfon accueillait sa nana, et le respect est contagieux.

Joël lui-même ne savait trop que penser. La différence d'âge était telle qu'il ne croyait pas qu'un sentiment profond pût s'établir entre ces deux êtres : pour lui, on n'aimait que des filles de son âge : les jeunes Américaines qu'il avait connues tenaient un homme de trente-cinq ans pour un vieillard lubrique s'il s'avisait de les remarquer. Omphale, qui ne cachait pas qu'elle était amoureuse du vieux, devait être folle. Le vieux se montrait si ouvert, si direct, qu'on ne pouvait le soupçonner d'intentions cachées. D'ailleurs était-il pensable que cet homme pût franchir les barrières de la décence (c'est-à-dire de l'âge, car Joël eût été ravi de voir à son père une maîtresse de quarante ans) ? Une seule explication : ce n'était pas Omphale elle-même mais les Rohan-Chabot, le connétable de Beauhaloir, bref l'histoire de France incarnée dans cette fille qui fascinait le vieux prof.

Une ou deux fois, il y eut chez Foncrest un dîner auquel Omphale fut conviée, et le ménage à trois fonctionna de manière satisfaisante, chacun s'affairant comme il pouvait et tout le monde se sentant à l'aise, mais après le repas la conversation perdait tout intérêt pour Joël. Omphale se faisait montrer les photographies de famille et expliquer qui était la grand-tante de qui. Ces melons, ces képis, ces canotiers, ces moustaches, ces ombrelles, ces tournures ne signifiaient rien pour Joël.

— Voilà votre grand-père, disait Foncrest.

Joël considérait un visage à la fois conquérant et mou qui lui rappelait le Français typique de la comédie américaine.

— Quelle intrépidité dans la pose des sourcils ! s'écriait Omphale.

Mais Joël n'y lisait qu'une fatuité gauloise. D'ailleurs « le père de mon père », cette notion lui échappait : trop de générations étaient impliquées ; en généalogie il ne savait pas compter au-delà de deux.

Il préférait donc voir son père seul et lui parler à bâtons rompus d'informatique, de Pop, de religion, de télévision, de marijuana, de dilemmes moraux (un chrétien peut-il faire la guerre ?) et des collégiens de Sainte-Barbe qui le stupéfiaient par leur patriotisme paradoxal : « Ils sont à genoux devant l'Amérique, mais ils s'imaginent que la France pèse encore quelque chose dans le monde ! »

Au demeurant, Joël s'épanouissait. Il s'était habitué avec agrément à l'hygiène approximative de Sainte-Barbe. Il ne fumait pas d'herbe, et cela ne lui manquait pas. Il ne s'oxygénait plus, et s'accommodait d'une blondeur plus ordinaire. Aucune fille ne le persécutait, et ses sens le laissaient en paix. Surtout, il ne s'était jamais senti aussi libre — en partie, bien sûr, grâce au savoir-vivre de Marj : de plus en plus souvent, à mesure que son départ pour l'Amérique approchait, un mouvement de reconnaissance le traversait à l'égard de l'héritière des pharmacies Whitehead : « Pas une plainte, pas un reproche, vraiment une fille bien. »

Les journées n'en finissaient pas de raccourcir. A présent, à l'heure où Omphale venait chercher Foncrest, le crépuscule s'annonçait déjà, et il est toujours plus mystérieux en province, comme si la nuit et la campagne étaient du même bord et reprenaient leurs droits en même temps. On marchait avec plus de recueillement, on parlait moins. Après un tour au canal noir, de moins en moins hospitalier, de plus en plus guindé dans ses berges droites — « On dirait le maître de Santiago, remarquait Foncrest — Que j'ai rêvé d'être sa fille ! J'aurais su l'être, répliquait Omphale » — ou une escalade des rues hautes, vers la présence effrayante et tutélaire du Moyen Age aux fenêtres béantes, aux murs croulants, Omphale et Foncrest gravitaient de nouveau vers le collège. A cette heure-là, il faisait déjà presque noir. Quelques vitrines éclairées semblaient être des trous dans un décor, et des enfants qu'on avait envoyés chercher la dernière baguette bien cuite de la journée rentraient en courant, comme s'ils se croyaient poursuivis.

Alors Foncrest calait sa bicyclette contre le trottoir et ouvrait la portière de la Renault. Omphale, toque de fourrure ou béret tricoté à pompon, col officier ou écharpe de cachemire, bandeaux blonds, yeux gris, le regardait. Elle allait le porter en elle des heures durant, des jours durant, elle allait se nourrir de lui, ce héros méconnu, ce seigneur dont la seigneurie était d'ailleurs, cet homme qui était si heureux de si peu de chose et qui portait une blessure occulte qu'elle saurait soigner et guérir.

Elle finissait par sourire, quelquefois mais pas toujours, par tendre la main, quelquefois mais pas toujours : entre l'artificiel de la routine et celui de l'improvisation, elle avait choisi celui-ci. Foncrest se découvrait. Si la petite main gantée de cuir ou de laine s'avançait vers lui, il la serrait dans la sienne, gantée aussi, d'un gant déchiré aux coutures et troué au bout des doigts. Tête nue dans le froid, il souriait toujours, lui, les pattes d'oie rayonnant du bonheur d'aimer, et de longs plis verticaux encadrant sa bouche comme des guillemets. Elle disait :

— Maintenant, partez.

Il obéissait quand elle avait mis son moteur en marche, et elle regardait longtemps le feu arrière de la bicyclette disparaître dans la nuit. Souvent le cataphote accrochait un reflet de vitrine ou de réverbère, et elle reconnaissait encore une fois la silhouette voûtée sous le béret porté crânement de côté. Alors elle soupirait et, d'un coup de volant sec, décollait du trottoir.

XVI

Peu après le réveillon de Noël — « Tiens, tu es là, Omphale ?
— Il m'a invitée. Je te dérange ? » — Joël repartit pour l'Amérique. Il en avait tant chanté les louanges à ses pupilles de Sainte-Barbe que l'image, trop proche de ses yeux, s'en était brouillée : il ne savait plus ce qu'il allait y trouver.

Il avait beaucoup mûri pendant ses mois de France. Il avait appris que l'apparence n'est pas la réalité, que la majorité n'est pas infaillible, qu'il existe des animaux aussi étranges que des fidèles de la royauté ou des pauvres heureux : si cela était possible, tout l'était.

Dans l'avion, Joël réfléchit beaucoup en somnolant. Ses élèves l'avaient persuadé que l'introspection n'était pas une occupation aussi déshonorante qu'il l'avait toujours cru, et il se laissa aller à évoquer son passé. D'abord il se joua le film des filles qu'il avait eues — pas de toutes, il y en avait trop, et pour certaines il n'arrivait pas à se rappeler s'il les avait tenues dans ses bras ou non, de toute façon c'était toujours pareil — et il en retira une impression d'ennui et presque de nausée. A quoi bon, toutes ces coucheries ? Et avec Marj, à quoi bon ? Marj ne l'avait jamais beaucoup attiré, ils s'étaient trouvés deux heures seuls dans l'avion à réaction des pharmacies Whitehead et une curiosité les avait pris : serait-ce différent à trente mille pieds d'altitude et à trois cents miles à l'heure ? On ne manque pas une occasion pareille ! Résultat : ce que son père appelait un meurtre. Mettons qu'il exagérât, mais il y avait tout de même là, indéniablement, une disproportion entre la cause et l'effet.

Joël se rappela le sentiment qu'il avait éprouvé le jour où il avait pris une fille pour la première fois : pas une gêne, une tristesse ; la tristesse d'être tombé dans une occasion-piège qu'il aurait été facile d'éviter. Ce jour-là, il avait eu envie d'aller se confier à Pop : « Pop, pourquoi est-ce que j'ai fait ça à Joyce ? » La réaction de Pop était prévisible : « Ce que tu ressens est parfaitement normal. La tristesse après la copulation est un phénomène répandu. Ce que tu as fait est tout aussi normal. Tu as seize ans, c'est peut-être un peu tôt, mais la maturité des instincts sexuels varie selon les individus. Joyce est une gentille fille : il n'y a sûrement pas de craintes à avoir de son côté. J'espère que tu as fait attention du tien. Cependant, comme tu vas probablement continuer, je te demanderai de te rappeler ceci : il n'y a pas de maladies honteuses, il n'y a que des maladies qui n'ont pas été prises à temps. Si tu constates... » Alors Joël n'était pas allé voir Pop. Il avait profité de la première occasion pour se confesser au père Pat, avec le vague espoir de se faire promettre la géhenne éternelle ; le père Pat avait prescrit trois pater et trois ave, et Joël s'était habitué à la tristesse de la frénésie.

L'arrivée aux États-Unis l'enchanta. Dieu sait s'il s'était senti libre, épanoui, en France ! Libre, mais en visite. Ici au prix de quelques gênes mineures, il était chez lui. « Engagé. » « Concerné. » La largeur des artères, la pléthore de la végétation, le gigantisme des camions et des édifices, la profondeur des paysages émaillés de pancartes publicitaires, les sourires sereins régnant sur des faces sans hargne ni angoisse ni aucune autre expression, cette vaste quiétude, cette immense géographie à peine raidie d'une croûte d'histoire, tout cela lui appartenait. Il entra dans un drugstore et commanda un *banana split* pour le simple plaisir de s'asseoir sur un champignon de plastique devant un comptoir rythmé de sucriers pleins de poudre et de distributeurs de serviettes en papier. La bonne bouille de la serveuse noire l'enchanta. Il s'aperçut que, dans la province française, les Noirs lui avaient manqué. Ici tout serait étiqueté, catalogué, « sanitarisé ». Dans les forêts sans limites, pas de bête de Gévaudan ; dans les villes, pas de Fantômas. Des problèmes, oui, mais aucun que la thérapie de groupe ne sût résoudre.

Pop n'avait pas changé. A le voir avec sa pipe et son bermuda démodé, Joël revécut avec gratitude toute son enfance et cette influence bienfaisante qui s'était exercée sur lui. Il aurait aimé pouvoir l'embrasser, comme il avait embrassé Foncrest en partant ; c'était hors de question ; il se contenta de lui secouer longuement la main. Qu'il était bon, cet homme, bon comme le maïs et les pêches-abricots de son pays, et qu'il était simple ! Ce n'était pas lui qui irait s'embarrasser de prétendants douteux à des trônes inexistants. Les armes des Paterson (avec un seul T) ornaient, il est vrai, un des murs du salon, mais sûrement elles n'étaient là que pour la décoration. Joël préféra douter — à tort peut-être — de leur authenticité.

Avec sa mère, Joël avait toujours eu des relations malaisées. Enfant, elle lui interdisait de se présenter pieds nus au salon, exigeait qu'il saluât les invités, lui donnait des claques sur les mains et, comble d'ignominie, lui infligeait des baisers en présence de ses camarades. Adolescent, elle lui avait imposé des cravates superfétatoires, des coupes de cheveux d'un autre âge ; il avait fallu que Pop intervînt en force pour qu'elle cédât sur les gants et le baise-main. Elle avait rêvé de faire de lui un Français imaginaire pour Sudistes de tradition, ce qui était d'autant plus absurde qu'elle-même ne jurait que par l'*American way of life*, allant jusqu'à faire mettre un poste de télévision dans sa salle de bain.

Revenant de France, Joël pouvait opposer son expérience à sa mère (« Même là-bas, Mom, ça ne se fait plus »). Du reste, son voyage lui conférait une sorte de majorité complémentaire, et Mme Paterson dut se rendre à l'évidence : pour le meilleur ou pour le pire, l'éducation de son fils était achevée. Le premier usage qu'il fit de son affranchissement fut de célébrer les mérites de son père.

— Une finesse, une prévenance, une façon de mettre les étudiants dans sa poche ! Tu ne m'avais jamais dit que ses mains étaient si belles ! Il bouffe son frometon avec une élégance ! Et il sait tout sur les armes à enquerre. Mais alors fauché... complètement fauché.

Mme Paterson regardait son fils d'un œil sceptique, rendu plus dur par le sourcil épilé.

— Frédéric n'a aucune substance, mais il a toujours été un charmeur. Je l'avais surnommé Feu follet. Je l'entendais gentiment. Et puis, j'ai compris que j'avais vu juste, qu'il n'était rien de plus qu'un éclair sur un marécage. Cela ne m'étonne pas que tu aies succombé à ses manières. Pour les manières, il est imbattable.

Joël se rappelait avoir fait une remarque semblable : « Toi, papa, qui es si à cheval sur le maintien... » Foncrest avait ri : « Tu ne sais pas de quoi tu parles. A notre époque, nous n'avons plus aucune idée de ce qu'était un homme vraiment bien élevé. N'importe quel bourgeois, il y a cent ans, m'aurait trouvé mauvais genre. Tu n'as pas remarqué que je me voûte ? Ne parlons pas des Guermantes : je n'aurais probablement pas été reçu chez les Verdurin. »

— Qu'est-ce qui n'a pas collé entre vous ? demanda Joël en lorgnant sa mère d'un œil soupçonneux.

Bathilde Paterson alla à la fenêtre. Les grands panneaux de mousseline blanc saumoné étaient tirés, et, bien qu'il fît jour, les volets intérieurs à petites lattes mobiles étaient clos comme des paupières. A l'intérieur de la maison, Mme Paterson n'aimait que la lumière électrique, et le salon était plein de lampes de bronze ou de porcelaine artistement disposées pour éclairer telle table tendue de cuir doré aux petits fers, tel portrait de Pop ou d'elle-même signé d'un peintre à la mode, et, par voie de conséquence seulement, le reste des lieux. Ce fut donc devant une fenêtre aveugle que se tint Mme Paterson, l'air contemplatif, comme si elle détaillait une perspective de jardins, de pièces d'eau et de forêts.

Joël regardait sans sympathie le dos de sa mère érigé dans ce décor apprêté, le chemisier rose pâle, la jupe gris perle, une jambe à peine avancée. « On se croirait dans un magazine sur papier glacé. »

— Ton père, dit Mme Paterson, si étroitement français qu'il soit, m'a toujours fait penser aux héros de romans russes. Il est impossible de vivre avec lui parce qu'il vit dans un rêve, et que les rêves sont des véhicules à une place. J'ai été très amoureuse de ton père, Joël, parce que j'ai cru qu'il allait tous nous ressusciter. Il donne l'illusion de pouvoir faire des miracles, tu as remarqué ? En tout cas, il la donnait, jeune. Il avait fait une belle guerre ; il était, avec ses airs de sainte-nitouche et sans aucune ressource, l'homme le plus brillant du département. Il avait manqué ses études ? Pour la politique cela n'importe pas. Avec sa foi religieuse, ses relations et la sympathie qu'il inspire spontanément, il aurait pu faire un excellent ministre démocrate-chrétien et, en même temps, reconstruire, localement, une certaine forme de vie. Il est de ceux que les hommes suivent sans leur en vouloir, tu dois avoir senti cela. Mes parents pouvaient nous aider. Ce n'est pas seulement qu'il aurait fini par racheter Foncrest — c'était son désir le plus cher — mais il aurait nourri une partie de la France qui meurt de faim, de faim d'elle-même. Il a refusé, et pas seulement par fierté, par pureté. Je suis persuadée qu'il met de la complaisance à rester en dehors d'un monde viable, à demeurer l'éternel vaincu, la victime expiatoire trop heureuse de l'être. Joël, j'aurais reprisé mes bas et mis des fers à mes talons, j'aurais été prodigieuse d'avarice et de roublardise ! Avec quelques milliers de francs par mois, j'en aurais mis plein la vue aux bobonnes de la quatrième, aux baronnes de la cinquième, et j'aurais grimpé au sommet avec lui. Lui, c'était la démission perpétuelle : « Nous sommes des témoins et, comme il n'y en a pas d'autres, nous devons le rester, coûte que coûte. » Mais à lui, ça ne lui coûtait pas vraiment. On lui aurait rendu Foncrest et trois cents hectares, il n'aurait su qu'en faire.

— Tu ne me persuaderas pas, Mom, qu'on se sépare pour une divergence d'opinions.

— Ce n'était pas — et d'abord ne m'appelle pas Mom — une divergence d'opinions. Si tu veux savoir la vérité, l'homme de la famille, c'était moi, ce qui n'est pas une situation confortable. Ni saine.

Joël, renversé dans le fauteuil Louis XVI en équilibre sur les pieds de derrière, les yeux plissés, les mains jointes derrière la nuque, les jambes écartées, le blue-jean effrangé, sourit avec férocité : il avait mis sa mère de mauvaise humeur, la journée n'était pas perdue. Jamais il ne pardonnerait à Mme Paterson de lui avoir laissé croire qu'il avait un père riche alors qu'elle le savait pauvre, et que seul Joël avait fini par comprendre qu'il n'y avait rien là qui fût vraiment à mépriser.

Du reste, il allait maintenant habiter seul et ne verrait sa mère que lorsqu'il le jugerait bon. La dragée haute, enfin ! Il loua un appartement en ville, crasseux, mais plein d'un charme désuet (la construction datait des années cinquante de ce siècle) : tout juste ce qu'il fallait à un étranger. Lui qui, adolescent, avait été gêné de son ascendance latine, donc interlope, ne laissait plus ignorer à personne que ses parents étaient Français. Pour un peu, il se serait donné, en accentuant la finale au lieu de la pénultième, un léger accent. Il acheta une voiture à crédit, et la prit française, malgré les difficultés que cela créerait pour les réparations. Il trouvait agréable de rouler lentement, dans son Alliance, sous les sycomores poussiéreux bordant des avenues interminables, d'écouter distraitement la radio de bord, de jeter des regards détachés aux maisons de poupée dressées au fond de leurs pelouses, de croiser de gigantesques automobiles dont il n'avait pas envie, et de ruminer paisiblement une seule pensée : « Je suis étudiant en informatique. »

Il évitait ses anciennes connaissances, pour plusieurs raisons : il avait décidé de ne pas retomber dans la fumerie de l'herbe et en évitait prudemment les occasions ; il se sentait gêné devant les amis de Phillip dont il avait quelque peu abîmé la physionomie ; il n'était plus impressionné par les pauvres snobismes de la bande (« Moi, j'ai tout de même été présenté au roi de France ») ; enfin, à l'imitation de son père, il avait découvert les plaisirs de la solitude. Il faisait son marché, se concoctait des petits plats, s'octroyait certains jours une demi-bouteille de bourgogne qu'il buvait en se demandant si elle avait été vendue par les soins du duc *ad hoc*, et s'endormait doucettement sur le divan en regardant un film d'horreur à la télévision.

Ses relations avec les filles s'étaient simplifiées : aucune ne lui faisait envie, et il ne se croyait plus obligé de se forcer. Elles tournaient autour de lui, bien sûr : « Comment sont les Françaises ? » Il souriait d'un air entendu, lèvres closes : « La réputation n'est pas surfaite. » Il n'en avait pas eu une seule, mais, retour de France, personne ne le soupçonnait plus d'impuissance, d'inversion ou de chasteté. L'informatique l'intéressait. Le dimanche, il allait communier en ville, dans une église où personne ne le connaissait, et il évitait de se mêler aux tapageuses activités paroissiales.

Il avait quitté son père en promettant d'écrire parce que, làbas, le monde s'articulait différemment : Sainte-Barbe, Saint-Barnabé, les façades aux armes martelées, les châteaux et les églises chargés d'une grenaille de passé jusqu'à la gueule, tout cela prédisposait à l'écriture. Mais Joël n'avait pas passé vingt-quatre heures de ce côté-ci de l'Atlantique, ou plutôt du xxᵉ siècle, que l'idée seule de tracer les mots « Cher Papa » sur du papier commença à le déprimer. Il aurait téléphoné avec plaisir, si Foncrest avait eu le téléphone. Les jours passaient, puis les semaines, et les prétextes s'accumulaient pour ne pas donner signe de vie, dont le plus véridique : « C'est mon père, une carte postale n'y changera rien. Il m'a reçu comme son fils après vingt ans. Après quelques mois, ce ne serait pas la même chose ? » Car il avait l'intention de retourner en France l'été prochain, s'il avait assez d'argent.

Par trente-cinq degrés de latitude, c'était déjà le printemps, lorsque Joël reçut de son père une lettre qui devait beaucoup le surprendre ou plutôt — ce fut son mot — le choquer. Par quarante-cinq degrés, quand Foncrest l'écrivit, c'était encore l'hiver.

L'hiver, et le deuxième trimestre, le plus sombre, le plus studieux. Les perce-neige foraient une croûte blanche, plus très fraîche. Les internes commençaient à peine à rêver aux vacances, l'Église à méditer dans ses entrailles le renouvellement de Pâques.

Pendant les derniers mois, Foncrest et Omphale s'étaient peu vus. Il faisait trop froid, la nuit tombait trop tôt ; ils s'étaient, d'un accord tacite, accordé cette période de retrait, de germination, inspirés non par la raison mais par le respect de leur destinée. Et puis, un jour que le soleil, devenu moins couche-tôt, jouait à iriser les sucettes de glace aux gouttières, Foncrest, sortant de Sainte-Barbe, reconnut la toque blanche, la redingote taupe, et, sous les bandeaux un regard grave, qui, cette fois-ci, crépitait, chatoyait d'une joie intime, d'un bouillonnement amusé. Ils fendirent ensemble le groupe des collégiens et, par extraordinaire, un grand gars rose couvert d'acné fit une remarque. Omphale, accrochée au bras de Foncrest, se retourna, rapide comme un aspic :

— Eh bien oui, la nana à Fonfon. Ça te défrise ?

Et elle lui éternua de rire au nez, tandis que Foncrest rayonnait modestement. Il regrettait seulement de n'avoir pas, au cours de ce carême d'amour, trouvé pour *Omphale* d'autre belle rime que *triomphale,* ce qui l'avait empêché de venir à bout du sonnet entamé pour elle.

La neige craquait sous les bottes de daim gris d'Omphale et les vieux souliers rapiécés de Foncrest. Ils eurent envie de faire le tour des lieux qu'ils avaient hantés plus tôt, et ils se dirigèrent d'abord vers leur cher vieux canal, qui malaxait lentement les feuilles mortes de l'an dernier et ne reflétait que des branches inertes : il aurait fallu être prophète pour leur prêter les bourgeons qui allaient craqueler leur peau dans quelques jours. Une froide odeur de pourriture irrémédiable flottait, qui ne diminua pas la bonne humeur des promeneurs. Ils traversèrent les faubourgs bourgeois et prolétaires qu'un XIXe à l'inspiration flageolante et un XXe sans inspiration aucune avaient fait éclore autour de la ville et, sans se concerter, ils se dirigèrent vers la ville haute. Au passage, ils écornèrent du regard la cathédrale alambiquée, ils fendirent en biais la place dont les façades semblaient avoir été chantournées d'après des pochoirs Louis XV. Ils montaient.

Dans la rue aux blasons extirpés, Foncrest fit, une fois de plus, un cours. Cette table d'attente-ci avait porté les armes de la corporation Tisserands de linge et de toile, d'azur à une navette d'argent, tellement plus élégante que celle des Tisserands et drapiers tisserands de laine : d'or à une pile de pièces de tissu de sable, d'azur, de gueules, d'argent et de sinople, grotesque, quoi ? Cet autre écu appartenait à une famille de joailliers qui habitait encore la même maison et exerçait le même métier qu'au Moyen Age. Omphale n'écoutait que la voix aimée, où se mêlaient les inflexions du gentilhomme, du pédagogue et du provincial.

Ils atteignirent le château. Fermé. Ils allèrent s'accouder sur la terrasse d'où l'on découvrait toute la ville et la campagne environnante, blanche de neige, traversée de routes noires bordées d'arbres noirs .ayant échappé au carnage humanitaire des années soixante-dix...

— On croirait un graffiti sur un vieux mur, dit Omphale.

— Voilà Sainte-Barbe, dit Foncrest, désignant le sinistre édifice, neige et ardoise.

Ils restaient là, croyant voir le paysage, mais ne regardant qu'à l'intérieur d'eux-mêmes. « Je l'aime, se disait Foncrest. Et c'est presque aussi beau que la messe. » Et Omphale : « J'aime le monde parce que F est au monde. (Lorsqu'elle pensait à lui, elle ne l'appelait ni Frédéric ni Foncrest, simplement F : elle trouvait que cette capitale élégante, dépouillée, maigre, lui seyait.) Quand vais-je lui apprendre ce que j'ai appris ? Quand vais-je tout lui dire et tout lui demander ? Il refusera, bien sûr, mais je finirai par le convaincre, et je le guérirai de sa blessure, et il vivra mieux, et je lui serai fidèle, et il mourra dans mes bras, et comme, dans l'entre-temps, il m'aura ramenée à Dieu, nous aurons l'éternité pour nous. »

Elle posa sa main gantée sur l'avant-bras de Foncrest.

— On vous a fait beaucoup de mal, dit-elle, les lèvres percluses de froid et de peur. Moi, je ne vous veux que du bien...

Elle se força à prononcer :

— Frédéric.

Elle avait osé. Proférer ces trois syllabes, c'était plus bouleversant que la caresse la plus intime. Quel miracle s'était produit ? Un éclair la traversa : « Mais je suis vierge ! »

Foncrest souriait droit devant lui, aux anges.

— Du mal ? A moi ? Il y a si longtemps. Avant ma naissance.

— Avant ?... Je ne comprends pas, Frédéric.

Ce prénom : déjà presque une habitude.

— Je suis professeur d'histoire. Je sais que les civilisations passent. La mienne, on me l'a cassée avant que je ne naisse. On m'a cassé mes jouets avant Noël. Alors je ne joue pas. Je témoigne pour mes jouets cassés. Ma civilisation passe en jugement et je suis témoin à décharge. Cela ne signifie pas que les témoins à charge aient tort : ils accusent, c'est leur fonction ; je défends, c'est la mienne. Le mal qu'ont commis la royauté, la noblesse, les corporations, il y aura toujours assez de redresseurs de torts pour le dénoncer, et cela est peut-être juste. Mais il serait niais de supposer qu'elles n'ont commis que du mal. Je suis là pour témoigner du bien.

Elle s'émut de voir qu'il répondait à la question qu'elle n'avait pas posée : Pourquoi vivez-vous comme vous le faites ?

Il reprit :

— Ces derniers temps, j'ai beaucoup réfléchi à moi-même. (Il ne dit pas que c'était à cause d'elle, ils le savaient tous les deux.) J'ai constaté que j'étais un éboulis. Cela vous fait rire ? Cela devrait. Ensuite, j'ai regardé autour de moi et j'ai vu qu'il n'y avait aucune chance pour que soit jamais reconstruit « l'édifice immense qui a croulé sur nous ». Anatole France l'a bien vu, vous savez : « La République en France n'est qu'un manque de prince », mais « ce peuple était trop vieux lors de l'amputation pour ne pas craindre qu'il en meure »... Jamais les hommes ne vivront comme ils avaient vécu. La civilisation de la paternité, qui durait depuis les débuts de l'humanité, est terminée. Je ne voudrais pas vous choquer, mademoiselle ; tous les enfants qui naissent de nos jours sont des bébés-éprouvettes : l'éprouvette-nation, l'éprouvette-école, l'éprouvette-télévision, l'éprouvette-sécurité sociale. Ce n'est pas nécessairement mal en soi : je suppose que Dieu ne tolérerait rien qui fût entièrement mauvais, mais c'est là un monde où je n'ai vraiment rien à faire que de témoigner d'un autre.

« Si j'étais né en France entre 1100 et 1700, je me serais senti comme un poisson dans l'eau. Ne croyez pas que je commette l'erreur banale de me voir avec l'éminence sociale que ma famille a pu avoir pendant cette période. Si je n'étais pas mort de la faim ou de la peste et si je n'avais pas été pendu pour braconnage, je pense que j'aurais vécu dans mon élément, même si j'avais été paysan ou domestique. Domestique, je me vois assez bien. Vous vous rappelez que Notre Seigneur dit qu'on ne peut servir deux maîtres à la fois, mais vous rappelez-vous pourquoi ? Parce que, précise-t-il, on ne pourrait pas les aimer autant l'un que l'autre. Servir suppose donc aimer. On est loin de la lutte des classes.

« Cela vous paraît peut-être absurde qu'on puisse s'imaginer vivant dans une autre structure que la sienne ? Dans quelle mesure serait-on encore soi-même ? Mais voyez par exemple les Anglais qui, au XIXᵉ siècle, se sont convertis à l'Islam pour vivre comme des Arabes. Ce n'étaient pas nécessairement la polygamie ou d'autres facilités — pardonnez-moi — du même ordre qui les séduisaient ; je doute aussi qu'ils aient réussi à se persuader que Mahomet était véritablement le prophète définitif de Dieu : ce qui les attirait, c'était une société organiquement hiérarchique, et non pas artificiellement stratifiée en chefs et sous-chefs de bureau. Le mot *hiérarchique* veut dire : où l'origine du commandement est sacrée.

« Pour moi, la civilisation est un réseau de hiérarchies entre-croisées, et plus il y en a, mieux cela vaut, car elles sont d'autant moins vexatoires et d'autant plus fécondes. A notre époque, l'échelle sociale a presque entièrement disparu : il n'y a plus que le fameux ascenseur qu'on se renvoie à qui mieux mieux et qui n'a pas de relation concrète avec la vie. Vous voulez mon sentiment sur notre civilisation et sa décadence, en deux mots ? Nous avions un art de vivre ; nous avons un ministère " *de* la qualité *de* la vie " (avec deux génitifs !). Cela résume tout. Vous imaginez les gorges chaudes qu'auraient faites Laurent de Médicis ou Louis XV si on leur avait proposé de créer pareil ministère ? Pourtant ce sont eux qui ont permis cette efflorescence prodigieuse d'arts quotidiens que ces siècles-là ont connue. Ne me dites pas que ces arts étaient réservés à un petit nombre. Entrez chez n'importe quel antiquaire : vous verrez que la dernière cruche d'étain, le dernier pot de terre fabriqués alors étaient beaux, qu'ils sont tombés de cette civilisation paternelle comme de beaux fruits tombent d'un bel arbre. Une civilisation qui a produit le vieux Rouen ne pouvait être qu'excellente.

« Or, qu'est-ce qui rendait possible une telle civilisation ? Une distribution monstrueusement inégale des biens et des savoirs. C'est triste à dire à ceux qui aiment l'égalité, mais l'égalité est stérile. Ce qui est fécond, ce qui crée un appel d'air, ce sont des différences de température favorisant les mouvements verticaux. Pour que la vie ait une qualité, il faut non pas un ministère mais une inspiration, qui ne peut être fournie que par un groupe de familles dispensées de soucis matériels, recevant la meilleure éducation possible, n'ayant d'autre fonction que de vivre de la manière la plus raffinée qui soit. En exploitant les autres ? Sans doute, mais aussi en leur servant de modèles, en aiguillonnant leurs talents, en répandant parmi eux la griserie nécessaire à la création. Cela m'est égal, vous savez — Foncrest prit l'air coquin — qu'Alexandre Borgia n'ait pas été un pape très édifiant : il a ouvert Rome à Michel-Ange. La civilisation suppose, quelque peine que cela doive faire aux jacobins, un fourmillement de gens riches de bon goût, vivant dans une société suffisamment oisive, suffisamment soucieuse de belles choses inutiles, occupés à comparer leurs découvertes, à s'épater un peu les uns les autres, et ne perdant pas, comme cela arrive à la veille des révolutions, la fierté de ce qu'ils sont. Ce que nos contemporains ne comprennent pas, c'est qu'on peut être à la fois un homme d'affaires et un mécène, non pas un homme d'affaires et un dilettante. Or, ce sont les dilettantes qui font les civilisations.

« Un jour, un de mes amis — joli nom, fabrique de stylos — me dit : " Nous, les bourgeois. " Ce jour-là, j'ai compris que ma civilisation était morte. Pas toute civilisation, non, la mienne. Un peu plus tard, j'ai compris que toute civilisation, dans le sens où j'entends ce mot, était morte aussi. J'étais allé à Saint-Rémy-de-Provence, pour voir le Tombeau des Jules. On m'invite à déjeuner dans un hôtel, au bord de la piscine. Il faisait chaud. J'étais le seul client en cravate. Des richards en short, des richards en costume de bain se faisaient servir par des maîtres d'hôtel en veste noire, le cou scié par le col, les pieds écrasés par les escarpins. Ça, c'était la mort de la civilisation, même bourgeoise. Nous, au moins, nous avons eu de la tenue, jusque sur l'échafaud.

« Au demeurant, ne disons pas trop de mal des bourgeois ; ils sont venus à un moment malchanceux de l'histoire. J'aime croire que, nous autres, nous n'aurions pas fait travailler en usine des enfants de cinq ans, mais qui sait ? Malraux dit : La noblesse a laissé des portraits, la bourgeoisie des caricatures. Mettons. Pendant un petit siècle elle a tout de même connu l'ascèse de sa grandeur, la bourgeoisie ; pendant un petit siècle elle a été non pas une noblesse mais une aristocratie. La grande bourgeoisie se définissait ainsi : servie par un maître d'hôtel pendant trois générations. Pas mal. Que reste-t-il du raffinement que supposait ce genre de vie ? Quelques bonniches qu'on déguise en femmes de chambre les jours où il y a du monde.

« J'ai connu des gens dont les chauffeurs avaient autant de livrées qu'eux de voitures, pour éviter les discordances de couleurs, et maintenant je les vois faire leur lit, passer leur aspirateur, eux qui s'y connaissent en cristaux anciens, en damasquinures... Quelle pauvre utilisation de la compétence ! Un vieux colonel, dix fois blessé au service de son pays, c'est-à-dire au nôtre, qui a eu des ordonnances toute sa vie, se cire maintenant ses pauvres bottillons et se met du cirage plein les manchettes. Quelle pitié ! Un charmant garçon, qui a ses trente-deux quartiers, me sert du café instantané. Quelle misère ! Vous comprenez, n'est-ce pas, que le monde est sens dessus dessous ? Je ne parle même pas des serviettes en papier, cette abomination.

« Qu'on ne me dise pas : c'est irréversible ; je le sais. Qu'on ne me dise pas : ce n'est pas grave ; c'est grave. C'est grave parce que le monde que j'entrevois dans le passé était construit sur une idée simple : l'imitation des meilleurs par les autres. Cela ne marchait pas toujours ? Sans doute. D'ailleurs qui peut définir " meilleur " ? Mais l'idée au moins était saine. Le fils voulait être comme le père, l'écuyer comme le chevalier, l'apprenti comme le patron. Maintenant, c'est le pédégé qui s'efforce de jaspiner comme le manœuvre, le papa qui s'adapte au fiston. Imitation à l'envers, savamment encouragée par nos gouvernements sans-culottes qui s'appliquent à grignoter les mâchicoulis des différences, comme Richelieu déjà nous démantelait nos donjons.

« Que voulez-vous, j'aurai toujours la nostalgie d'un autre monde, injuste peut-être, mais gracieux, cruel mais gai. D'un monde où, en l'absence de transistors, tout le monde chantait, et surtout les peintres en bâtiment. Où tous, naïvement, mettaient leur métier au-dessus des autres, où le rempailleur était fier de son rempaillage et le matelassier de sa matelasserie. Où il n'y avait pas de guerre entre les bleus de chauffe et les blouses grises, ni entre les blouses blanches et les blazers. Où, en revanche, tous les cordouaniers de France se soutenaient du dernier des apprentis au premier des maîtres, portant haut leur bannière, qui était d'azur à une botte d'or, et sacrifiant de concert à saint Crispin.

« Vous comprenez, j'espère, que je ne me plains de rien. Je suis né au crépuscule et j'observe le crépuscule. Est-il interdit d'avoir la nostalgie du plein midi ? Je vois bien qu'il n'y aura plus jamais de rois n'acceptant leur couronne que de Dieu, de châteaux habités comme ils doivent l'être, cirés-polis par des gens de la maison et non des gens de maison, qu'il n'y aura bientôt plus de sabotiers, de dentellières, d'ardennais, de percherons, que personne ne tournera plus jamais un bâton de chaise avec amour. Je vois bien que les paysans qui, dans mon enfance, mangeaient avec leur couteau en faisant beaucoup de bruit, se nourrissent poliment de merguez dans de la matière plastique. Je vois bien que la banlieue gangrène la ville par un bout et la campagne par l'autre. Je vois bien que ce que nous appelions savoir-vivre — je veux dire nous autres, cultivateurs, bourgeois, ouvriers, gens du monde, nous avions chacun le nôtre — n'existe plus parce qu'il était fondé sur le respect et la différence et que ni la différence ni le respect n'ont plus cours. Je vois tout cela, et je vous avouerai que je ne peux pas regarder, sans des larmes aux yeux, la frégate du passé couler à pic.

« Savez-vous ce que je regrette aussi ? Une certaine pauvreté qui contenait une immense richesse. Petit, je ne possédais vraiment pas grand-chose, mais je mettais une allumette à ceux de mes soldats de plomb qui avaient perdu une jambe au combat. J'avais fabriqué à chacun d'entre eux une plaque d'identité en miniature. On achète maintenant des soldats de matière plastique. Par sacs.

« Non, mademoiselle : la belle ville d'Is est engloutie à jamais. Je suis comme un de ses habitants qui serait allé faire un voyage et, à son retour, ne la retrouverait plus. D'abord il se croit fou, puis il erre autour du lac comme un fantôme, enfin il se fait une vie tranquille dans les roseaux, il ne dérange personne, et il radote des histoires d'Is à qui veut l'entendre.

« L'engloutissement est daté, bien sûr. Ne croyez pas que je me berce d'illusions : la royauté n'aurait rien pu contre la matière plastique. Mais il est peut-être heureux que la royauté ne se soit pas compromise avec la matière plastique. Et il reste que le couteau qui est tombé le 21 janvier mil sept cent quatre-vingt-treize n'a pas seulement coupé le cou d'un homme ventru et vertueux né sur un trône. Il a mis fin à la civilisation du père, la seule à laquelle je comprenne quelque chose...

Foncrest s'arrêta de parler. Médusé, il regardait devant lui, sous lui, les toits de lave, de tuile, d'ardoise, de tôle, et les clochers qui menaient paître ces troupeaux de toits, et le canal qui traversait le tout comme une longue entaille rectiligne dans la pâte d'un tableau et, au loin, une couronne de champs et de prés fumant de blancheur.

— Je me suis renseignée, dit Omphale. J'ai un oncle au Vatican. Vous n'êtes pas divorcé. Votre mariage a été annulé sous un prétexte quelconque : les parents de votre femme devaient être bien introduits. Vous pouvez vous marier demain. Je viens d'où vous venez, Frédéric. Moi aussi, je suis née à Is et je ne la retrouve plus. Épousez-moi. Je vous en prie.

XVII

Joël ne retourna pas en France cette année-là. Pas d'argent ? Il aurait pu en trouver. C'était l'idée de voir son père marié avec Omphale qui lui paraissait obscène.

L'année suivante, il eut une raison de plus pour ne pas franchir l'Atlantique : il répugnait à voir son père pouponner le petit Frédéric, encore qu'il eût accepté (sans enthousiasme) de lui servir de parrain. « Suis-je jaloux ? » se demandait-il. Il haussait les épaules et ne se répondait pas.

Ces deux trahisons successives le rejetaient résolument vers l'Amérique. « Ici au moins les grands-pères n'épousent pas les fillettes, et on ne s'expose pas à avoir des frères qui pourraient être vos fils. » Il se prenait pour son pays d'un amour-passion délibéré. Pendant les vacances il voyagea, seul : en hiver il rendit visite aux alligators des Everglades ; en été, il alla se nourrir de homards du Maine. « Un jour, j'irai en Alaska. » En attendant, il réussissait dans ses études, travaillait à mi-temps comme électronicien, plongeait toujours davantage dans l'univers des ordinateurs qu'il trouvait infiniment plus rassurant que celui des hommes.

Une après-midi, il était allé faire des courses au supermarché. C'était une de ses distractions. Il aimait circuler entre ces buildings de boîtes de conserve et ces édifices de cartons multicolores en poussant le chariot où il entassait beurre de cacahuètes sur flocons d'avoine aux raisins secs ; il aimait faire des choix confortablement limités par le petit nombre des alternatives tout en se complimentant : « C'est bien, je fais des choses ordinaires » ; il aimait plaisanter avec la caissière, pendant qu'elle tirait ses achats un à un du chariot et en faisait lire le prix à son laser, puis avec le commis qui, ayant tout ensaché, lui portait ses paquets jusqu'à sa voiture.

De la meilleure humeur du monde et le chéquier en main, il attendait que son addition fût prête et ses sacs bourrés, quand il entendit une avalanche de boîtes et de bouteilles. Il se retourna et vit une fille, la bouche ouverte, consternée devant son cornet troué et ses emplettes répandues. Déjà des coulées d'un cerise, d'un safran, d'un canard soutenu serpentaient et se mêlaient sur le carrelage, déjà deux garçons accouraient avec des serpillières et des balais-éponges. Joël aida la fille à ramasser tout ce qui n'avait pas trempé dans l'omelette stagnante au milieu du désastre.

— Vous allez racheter ce qui vous manque ?

Elle secoua la tête. Sans doute avait-elle dépensé tout son argent. Elle pleurait sans bruit.

Le gérant, moustachu comme un phoque, apportait gentiment un autre sac. Mais il ne pouvait remplacer les achats perdus : le laser avait lu, la caisse enregistré.

— Dommage que la petite dame ait payé. Sinon, je me serais fait un plaisir...

Joël, sans savoir pourquoi, le toisa.

— Vous traitez mal vos clients. Je vais prendre votre nom.

Il loucha sur la petite plaque de matière plastique que le gérant portait au sein gauche, et n'ayant pas de papier, nota le nom au stylo à bille bleu sur un billet d'un dollar.

— Si seulement la petite dame n'avait pas payé !... se lamentait le gérant dans sa moustache.

— Allez en enfer, lui dit Joël.

Il entassa les objets intacts dans le nouveau sac et mit le sac dans son propre chariot. Il paya ses achats. La fille pleurait toujours, silencieusement. Ils sortirent ensemble, suivis par le commis qui poussait le chariot.

— Vous devez m'excuser, dit la fille. J'ai eu une dure journée. Vous avez été gentil. J'apprécie. Où est mon sac ?

Elle était petite, compacte, potelée ; elle avait le nez bref et des cheveux châtain roux formant chignon sur le sommet du crâne. Avec cette coiffure 1900, elle portait un sweat-shirt blanc décoré d'un paysage, un blue-jean et des tennis. Un sympathique petit animal bien tassé qu'il devait être rassurant de flatter de la main.

Joël lui sourit distraitement, ouvrit le coffre de l'Alliance, fit charger les sacs, donna un pourboire, déverrouilla la portière de droite.

— Montez.

— Mais j'ai ma coccinelle.

— On reviendra la chercher. Grimpez. Oust !

Il la ramena chez lui.

Elle entra modestement, étonnée par la hauteur des plafonds, par les proportions de la vaste pièce carrée.

— C'est beau.

Les vieux meubles dépenaillés, achetés à l'Armée du Salut, l'épatèrent.

— C'est meublé en ancien !

Elle détaillait tout, sans gêne, mais impressionnée.

Un balcon clos d'une moustiquaire donnait sur une allée où vivait un vieux sycomore. La nuit était tombée subitement. Des phalènes s'ébattaient autour d'un réverbère, et, dans la frondaison obscure de l'arbre, pointaient des milliers de lucioles.

— Les lucioles..., dit la fille.

Elle se retourna, la main tendue :

— Je suis Deana.

— Je suis Joël.

Ils se serrèrent la main.

Elle l'aida à monter les sacs, puis à en distribuer le contenu dans le réfrigérateur, le congélateur, les placards. Elle demandait :

— Où ça va ?

— N'importe.

— Si vous ne savez pas où vous mettez les choses, comment vous y retrouvez-vous ?

— Quand je ne trouve pas le sel, je mets du sucre. Ça varie.

Il ouvrit une bouteille de *vinho verde*, et ils allèrent la boire sur le balcon.

— On installera la table ici pour dîner, dit Joël.

Il fit la cuisine : des spaghetti avec une sauce à la viande. Deana mit la table, mais Joël la fit recommencer, car il voulait une nappe, et il doubla les couverts.

— Que cherchez-vous, Deana ?

— Les serviettes en papier.

— Je n'en ai pas.

Il apporta des serviettes en tissu. Elle ouvrit de grands yeux. Elle apprenait. Il lui tint sa chaise pendant qu'elle s'asseyait.

Ils parlèrent peu en mangeant. Tout de même, il sut qu'elle travaillait comme fille de salle dans un hôpital. Elle avait quitté ses parents : « Mon père a un problème d'alcool. » Elle mettait de l'argent de côté pour aller un jour à l'université.

Après le repas, ils s'installèrent côte à côte sur le divan pour regarder la télévision. Il lui passa un bras autour des épaules et elle se lova contre lui, les tennis enlevées, ses pieds nus serrés sous elle.

Le lendemain matin, il la ramena au centre commercial où elle avait laissé sa Volkswagen, et, renouvelant le geste qu'avait eu son père et qui l'avait ému, il lui donna une clef de l'appartement :

— Quand tu voudras revenir...

Elle revint le soir même, et le suivant, mais pas le soir d'après : elle était de garde. Et lorsqu'il rentra de l'université, il la trouva endormie sur le divan : comme il n'était pas là, elle n'avait pas osé prendre le lit. Quand elle se réveilla, il lui dit :

— Tu devrais apporter tes affaires ici. C'est bête de payer deux loyers.

Elle apporta une poêle, une casserole, une tasse, une assiette, deux ou trois couverts, un serpent de peluche rose, quelques vêtements. Silencieuse, modeste, serviable, elle était pour Joël la maîtresse parfaite. Il la prenait dans ses bras de temps en temps, paresseusement ; elle n'en demandait pas plus. Elle s'occupait de la lessive, lui de la cuisine. Les horaires variables de l'hôpital empêchaient une accoutumance trop régulière. Joël ne savait jamais si Deana serait à la maison quand il rentrerait. Il lui était à peu près indifférent de regarder la télévision seul ou à deux, de trouver son large lit occupé ou non.

Il voulut emmener Deana chez sa mère. Elle s'insurgea :

— Je ne suis pas de ce monde-là.

— Justement.

Il se glorifiait de savoir qu'il n'y a pas de honte à être pauvre.

— Je n'ai qu'une vieille robe usée.

— Pas de robe. Tu iras comme tu es toujours.

Mom trouva Deana agréable parce qu'elle ne minaudait pas, ne cachait pas ses origines, ne semblait pas rêver de se faire épouser. La maison qui donnait sur le lac du Country Club l'intimidait juste ce qu'il fallait, mais elle ne se croyait pas obligée de pousser des oh et des ah. Pop reconnut en elle du bon matériau d'infirmière et promit de l'aider à obtenir une bourse une fois qu'elle aurait amassé un petit pécule :

— Dommage que vous ne soyez pas Noire, je vous en aurais eu une tout de suite.

Joël faillit se troubler lorsque, à table, Deana attaqua sa salade avec son couteau. « Qu'aurait dit mon père ? » Une voix intime lui répondit : « Ton père te mépriserait d'être gêné pour elle. » Alors il saisit lui-même son couteau, en lançant à Pop et Mom un regard de défi. Pop et Mom lui souriaient par-dessus la table : eux aussi, par courtoisie, avaient pris leur couteau. Joël en fut attendri.

Il emmena Deana à Saint-Joseph. Elle trouva la messe « cérémonieuse » et ne comprit pas pourquoi « le prêcheur » portait une robe. Cela ne choqua pas Joël. Il n'établissait aucune relation entre le Dieu qu'il fréquentait les dimanches et celui qu'il connaissait d'une autre manière. La communion était devenue pour lui une routine ; quant à la confession, il n'y pensait même plus, n'ayant le sentiment de pécher en rien, et surtout pas avec Deana. Un jour, au saut du lit, s'étirant et se grattant, il lui avait proposé de l'épouser :

— Tu t'appelleras Paterson. Ça s'écrit avec un seul T parce que le premier Patterson arrivé dans ce pays devait être illettré.

— Ta mère ne me pardonnerait jamais.

— Mom peut aller se faire cuire deux œufs.

Mais Deana avait secoué la tête, et Joël, la morale traditionnelle satisfaite, n'avait pas insisté.

Combien cela dura-t-il ? Deux ans, trois ans ? Joël se souciait peu des dates. Une fois, comme ils prenaient leur petit déjeuner ensemble, Deana lui servit ses œufs et sa bouillie (la cuisine était peu à peu passée dans son domaine à elle pour les repas non gastronomiques), s'assit en face de lui et demanda :

— Joël, pourquoi on n'a pas d'enfants ?

Il réfléchit.

— Aucune objection.

— Je veux dire : Pourquoi on n'en a pas ?

Il reposa son couteau et sa fourchette dégouttants de jaune d'œuf.

— Tu fais ce qu'il faut, je suppose.

— Je n'ai jamais rien fait.

— Jamais ?

— Non. Tu fais quelque chose, toi ?

Le mâle en lui s'indigna :

— Sûrement pas.

Elle passa sa langue sur ses lèvres fleurant le jus d'orange.

— Tu ne m'as pas beaucoup vue ces jours-ci. Tu as remarqué ?

— Tu étais de garde.

— Je n'étais pas de garde. Je voulais savoir. Je passais des examens. Ils disent que je peux avoir des enfants, Joël.

— Qu'est-ce que tu ferais d'un enfant ?

Elle haussa une épaule moulée de polyester blanc.

— J'en voudrais. Pas tout de suite peut-être, mais plus tard. Je voudrais un enfant, Joël. Un enfant dont le père n'ait pas de problème d'alcool. Mieux vaut pas de père du tout.

Il la regarda. Cette petite chose ronde en pantalon voulait être mère. Pop aurait dit que c'était normal. Il réfléchit encore et finit par conclure :

— Bien. Je passerai les examens, moi aussi.

Il avait pour la mécanique médicale l'accoutumance des enfants de médecin ; en outre, et de nos jours c'est rassurant, il savait que Pop ne le ferait pas payer. Il prit rendez-vous sans angoisse, avec à peine quelque ennui : « Je dois bien ça à Deana. » Il ne donna à personne ses vraies raisons : « Faites-moi tout », avait-il commandé légèrement.

Au bout d'un jour d'examens, il était déjà à bout de force. On

le tenait, on n'allait pas le lâcher sans être certain qu'il ne souffrait d'aucune maladie connue ou inconnue : il faut bien amortir les machines, et qu'il fût un cochon non payant ne modifiait
pas la philosophie de la Faculté. Nu sous la chemise unisexe
dûment désinfectée qu'on lui avait fait enfiler, il vacilla de cabinet en cabinet par des corridors étroits éclairés au néon et se
coupant à angle droit, où cheminaient des zombies pareils à lui.
A chaque atelier, on le faisait attendre, quelquefois dans les
postures les plus grotesques, car chaque spécialiste courait
aussi d'un cabinet à l'autre, et ses assistantes lui gardaient ses
malades en position pour qu'il ne perdît ni une seconde ni un
dollar : tel rectum béait depuis vingt minutes avant que le docteur Peacock ne daignât y introduire l'index, tandis que le
patient s'impatientait, agenouillé sur une sorte de prie-Dieu
propice à une humilité laquelle, en les circonstances, s'imposait. Joël fut étonné — car il avait toujours connu ses compa-
triotes souriants, prévenants, soucieux du bien-être les uns des
autres — de voir cette quête dans ce labyrinthe se dérouler de
visage de pierre en visage de glace, dans un sérieux qui eût été
dérisoire s'il n'avait été terrifiant, les médecins n'ayant d'yeux
que pour leurs cadrans, leurs écrans et leurs périscopes articu-
lés, les infirmières réglant la circulation des cobayes avec une
rigidité caricaturale. Il sentait bien, Joël, que, s'il se permettait
une seule exclamation comme « Je suis un être humain, moi »,
il n'indignerait ni ne surprendrait personne ; on lui appliquerait
simplement telle ou telle méthode mille fois expérimentée :
réprobation calme, compréhension factice, ou sédatif. Il serra
les dents. « Ceci vous incommodera sans doute ? Tenez, s'il
vous plaît, le plus longtemps possible », prononçait une voix
inexpressive appartenant à une blouse blanche que Joël, pros-
tré, écartelé, n'entrevoyait même pas, tandis que ses entrailles
s'emplissaient de plus en plus d'un liquide pompé à gallons. Il
se sentait sur le point d'éclater, il se demandait quel respect
humain l'en empêchait. Une seule infirmière montra un mouvement d'humanité : c'était une Noire qui lui mit en place un
de ses clystères. « Je suis comme ça, chantonnait-elle, j'aime
aider les gens. » Il faillit en pleurer, tandis qu'elle le traitait
affectueusement de « tarte-au-sucre » et de « pot-de-miel ».

Un instant, il se crut sauvé, car il croisa Pop dans le couloir.

— Si tu savais ce qu'ils me font, Pop...

Mais le visage connu était un visage inconnu. Compassé, professionnel, fermé à toute émotion.

— C'est pour ton bien, mon garçon.

Il y avait là un rappel à l'ordre. Pour critiquer la médecine, il faut être puéril ou sénile, c'est connu.

Au soir du second jour, vidé, excavé, retourné comme un gant, ayant souffert dans son corps, dans son respect de lui-même, dans sa confiance à l'égard des médecins, des Américains, de la race humaine, Joël aboutit dans le cabinet de Pop, pièce exiguë mais intime, avec des meubles de bois, des gravures comiques de chasse (achetées par Pop), une lithographie de Daumier (offerte par Mom) ; cent fois, il était venu jouer ici enfant, sans se douter des horreurs qui se perpétraient dans les cachots avoisinants. Pop n'était pas là, et Joël eut quelques minutes pour évoquer la petite Cadillac qu'il avait jadis fait rouler sur le rebord du bureau de noyer et les imitations qu'il y avait esquissées, avec l'index et le majeur, de plusieurs démarches caractéristiques : la danseuse, la sentinelle, la mamma noire, Pop lui-même allant à la pêche en bermuda. Il était en train de s'imiter imitant Pop lorsque Pop entra, bouche pincée et blouse blanche, et se mit en devoir de se débarrasser de l'une et de l'autre. Lorsque le médecin eut été pendu à la patère, comme il le méritait, l'homme reparut, souriant et compréhensif à son ordinaire.

— Tu veux bien fermer la porte. Quelquefois, en fin de journée, je me permets une petite pipe : il ne faut pas que Roxana s'en doute.

Roxana, l'infirmière en chef, savait depuis trente ans que le patron fumait quand il n'y avait plus de nez de clients dans les parages.

Joël ferma la porte et Pop bourra son brûle-gueule.

— Je te rassure tout de suite, tu n'as rien de grave.

Cette remarque mit immédiatement une angoisse dans un cœur où il n'y avait eu que fatigue et soulagement d'en avoir fini.

— Tu veux dire que j'ai quelque chose ?

Pop tassait son tabac avec le talon de son cure-pipe.

— On a toujours quelque chose, fils. Tu n'es pas au mieux de ta forme, mais on n'est jamais au mieux de la forme qu'on pourrait avoir. Une mini-dépression, peut-être. Je vais te prescrire quelques milligrains de perlimpinpin et tout ira bien.

Pop bourrait toujours, méthodiquement.

— Je dirai même que...

D'une main, il avait ouvert une chemise sur son bureau, et il y lisait des chiffres et des mots savants d'un seul œil, tout en surveillant de l'autre le fourneau de sa pipe. Il alluma avec une allumette : il avait mis dans son coffre à la banque le briquet en or que Mom lui avait donné pour Noël.

— Je dirai même que tu es un drôle de veinard. Non seulement tu es en aussi bonne santé qu'il est raisonnable d'espérer l'être à notre époque de surmenage et de pollution, mais tu ne risques plus de compliquer le problème majeur de notre pauvre vieille planète.

— Quoi ?

— Tu sais bien qu'elle est surpeuplée, et que la seule chance d'en réchapper, pour l'humanité, c'est de freiner brutalement les naissances. Toutes les méthodes valant ce qu'elles valent et présentant les dangers qu'elles présentent, je peux d'ores et déjà déconseiller à ta petite amie de s'exposer aux potentialités cancérigènes de la PPPilule.

Quelque chose se défaisait en Joël, très vite, tout au fond. Il ricana, sachant déjà qu'il ricanait à côté de la question.

— Tu veux rire, je suppose, ou alors tes machines qui font passer quarante-huit examens en même temps ne savent pas ce qu'elles racontent. Je ne suis peut-être plus ce que j'étais à seize ans, mais Deana ne s'est encore jamais plainte.

— Je ne t'ai pas dit que tu étais impuissant, et si tu as été amené à te modérer un peu, ce n'est pas plus mal. Il ne faut pas confondre. Dans ton cas, il s'agit d'une azoospermie totale. Pas oligo. Azoo. C'est fini, mon grand, tu es tranquille jusqu'à la fin des temps : tu ne seras pas ruiné par les études supérieures de tes gosses.

— Enfin pourquoi ?

— Ce n'est pas compliqué. (Pop feuilletait le dossier.) Tu

avais quatorze ans. Tu te le rappelles peut-être, tu as eu une orchite ourlienne bilatérale.

— C'est quand j'avais mal ici ?

— Oui. Tu avais été attaqué par le virus ourlien.

— Quelle tête a-t-il, celui-là ?

— Quand tu sauras qu'il doit faire deux cents millimicrons de longueur, que sa symétrie est évidemment hélicoïdale puisqu'il appartient au groupe des paramyxo-virus, et que son hélice centrale est constituée d'un acide ribonucléique, est-ce que ça t'avancera beaucoup ?

— Et tu vas me raconter que cette sale bestiole m'a bouffé mon négatif ? Qu'à cause d'elle on ne peut plus refaire de clichés de moi ?

Pop fumait. Joël n'avait jamais souhaité se perpétuer. S'il avait eu à choisir, il aurait peut-être même décidé de ne pas engendrer, mais l'humiliation de n'avoir plus le choix le suffoqua. « Alors pourquoi le père Pat nous chante-t-il que le bon Dieu respecte la liberté des hommes ? » Il pleura.

— Désolé de faire l'idiot. Tous ces examens, c'est crevant.

Pop inclina la tête sur sa pipe.

— L'inévitable n'est jamais triste, dit-il doucement.

Joël sentit que c'était là une maxime tragique, à la mesure de sa détresse. Pop continua :

— Je n'ai pas d'autre enfant que toi, Joël. Et ça, ce n'était pas inévitable. Je suis content de t'avoir, Joël. Tu es mon fils.

Ce n'était plus tragique, c'était déchirant.

Joël eut le bon réflexe. Il se leva un peu vite :

— Merci pour les examens, Pop.

Il était déjà à mi-chemin de chez lui, conduisant lentement, machinalement, faisant fonctionner les essuie-glaces alors que c'étaient ses yeux qui sécrétaient leurs propres ondées, lorsqu'il prit conscience, en deux temps, de ce que tout cela signifiait.

Premier temps : « Si seulement j'avais su, je n'aurais jamais laissé Marj... »

Deuxième temps : « Mais celui-là non plus n'était pas de moi. Elle m'a tapé de dix sacs pour rien. »

Il s'arrêta sur le bas-côté et sanglota éperdument parce qu'il avait été tapé de dix sacs pour rien.

Quand il rentra, Deana n'était pas là. Il lui écrivit un mot, sur une feuille mal arrachée à un bloc jaune, rayé, grand format : « *Deana, tu n'auras pas de gosses avec moi.* » Il laissa le crayon à côté.

Il se réveilla dix-huit heures plus tard, seul dans le grand lit. Il chancela jusqu'à la salle de bain, prit une douche, se rasa. Il se sentait rose, épanoui. « Cette histoire de lardons... Il y a des gars qui m'envieraient. D'ailleurs, qu'est-ce qu'ils en savent, les toubibs ? » Il se dirigea d'un pas martial vers la cuisine : il allait se faire au moins six œufs, côté-soleil-vers-le-haut ! En passant par la salle de séjour, il avisa son message. « Peut-être vaut-il mieux le lui dire plus affectueusement ? De vive voix ? » La tentation lui vint même de cacher, au moins pendant quelque temps, sa commode infirmité. Il saisit la feuille. Elle avait été complétée : « *Joël, c'est dommage. Merci pour tout.* » Il retourna dans la chambre : le serpent de peluche rose n'y était plus.

XVIII

Déclaration de M. Philippe Capet, représentant en vins et spiritueux

« Le décès de mon père Louis Capet, dit le duc de Normandie, me permet de mettre fin à une tromperie à laquelle je me suis prêté pendant de nombreuses années par piété filiale. Mon père avait un si grand désir d'être le descendant de Louis XVII qu'il avait fini par se persuader qu'il l'était. Je n'ai jamais eu le courage de le détromper.

« Je tiens à préciser que notre nom de famille est bien Capet, mais qu'il n'indique aucune parenté avec la famille qui a régné sur la France. Mon père n'avait aucun droit au titre qu'il portait. Je savais que j'étais ridicule en portant celui qu'il m'avait donné, mais je ne voulais pas contrarier mon pauvre père en refusant d'être le duc de Bourgogne.

« La preuve mystérieuse à laquelle il faisait quelquefois allusion et qui était censée garantir que son ancêtre était bien Louis XVII n'a jamais existé que dans son imagination.

« Il est exact que certaines personnes servaient à mon père de modestes pensions. Il ne m'est pas possible de les rembourser. D'ailleurs, ces personnes ne peuvent pas se considérer comme volées : elles désiraient du rêve et mon père leur en vendait, comme moi, je vends du morgon. »

Propos recueillis par Thibaut Monségur.

Monseigneur,

Longtemps abusé par un imposteur, récemment décédé, qui se faisait passer pour le Chef légitime de la Maison de France, je viens Vous prier d'agréer l'expression de mon repentir.

Le doute n'est plus permis sur cette vérité : Vous êtes l'aîné des seuls petits-fils de Saint Louis à avoir conservé des droits sur la Couronne de France.

Il n'importe pas que, dans la situation présente, la Royauté française soit une idée plus qu'une réalité. Si cette idée venait à s'incarner, ce ne pourrait être qu'en Vous.

A moins qu'un véritable descendant du roi martyr ne se fasse connaître un jour. Dans ce cas — qui oserait en douter ? — nous aurions, Monseigneur, le suprême bonheur de Vous voir Vous mettre à notre tête pour lui rendre hommage sur le chemin millénaire de Reims.

Daignez croire, Monseigneur, à mon indéfectible fidélité à la Couronne de France et à Votre personne.

                                        Frédéric Foncrest.

XIX

En sept ans, la France avait changé, ou du moins, les Parisiens. Joël les trouva plus prêts à mordre que jamais. Cela lui était égal. Un grand calme s'était arrondi en lui comme une voûte. A l'acrimonie il répondait par un mépris affiché. Il gagnait un bon salaire en dollars ; les conservateurs américains et les socialistes français l'avaient rendu deux fois plus riche de ce côté de l'Atlantique que de l'autre. Il avait les moyens de tout prendre de haut, et pas seulement les moyens matériels. Depuis qu'il se savait stérile, il se sentait invulnérable. Il faisait des haltères dans un « club de santé » ; il ne se droguait pas ; il s'était résigné à n'être jamais ni pleinement français ni pleinement américain ; il aimait son zoo d'ordinateurs ; il avait trouvé son équilibre, et les hommes respectent cela, d'instinct. Il s'ennuyait à mort, mais il ne le savait pas.

Pour voyager, il avait loué une humble petite Polo, sans s'inquiéter de ce que les loueurs et les pompistes penseraient de lui. Il la menait rondement dans la garrigue et, comme il avait payé le supplément d'assurance, il ne s'inquiétait ni des nids de poule et des dos d'âne qui brutalisaient les amortisseurs, ni des ronces qui, par endroits, griffaient la carrosserie. Il avait ouvert le toit et respirait la touffeur du maquis écrasé par un ciel bas que décolorait une brume de chaleur.

Plus le paysage devenait sauvage, plus Joël se disait : « Mon père est fou de s'enterrer là. » Puis une tolérance apprise de Pop rectifiait l'appréciation : « Si c'est ça qui lui plaît... » Ensuite venait une intention à moitié avouée : « S'il reconnaît qu'il a fait fausse route, s'il n'ose pas se dépêtrer par respect humain, il faut lui faciliter le retour à la vie normale, lui montrer qu'on ne l'en respectera pas moins. » Et enfin une espérance, en regardant le siège vide, à droite : « Peut-être sera-t-il assis là ce soir. Peut-être l'aurai-je aidé à faire le mur. »

Pas de panneaux indicateurs. Joël fut bientôt perdu : première surprise, car, à distance, la France lui paraissait si petite qu'il ne croyait pas qu'on pût s'y égarer même à pied, et voilà qu'il roulait depuis des heures, que les collines bleues devenaient vert-jaune ou vert-violet, que la jauge d'essence inclinait vers son ponant et que l'enchevêtrement des étroits chemins de sable et de pierre paraissait à peine entamé. Chaque fois que Joël débouchait sur une route goudronnée et demandait le monastère Sainte-Véronique, on le renvoyait dans ce lacis incohérent et désert. De temps en temps, la silhouette d'un gigantesque château fort, toujours le même, se profilait à l'horizon. Tantôt il paraissait garder l'entrée d'une vallée en contrebas, tantôt il flottait sur un lit de nuages en contre-haut ; une fois, Joël l'entrevit dans le rétroviseur, repère magique, inutilisable.

Enfin, ayant pris un tournant de plus, Joël aperçut un résident du lieu ésotérique qu'il cherchait. De haute taille, largement découplé, l'homme grimpait parmi les cailloux pointus en donnant de grands coups de genou dans la robe noire qu'il portait sous une espèce de tablier serré à la taille par une ceinture de cuir. Ses cheveux, étrangement coupés, formaient un bourrelet argenté posé en rond autour de son crâne rasé, boucané de soleil ; son haut visage osseux était rouge d'une saine rougeur de paysan ou de fantassin.

Joël arrêta la Polo à sa hauteur et le regarda avec méfiance.

— Je vous demande pardon, père. Si je comprends bien, vous n'avez pas le droit de me parler ?

L'homme sourit des yeux.

— J'ai toujours celui de vous répondre.

— Je cherche le monastère.

— Continuez schuss. A trois kilomètres, tirez à droite. Six cents mètres plus loin, vous aurez le nez sur la porterie.

— Si c'est là que vous allez...

— Volontiers. La journée a été chaude.

Joël ouvrit la portière de l'intérieur. L'homme s'installa. Il avait des pieds énormes chaussés de brodequins poussiéreux.

— Vous n'êtes pas le supérieur? demanda Joël pour dire quelque chose.

— Non, dit l'homme en regardant droit devant lui, je ne suis pas le prieur.

Soudain, il braqua ses yeux très bleus sur Joël.

— Je suis le père artificier. Je suis allé examiner le tracé de la nouvelle route. Deux ou trois cailloux à faire péter demain, entre laudes et tierce.

Il souriait des yeux, ingénu, amusé.

Joël conduisait sans hâte.

— Connaissez-vous, demanda-t-il enfin, un M. Foncrest?

— Ce doit être le frère Blaise.

Blaise! Et puis quoi encore? Un instant, Joël brûla de poser des questions : Que pensez-vous de lui? Est-il très malheureux? Mais il ne put se résoudre ni à la confiance ni à la duplicité. Le père artificier n'ajouta rien. Son œil alerte paraissait mesurer les roches qui affleuraient dans le maquis ; peut-être cherchait-il des objectifs à faire exploser entre nones et vêpres.

Le monastère, ou plutôt le chantier, s'érigeait à la pointe d'un éperon dégarni dominant une vallée large et boisée. Deux bâtiments en L, maçonnés d'une belle pierre orange, formaient deux côtés d'un ensemble futur qui en aurait quatre, à juger d'après les terrassements tirés au cordeau et les pans de mur sortant de terre. Un des bâtiments se terminait par une aile en saillie, percée de hautes fenêtres en plein cintre, aux vitres opaques tirant sur le vert.

— On commence par construire le transept : c'est l'usage, commenta l'artificier.

Des voitures de marques et de nationalités diverses étaient rangées sur le terre-plein. Des enfants jouaient dans l'herbe, au bord du ravin. Joël s'inquiéta de leur sécurité.

— S'ils roulent, dit l'artificier, les ronces les retiennent. Ça leur apprend.

Il désigna les constructions.

— Pour l'instant, tout est là-dedans. Pêle-mêle. Les

frères, les hôtes, la pagaille. Pas de clôture. Pas régulier.

— Cela doit tout de même être plus facile pour vous.

— Facile ?

— Vous vous sentez moins enfermés. Vous voyez du monde.

Une expression espiègle passa dans les yeux de l'artificier.

— Ce n'est pas comme cela, monsieur. Les marins s'encrassent dans les ports. Nous n'avons qu'une hâte : appareiller.

Il regarda les fondations d'un œil de connaisseur.

— Dans dix-huit mois tout sera dans l'ordre, peut-être.

— Mais pourquoi construisez-vous ? La France est pleine de monastères désaffectés. Ce sont des musées, ou alors ils tombent en ruine.

— Oui, monsieur. Ils appartiennent à l'État. Faites donc lâcher prise à la femme sans tête. Merci pour le bout de conduite. La porterie est devant vous.

Le père s'éloignait, la robe lui battant le mollet. Il se retourna. Il y avait de la gouaille dans ses yeux, billes bleues enchâssées dans le haut visage de brique.

— Vous savez, monsieur, dit-il, personne ne nous force : nous aimons ça.

Dans la porterie tout était neuf, propre, astiqué. Des vies de saints s'empilaient, des pots de miel s'alignaient. Petits revenus.

Derrière une cloison de bois poli, à hauteur d'appui, un vieux moine venait de surgir, en robe beige et tablier noir, les bras écartés, les yeux marron crépitant de joie derrière les lunettes. Joël courut à lui. Ils s'étreignirent par-dessus la cloison, les mains du moine pétrissant les épaules de Joël, les mains de Joël tapotant les omoplates du moine, de qui émanait une bonne odeur de savon de Marseille, heureusement mariée au miel et à l'encaustique qui embaumaient la porterie.

Enfin Joël se recula.

— Ils ne t'ont pas fait le bourrelet sur la tête.

— Oh ! dit le moine, révérencieux, vous pensez bien que je n'ai pas droit à la couronne monastique.

Joël regardait avec curiosité les belles mains bistres de son père.

— Alors maintenant tu es comme le père Pat ?

— Comme le père Pat ?

— Je veux dire : curé.

— Mais non, vous savez bien, je vous ai écrit.

Joël déchiffrait mal les longues lettres manuscrites de son père. Il était venu en partie pour apprendre ce qu'il y avait sur ces feuillets noircis qu'il entassait dans un tiroir après les avoir rapidement parcourus, gêné par l'écriture — il ne lisait plus que de l'imprimé —, par le français, qui lui devenait de moins en moins familier, par les longs mots et les longues phrases, par tout cet univers complexe qui venait du passé et qu'il préférait, le plus souvent, oublier.

— Venez, dit le moine. Je vais vous conduire à votre chambre. Nous avons une hôtellerie temporaire.

Il se tourna vers un autre moine assis au fond de la porterie et lui adressa quelques signes avec les doigts. L'autre répondit de même.

— Vous admettez des sourds-muets ? s'étonna Joël.

— Des sourds-muets volontaires. Nous appliquons la règle du silence. Quand c'est nécessaire, nous conversons par signes. Nous en avons un catalogue. C'est amusant.

— Hypocrites ! Converser, c'est toujours converser.

— Je ne suis pas de votre avis. Le silence ressemble à une belle dalle de marbre noir qu'il est dommage de rayer. En outre, cela réduit sérieusement les communications oiseuses.

— Et tu n'as pas désappris à parler !

— Vous verrez que je suis devenu encore plus bavard. Je suis tout de même un peu privé ! Nous ne parlons que le lundi, et encore en latin. Le mien est légèrement rouillé, mais il faut entendre celui des jeunes gens, même des prêtres. Ces barbarismes ! Heureusement, ils sont les premiers à en rire.

Quand Joël eut déposé sa valise dans la petite chambre blanche et carrée réservée pour lui, son père lui fit visiter la chapelle, le potager, le poulailler, la salle du chapitre. Tout était d'une propreté exemplaire. La cuisine ne sentait pas le collectif. Joël admira.

— C'est parce que le travail, pour nous, n'est qu'une méthode. Quand je récure le chaudron, le récurage est meilleur pour moi que pour lui. Et il n'y a pas de limite à la propreté du chaudron comme il n'y en a pas à mon amélioration.

C'était vrai que le père de Joël n'était pas devenu moins bavard. Mais il parlait sourdement, comme à travers un filtre, et ne comprenait pas immédiatement les questions qu'on lui posait. Quelquefois, il faisait répéter. Il avait pris de la distance : les idées et les sons mettaient du temps à lui parvenir, et certains se perdaient en route.

— J'ai rencontré le père artificier, dit Joël. Je n'avais pas encore saisi le rapport entre théologie et dynamite.

— Dynamite ? Ah ! oui, il est bien, notre légionnaire. Mais c'est un vieux, comme moi. La vraie vie du monastère n'est pas là.

— Tu penses au problème des vocations ?

— Problème ? Quel problème ? Regardez autour de vous.

De tout côté des moines circulaient, s'affairaient, se faisaient des signes, et Joël vit que c'étaient en effet, pour la plupart, des garçons qui n'avaient guère plus de vingt-cinq ans. Pourquoi ne s'en était-il pas aperçu plus tôt ? Sans doute parce que leur robe les dépouillait de leur âge : ils vivraient ici un demi-siècle et changeraient à peine ; leurs visages s'approfondiraient, s'ennobliraient, mais la veulerie des chairs vieillissantes leur serait épargnée.

— Comment se fait-il ? En Amérique on pense déjà à faire des curés avec des nonnes...

— Je ne sais pas. Remarquez : très peu ici sont prêtres. Ce n'est pas notre emploi.

— C'est quoi, votre emploi ?

Le moine s'arrêta de marcher :

— Témoins de l'invisible. Rien de plus. (L'index levé :) Rien de moins, mais surtout rien de plus !

Une cloche les interrompit.

— La communauté va se mettre en station. Je vous conduis.

Joël fut laissé dans la partie de la chapelle réservée aux hôtes du côté du narthex. « Discrimination ! » Les moines entraient deux à deux et se rangeaient à gauche et à droite de l'autel, face à face sur trois rangs, dans une densité de recueillement que Joël ressentit physiquement. Les hôtes à un bout, les moines à l'autre, on aurait dit une balance où presque tous les poids eussent été sur le même plateau : ici la limaille de foi de quelques

familles, d'un couple, de deux ou trois solitaires ; là, une accu-
mulation de blocs, une compression d'expériences intérieures
d'où émanait une impression indescriptible : ni du chaud ni du
froid, ni un rayonnement ni un courant d'air, le plérôme du
vide, le tonnerre du silence, quelque chose qui ne pouvait se
capturer qu'en termes contradictoires. Oui, c'était bien un
éblouissement qui jaillissait de la ténèbre amassée au fond du
chœur, alors que, dans la nef, les fenêtres haut perchées échan-
geaient une lumière légèrement colorée en vert par les vitres et
annonçaient l'ombre de la nuit qui descendrait quelques heures
plus tard.

Les moines étaient des mutants. Ils avaient été modifiés dans
leur être même comme une femme l'est par l'enfantement, et
les vastes capes avec ou sans capuchon qui les drapaient par-
dessus leurs robes et leurs tabliers annonçaient qu'ils appartenaient ensemble à une catégorie d'initiés. Mais ces capes, aussi,
les séparaient les uns des autres, les isolaient dans leur plénitude individuelle. Ils se tenaient là comme autant de verticales
qui, à l'infini, mais à l'infini seulement, convergeraient.

Impossible pour Joël de ne pas repenser à la vision qu'il avait
eue à Saint-Barnabé et qui avait beaucoup pâli dans son souvenir (« Je devais être un peu parti ce soir-là »). Il se dit dans un
éclair, sans savoir ce que cela signifiait : « Là-bas, c'était une
vision ; ici, c'est pour de vrai. » Les chants commencèrent. Pas
d'orgue.

Joël ne comprenait pas le latin et les mélodies grégoriennes le
mettaient mal à l'aise. Au bout de quelques minutes, il prit
conscience d'avoir peur. « Comme un poulain a peur de la selle
et du licol ; comme, quand on est vierge, on a peur de
l'amour. » En outre, il avait l'impression d'être indiscret sans
être curieux. Il se demandait quand tout cela finirait.

Lorsque cela eut fini, cela ne finit pas pour autant. Les
chants contenus, rentrés, presque inaudibles tant était fine leur
dentelle jetée sur le silence, ne bourdonnaient plus, mais les
moines ne bougeaient pas encore. Ils demeuraient agenouillés
dans les stalles, trois rangs faisant face par-dessus l'autel à trois
rangs, et ils ne regardaient que des choses invisibles, leurs
visages blancs, pétrifiés, nageant au-dessus de leurs capes

noires, géométriques, leurs mains posant d'autres taches
blanches çà et là, l'ensemble formant une tapisserie surnaturelle. « Que font-ils ? » Ils priaient sans doute, mais le spectacle
de leur prière ne ressemblait à rien de ce que Joël connaissait, ni
aux prônes des pasteurs, ni aux récitatifs des Noirs, ni aux
extases charismatiques, ni à la sentimentalité bon enfant du
père Pat. Pas un mot, pas un geste ne sortait de cet amalgame
d'humanité. Aucune émotion ne perçait sur les visages glabres,
galets polis de l'intérieur. Les paupières ne cillaient pas, on ne
voyait pas les poitrines se soulever. Le temps ne bougeait plus.
Les hôtes sortaient ; les moines demeuraient suspendus sur
place. Joël n'aurait été que médiocrement surpris de les voir se
mettre à léviter ; d'ailleurs, la chapelle entière n'était-elle pas
entrée en lévitation ? Il eut un instant de panique : et s'ils
allaient rester ainsi toute la nuit ? Au début, il n'avait pas osé,
pas voulu, chercher son père du regard ; maintenant, il le fit frénétiquement, pour se rassurer, mais l'ombre était trop opaque,
ces visages dissemblables se ressemblaient trop... Il renonça.

Un moine se déplia. Sans doute avait-il assez prié. Il était
fatigué. Il allait se reposer en priant ailleurs, autrement. Il sortit. La tapisserie allait-elle se désagréger sans lui ? Non. La densité des restants parut augmenter d'un cran (« Il doit en être de
même quand l'un d'entre eux meurt ») et le tableau cubiste
qu'ils formaient ensemble parut encore plus bondé du fait qu'il
y manquait un élément. Les minutes passaient. L'angoisse
empêchait Joël de respirer. Un autre moine se dressa à droite,
et puis un à gauche. Leurs capes glissaient le long des stalles
sans un froissement. Qu'avaient-ils vu ? Ils ne le diraient point,
et, s'ils le disaient, on ne pourrait les comprendre.

« Je ne bougerai pas avant que le dernier ne soit sorti », se
promit Joël. Et il attendit, avec une exaspération qui lui faisait
remuer les orteils dans ses mocassins.

Par les fenêtres, la lumière qui baissait d'instant en instant
projetait des arcs jaunâtres sur les murs. Un oiseau profila son
ombre en vol : quel événement ! Joël avait l'intense intuition
d'un grand tout, infiniment dur, que chaque instant qui passait
parvenait à peine à érafler. Il avait fermé les yeux. Il les rouvrit,
et vit qu'il n'y avait plus personne dans le chœur.

Son père l'attendait dehors.

— Le père prieur m'a dispensé de toute occupation pour que je puisse passer plus de temps avec vous, dit-il sur un ton de reconnaissance qui choqua Joël : « Mon père n'est donc plus un homme libre ? »

Le soir, Joël dîna à la table des hôtes, entre un jeune Libanais et un vieux Basque, servi par des moines attentifs et distants. De loin, il apercevait son père, seul visage expressif parmi quarante impassibles : « C'est peut-être parce que je le connais ? Les autres sont peut-être aussi expressifs pour leurs proches ? »

Grimpé en haut d'une chaire, un jeune moine beau comme un ange débitait des passages de l'Écriture, de la Règle, un article de journal, sur le même ton inexpressif, monocorde, coupant ses phrases en tranches de longueur sensiblement égales : «-En-vérité,-je-vous-le-dis-cette-génération-ne-passera-pas... Une-fois-institué-l'abbé-méditera-toujours-quelle-charge-il-a-prise... Ayant-perdu-ma-carte-de-presse-je-dus-m'adresser-au-gendarme-de-service... » Pas de conversation, même entre les hôtes. Joël mangeait en regardant son père : « Si je ne le connaissais pas, je lui trouverais une tête typique de moine. »

Après le repas, il comptait parler à son père sérieusement, mais il ne l'entrevit que le temps de s'entendre dire :

— Je vous retrouverai après complies. J'ai la permission.

Il fallait retourner à la chapelle. Joël s'y traîna les dents serrées — « Ils exagèrent ! » mais dès qu'il se retrouva à sa place et qu'il vit les moines se glisser un à un dans leurs stalles à peine éclairées par quelques cierges, une quiétude descendit sur lui. Les chants qu'il entendit le plongèrent dans une extase calme. Il se sentait planant au-dessus du monde. Il finit par trouver le service trop court.

Après complies, son père l'emmena au bord du terre-plein, déserté à cette heure de la nuit. Ils s'assirent sur deux grosses pierres, avec la vallée toute noire à leurs pieds. A peine quelques étoiles. L'air sauvage était frais et savoureux.

— De plus en plus, j'aime la nuit, dit le moine. Au début, je trouvais pénible de me lever pour matines. Maintenant j'aime. S'arracher à son lit. Savoir qu'on va découvrir cette splendeur. Délicieux.

— C'est à quelle heure, matines ?

— Trois heures.

— Tu dois être maso, mon pauvre papa.

— Si vous étiez amoureux, vous ne vous lèveriez pas à trois heures, pour voir la bien-aimée ?

— Pas tous les jours.

— C'est que vous ne savez plus aimer. Ensuite on se prépare pour aller à laudes.

— Laudes, c'est à quatre heures, je suppose ?

— A six.

Joël soupira.

— C'est curieux de pouvoir t'appeler doublement père : papapapa.

— Je vois bien que vous ne lisez pas mes lettres. Non seulement je ne serai jamais prêtre, sans doute même par profès. Et si on me laisse faire ma profession, ce sera comme convers, tout au plus.

— Pourquoi ?

— On ne fait que me tolérer ici. La différence, c'est qu'à Sainte-Barbe on me tolérait sans m'aimer. Ici on me tolère par amour.

— Je ne comprends pas, dit Joël découragé. Je ne comprends rien.

Il regarda la nuit autour de lui. Le monastère était invisible. La vallée se devinait à peine. « Où suis-je ? A quel entrecroisement du temps et de l'espace ? » Il avait quitté l'Amérique trois jours plus tôt : le décalage horaire jouait encore. Et l'erreur d'appréciation qu'on commet souvent sur les latitudes : on conçoit mal que Nice soit sur le parallèle d'Ottawa, Atlanta sur celui de Tripoli. Sans compter cette extraction hors du temps que les moines semblaient pratiquer avec tant de naturel.

— C'est pourtant simple. Les jeunes hommes qui ont pris le risque qu'on prend ici courent une aventure à laquelle je ne puis plus avoir part. Ils sont comme des pilotes de chasse et moi comme un rampant, bon à huiler les moteurs. Alors j'huile. Ils ont besoin de professeurs, voyez-vous, et quand je ne récure pas les chaudrons ou que je ne nettoie pas les clapiers, je leur enseigne l'histoire de l'Église. C'est passionnant, surtout le schisme d'Orient. J'apprends des choses.

— Tes pilotes sont bien prétentieux. Tout le monde vient dans un monastère pour s'y réfugier.

— Mon pauvre cher Joël, vous dites des sottises. Pour moi, oui, le monastère semble être un refuge, encore que cela ne soit pas vrai : simplement j'ai découvert un peu tard le genre de vie pour lequel j'étais né. Si je me vexais facilement, j'en souffrirais : c'est chagrinant de rencontrer sa vocation quand on ne peut plus la suivre que clopin-clopant. Enfin, mettons : j'arrive ici les mains vides et après une succession d'échecs. Mais les autres... Devant qui voulez-vous qu'ils fuient, ces gaillards qui auraient pu être soldats, ingénieurs, agriculteurs, médecins, pères de famille, ou même, pourquoi pas, agents de l'administration des postes ?

— Et qu'est-ce qu'ils font, tes gaillards ?

— Ils prient.

— Eh bien ! Tu ne pries pas, toi ?

— Très peu, Joël, et très mal. Je n'ai plus le souffle. Je ne sais si vous imaginez ce qu'est cette vigile permanente, cet allégement têtu. Vous savez, l'entraînement du boxeur ou du coureur de fond, comparé à celui du bénédictin...

— Quel profit... ?

— Le boxeur aime boxer, le moine aime prier. Il y a, bien sûr, des moments de lassitude, de sécheresse, même de rébellion, mais on se raccroche à la Règle comme la danseuse à la barre.

Joël s'étendit dans l'herbe frisquette et posa la tête contre la pierre sur laquelle son père était assis. Il aimait cette surface dure, rugueuse, contre quoi son épaisse chevelure le protégeait à peine, et il aimait sentir près de sa joue un pan de la robe paternelle.

— Tout de même, tu dois être malheureux ici.

— Malheureux ? Pourquoi ?

— Il n'y a rien, il n'y a pas de vie. Je parie qu'ils ne te laissent pas conduire une voiture. Tu aimais tellement ça.

— Mon pauvre, je n'ai pas touché un volant depuis que mon professeur est reparti pour les États-Unis. Mais vous vous trompez : égoïstement, je ne me suis jamais trouvé aussi bien, et d'abord parce que, vous le savez peut-être, un moine ne possède rien. Saint Benoît insiste beaucoup là-dessus : « Il ne leur est pas permis d'avoir en leur propre vouloir ni leurs corps ni leur volonté. » Alors vous imaginez : pas un livre, pas un caleçon. Tout est prêté. Ce qui me fait penser que je dois vous remettre mon manuscrit sur les armes à enquerre pour n'avoir vraiment plus rien qui soit à moi.

— Tu ne l'as jamais fait paraître ? C'était l'œuvre de ta vie !

— De ce que je me figurais être ma vie, Joël. La vraie vie est ici, et quand on a commencé à se dépouiller, cela devient un sport : on se réjouit de perdre toujours plus. On se sent si léger, si volatil, quand on a jeté son lest. Pour moi, j'ai pu mettre bon ordre à un malentendu qui durait depuis des générations. Figurez-vous qu'au cours d'une confession j'ai soudain pris conscience que les biens que notre famille a pu posséder pendant des siècles m'attachaient encore au monde. Grotesque, quoi ? Comme ces amputés qui sentent des rhumatismes dans leur jambe perdue, j'avais encore mal à Foncrest, aux chevaux de mon grand-père... Maintenant, c'est fini : j'ai berné les sans-culottes ; ils ne m'ont rien pris, c'est moi qui ai tout donné, même ce que je ne possédais pas. Et puis il y a une chose délectable ici — cela vous paraîtra paradoxal —, c'est qu'il n'y a pas, qu'il ne peut y avoir de curés. Je veux dire que, dans un monastère, on ne trouve pas l'esprit cureton, l'esprit tala, cette onction, cette tartuferie. Vous avez remarqué combien de prêtres séculiers ont l'air de faux jetons ? Ce n'est pas leur faute. Jésus-Christ leur a commandé d'être doux comme des colombes et rusés comme des serpents. Alors ils penchent la tête de côté et ils susurrent en se massant les mains l'une dans l'autre. Cela vient de ce qu'ils vivent dans le monde. Qui dit curé, dit compromission, et c'est bien ainsi : ils prennent des âmes avec leur miel. Mais qui dit moine, dit absolu : les yeux regardent droit et la bouche parle vrai, quand elle parle, parce qu'il n'y a jamais qu'une raison de mentir : la crainte, et que la crainte, c'est toujours celle de perdre quelque chose ; or, ne possédant rien, le moine ne peut rien perdre. J'en reviens à ce que je vous disais tout à l'heure : nous participons à des offices sept fois par jour, nous ne mangeons pas de viande, nous parlons le moins possible (sauf moi en ce moment), nous nous accusons de nos fautes au chapitre des coulpes (sans parler des confessions), nous nous fustigeons le vendredi, nous dormons six heures, nous ne sortons presque jamais des lieux conventuels, et nous nous sentons superbement libres.

— Papa, ce n'est pas pour être libre que tu es venu te cloîtrer.

Une brise montante s'échappa de la vallée et vint rafraîchir les joues de Joël. Il eut froid et se rapprocha de son père. Maintenant sa pommette reposait contre le rude scapulaire à travers lequel perçait la chaleur rassurante du corps. « Mon Dieu, pensa Joël, se sachant absurde, fais que cet homme ne meure jamais ! »

— Je suis venu ici presque par hasard, comme un vulgaire gyrovague, dit le moine. Je suis resté parce que j'ai senti que j'étais arrivé chez moi. Ils m'ont gardé parce qu'ils sont très indulgents. Vous savez ce qui règne ici ? C'est la paix. Et la paix, a dit saint Augustin — que je n'aime pas tellement : il y a du notaire en lui — « la paix, c'est la tranquillité de l'ordre ». Eh bien ici, c'est l'ordre, un ordre imprescriptible qui se fonde sur une disposition particulièrement sympathique : « Honorer tous les hommes. » C'est, paraît-il, déjà dans l'Ancien Testament. Mais ce qui est dans le Nouveau, c'est : « Prévenez-vous d'amour mutuel. » Joli, quoi ? C'est ce que nous essayons de faire, mais attention : honorer tous les hommes ne signifie pas les honorer tous également. Que dites-vous de ceci : « Lorsqu'un supérieur passe, l'inférieur se lèvera et lui donnera place pour s'asseoir. Et le plus jeune ne se permettra pas de s'asseoir avec lui, à moins que son ancien ne le lui permette. » Or, « un moine arrivé à la première heure est reconnu pour supérieur d'un moine arrivé à la deuxième ». Dans une procession, les plus anciens marchent devant ; dans un cortège, c'est le contraire ; tout le monde connaît sa place sans le moindre risque d'erreur, sans la moindre chicanerie. Vous comprenez que, dans un monde pareil, je respire et je prospère, d'autant plus que je suis l'inférieur de tous. Être le dernier, c'est une telle chance donnée à l'humilité ! Et il faut les saisir, celles-là, d'autant plus qu'on est moins doué.

« En outre, ici, c'est la monarchie : de droit divin, bien sûr, puisqu'on ne s'occupe pas d'autre chose que du divin. Fondée sur la Règle, c'est-à-dire sur les lois fondamentales du Royaume, et sur l'accord unanime des sujets. Si on n'est pas content, pas content jusqu'à violer ses vœux, on peut partir. Mais cela n'arrive pas : nous aimons notre roi, et il y a dans l'architecture même de son royaume une harmonie communicative. Un jour, en Bourgogne, j'ai vu un manège. Vingt-quatre arceaux soutenaient le toit ; ils se rencontraient au centre, où un pendentif sculpté servait de clef de voûte. Il avait sûrement fallu des échafaudages pour obtenir cet effet, mais ensuite on les avait enlevés, et l'ensemble tenait uniquement par la poussée contraire des arceaux qui maintenaient en place ce pendentif, qu'on aurait pu croire ornemental. Otez-le : tout s'effondre. C'est l'image la plus parlante que je puisse vous donner de la royauté sous laquelle nous vivons ici.

— Elle n'est pas héréditaire.

— Et pour cause, Joël, et pour cause. Le prieur est élu. Pas avec des bulletins de vote : avec des haricots blancs et noirs. Élu par ses moines, qui le connaissent depuis des années, élu sans campagne électorale, avec gravité et pour toute la vie. A partir de ce moment, il règne, au nom du Christ, sur un monde qui vit presque en autarcie, comme au Moyen Age. Évidemment, le père cellérier est obligé de maintenir quelques contacts avec le dehors...

— Et quand un moine a une rage de dents, vous le laissez évader pour une heure ou deux. Ils doivent prier pour avoir des caries.

— Nous préférons inviter un ami dentiste à venir travailler sur place. Il n'est pas bon pour les moines de trop quitter la clôture.

— Parce qu'ils voient la vraie vie couler douce sans eux ?

— Parce qu'ils se laissent distraire, et que les choses vraiment difficiles ne tolèrent pas la distraction. Vous avez fait du tir ? Du piano ? Vous savez ce dont je parle.

Joël changea de position, pour être encore plus collé à son père et, en même temps, encore plus enfoncé dans l'herbe. Sa main gratta, et trouva la terre grumeleuse. Une sourde lumière naissait à l'horizon, se répandant lentement dans le ciel de nuit, comme une huile d'un jaune presque vert.

— Alors, papa, tu vas finir tes jours en récurant des chaudrons ? Puisque tu ne peux plus apprendre à prier.

— Oh ! mais j'apprends. Ce n'est pas parce qu'on ne fait pas de concours hippiques qu'il est interdit de monter à cheval. Le champ de la prière est vaste : il y a place pour les champions, les professionnels et les amateurs. Et n'oubliez pas que je n'ai jamais été aussi heureux.

« Cela ne signifie pas que je n'aie pas de remords. J'ai fait du mal à cette jeune femme, et Dieu sait si je m'en repens. Je lui ai fait du mal de toutes les manières possibles. La pire, peut-être, c'est d'avoir déposé de la rancune dans son âme, une rancune juste. Mais j'espère qu'elle finira par guérir et, pour moi, rien n'aurait pu valoir ce monde viable qui tient par le consentement et la royauté.

— Tu me répugnes, dit doucement Joël. Sans même parler d'Omphale — après tout, tu es son mari : deux mariages annulés par relations en cour de Rome, ce n'est pas sérieux — il y a Fred. Tu répands des gosses un peu partout et puis tu vas te fourrer la tête dans un monastère pour ne pas voir ça. C'est trop facile.

Après un silence :

— Il y a du vrai dans ce que vous dites, reconnut le moine. Cependant, la seconde annulation est une conséquence logique de la première. Le dominicain qui était l'avocat de Mme Foncrest a fait admettre que j'étais inapte au mariage, non pas physiquement mais moralement, et cela ne doit pas être faux. C'est d'ailleurs pour cela que je ne serai sans doute jamais profès : ils veulent des hommes entiers.

La vieille panique traversa de nouveau Joël. Il cria :

— Tu n'es pas mon père ?

Et puis, adoptant cet homme, du fond de l'âme :

— Tu es mon père tout de même !

La main du moine se posa sur la tête de Joël, et ses doigts la caressèrent, écartant les mèches, pénétrant jusqu'à la peau sensible du crâne, l'effleurant de leurs ongles ébréchés.

— Je suis votre père, Joël. Ce n'est pas de cette manière-là que je ne suis pas entier. Je ne sais pas si vous vous en êtes déjà aperçu, mais les destins ont une forme, et c'est dans leur forme qu'est leur signification. La forme de mon destin à moi, c'est, le dominicain a raison, une inaptitude. L'inaptitude est une autre forme d'aptitude. Il faut des aptes et des inaptes comme il faut des vainqueurs et des vaincus et, dans les deux partis, des survivants et des morts, sans compter les blessés, qui sónt intermédiaires. Si l'on naît parmi les inaptes, ce n'est pas une raison pour se vexer. Il convient simplement de chercher à faire servir son inaptitude. Je ne veux pas dire : compenser par une aptitude, devenir organiste si on est aveugle, mais, organiste ou pas, trouver dans la cécité une grâce par le non, symétrique des grâces par le oui. Nous recevons tant de grâces par le oui ! C'est bien le moins qu'il y en ait quelques-unes par le non, pour faire contrepoids. Comment l'inaptitude peut-elle servir ? En louant Dieu. En disant merci. « Merci de m'avoir facilité l'humilité. » Le service est eucharistique par essence.

« J'ai fait la guerre, et je n'ai pas encore oublié un certain visage. Que je ne l'aie pas oublié, cela signifie quoi ? Que je n'aurais pas dû tuer cet homme ? Non. C'est horrible à dire : j'ai bien fait. Je n'ai pas de doute à ce sujet. Ou du moins un autre aurait bien fait à ma place. Moi, je me suis forcé — attendez, cela n'est pas entièrement vrai non plus — et j'ai bien fait de me forcer, ou plutôt j'aurais mal fait en ne me forçant pas. C'était un étranger qui marchait sur notre terre sans invitation. La forme de son destin voulait qu'il mourût, mais en le tuant je suis sorti de la forme du mien (ce qui n'est pas une faute en soi : vous connaissez ces gravures ou ces cartes où l'on voit la pointe d'une lance ou la Terre de Feu déborder dans la marge). Et quand je vous dis que je me forçais, ce n'est pas exact : c'est mon destin que je forçais, pas ma nature. Lorsque j'ai vu leur char commencer à brûler, cette fierté, cette joie ! Et quand je les ai vus sortir comme des vers de terre, par leur trou d'homme et, après avoir rampé sur quelques mètres, se relever et se mettre à courir ! J'avais appris à tirer : cela servirait enfin à quelque chose. Il y en avait trois et — comprenez cela, Joël — s'ils avaient couru vers nous, les bras levés, je n'aurais pas tiré, mais quelle déception ! C'est avec soulagement que je les ai vus partir dans le sens contraire. Alors, à la mitrailleuse, vous imaginez. Je suis allé voir l'un des trois, celui qui était tombé le plus près :

nous étions pressés. Pourquoi y suis-je allé ? Par compassion ou comme on va aux résultats ? Les deux peut-être ? Il était tombé sur la face. Je l'ai retourné. Il avait très peu saigné. Il était plus jeune que moi. Une expression à la fois ouverte et butée. Bon soldat, je parie. Maintenant, une fois mon tir réussi, j'aurais tant souhaité qu'il ne fût pas mort. Ces yeux ouverts, non pas transpercés d'horreur, comme beaucoup, mais concentrés, solidifiés, pris par la glace... J'ai voulu tâter son cœur : c'était mon frère. De son col, une croix s'est échappée. Pas une médaille, une croix. Avec plusieurs barres : une croix de Lorraine, avec, en outre, une traverse en biais. Je l'ai regardé. Il était beau. Je sentais — c'est monstrueux — que j'aurais préféré, non pas du tout, comprenez-moi bien, qu'il en ait réchappé, mais être lui. Vous voyez comme c'est tordu, comme la faille va loin. Moi, militaire (c'était déjà cocasse) ; moi, répugnant à tuer (coupable, pour un militaire) ; moi, désirant faire un bon tir, quitte à tuer (incohérent) ; moi, ravi d'avoir atteint ma cible et pleurant dessus ; moi, remontant dans mon char et — j'avais ce qu'on appelle de la chance — détruisant un autre char le même jour : ceux-là ont explosé avec leur tourelle. On va, comme ça, indéfiniment, et la faille est toujours là, dans les chairs, les cellules, les molécules, les atomes. Congénitale. Tout ce qui m'arrive d'heureux, je le convertis en décombres. C'est contagieux, le délabrement, et je suis le fils du délabrement.

— Un peu de complaisance, papa ?

— Un peu de lucidité. En revanche, ici, j'ai le sentiment que ma contagion n'opère pas. Ce qui se passe ici, ça ne précède pas mon délabrement mais mon édification. Des fils de saint Benoît suivaient la Règle que je suis cinq ou six siècles avant que le premier Foncrest n'ait fait parler de lui. Alors, comparées à leur survivance, notre ascension et notre catastrophe...

— La même règle, tu dis ?

— Sans un changement. Depuis le VIe siècle.

— Sans un changement ?

— Infimes. Vous avez peut-être remarqué : le père prieur ne vous a pas lavé les pieds, ni aux autres hôtes, mais c'était pour ne pas vous embarrasser. J'en reviens à cette notion de forme du destin. J'ai eu deux femmes ; avec chacune de ces femmes, un fils ; ces deux femmes se trouvent maintenant en Amérique, n'ayant pu me supporter. Pourquoi l'Amérique ?

« J'ai eu l'occasion, ici, de beaucoup repenser à ma vie, parce que je cherchais ce qui avait dû y déplaire à Dieu et ce qui, par extraordinaire, avait pu lui plaire. Ma faille, je la connaissais déjà, mais je commettais l'erreur de l'attribuer à l'histoire. Je me disais : je suis né dans une de ces familles qui sont l'histoire d'un pays encore plus qu'elles ne la font. Et c'est vrai : nous appartenons, nous autres, au tissu de l'histoire, à sa chaîne et à sa trame. Par l'action d'abord ; ensuite par le souvenir. Seulement, en réalité, il n'y a pas d'autre histoire que l'histoire organique de chaque être. Chacun prend le relais à son étape. Je suis tel que je suis à cause de ce qui m'a précédé, mais je suis responsable de moi tel que je suis et non pas tel que j'aurais pu être si j'étais né dans d'autres circonstances. Avant de me reconnaître homme, je me reconnais tel homme : c'est le point de départ. Ce que j'ai découvert ici, c'est que je suis responsable de ma faille héréditaire, comme le lapin est responsable de sa lapinerie et l'éléphant de son éléphantisme. Cette faille peut me venir d'ailleurs, mais elle est à moi, elle est moi.

« D'une certaine manière je n'aurai jamais rien été pleinement, sauf celui qui n'est jamais rien pleinement, et il n'y a qu'une façon d'être cela dans l'Eucharistie : témoigner de ce que l'on n'est pas. J'ai fait des études à moitié, je n'ai été un gentilhomme qu'à moitié — l'aveu m'en coûte, mais on ne l'est pas tout à fait quand on ne vit pas noblement. Je me suis trompé de prince, j'ai fait la guerre en amateur, je me suis marié gauchement — ou plutôt j'ai cru me marier, car si mes mariages ont été annulés par l'Église, c'est qu'ils étaient des illusions —, je me suis arrangé pour avoir deux fils sans jamais leur servir de père. Il y a là encore une belle leçon d'humilité, Joël : moi, qui n'ai que la paternité à la bouche, je n'ai pas été un père pour vous, et quant au pauvre Fred, pourquoi vous mentirais-je, j'avais du mal à le supporter. Omphale, la pauvre petite, ne devait pas le baigner assez souvent, moi, j'étais bien incapable de pouponner, et puis quand il a déchiré *le Parfait Capitaine* d'Henry de Rohan, une édition de 1638, et qu'il en a mangé une partie, mangé, le petit malheureux !... Les enfants, vous savez, ça s'élève, et, en théorie, je serais plutôt partisan de la manière forte, mais je n'ai jamais été capable d'appliquer une claque sur son pauvre petit derrière rose. Je m'indignais même quand Omphale... Enfin, le fiasco. A travers cela, malgré tout, le témoignage. J'ai compris une chose, Joël : pour le passé, il n'y a pas d'autre refuge que l'éternité.

— Tu es mon père, dit fermement Joël, la tête enfouie dans la bure paternelle, suffoquant de douleur à l'idée qu'il ne donnerait jamais de descendant à cet homme et que, par conséquent, en tant que fils, il le trahissait.

La lune émergeait en majesté. Ronde, jaune, immense, un peu sanguinolente, avec un conifère noir détaché contre elle, comme gravé. Elle s'éleva dans le ciel, montgolfière chaude, jaune d'œuf en suspension. La terre miroitait : une feuille d'olivier dans l'effondrement de la vallée, une vitre dans le promontoire du chantier, un enjoliveur de voiture sur le terre-plein.

— Une nuit, j'ai fait un rêve, reprit le moine. Vous connaissez ces calvaires qui parsèment les routes de France ? A certaines époques, il y en avait à tous les carrefours. Et d'autres sur les talus, dans les clairières, au coin des haies. On parle des bretons, mais il y en avait dans toutes les provinces. Certains bien laids, il faut l'avouer, bien sentimentaux, enduits de je ne sais quelle peinture qui brillait comme de l'aluminium, et avec des sacrés-cœurs rayonnants de fer-blanc et des couronnes d'épines en quincaillerie et des torsions et des déhanchements. Il y en avait de beaux aussi, simples, bénissant de leur présence les champs, les routes, les voyageurs, les travailleurs, peut-être même les brigands de grand chemin. On se découvrait en passant ; les dévots faisaient le signe de la croix. Il était difficile d'ignorer, pour peu que l'on fît quelques pas, qu'on était en terre chrétienne.

« A présent, les calvaires sont abandonnés : les pierres s'effritent, les fers se rouillent, se tordent, les ronces s'y mettent, et le lierre. Et les enfants qui rentrent de l'école ne savent plus qui est ce monsieur nu qui souffre sur son gibet. Eh bien, dans mon rêve, tous les calvaires, de quelque époque qu'ils fussent, se retrouvaient intacts, comme au premier jour : les plantes grimpantes dépouillées, la rouille décapée, les gloires redres-

sées, les piédestaux maçonnés à neuf. Les christs romans et les
saints-sulpiciens, les austères et les peinturlurés de rose, ils
étaient tous là, à l'honneur, barbus et jeunes, sur leurs potences
luisantes, vénérables. La France était redevenue ma France. Je
ne sais pas si les cathédrales étaient de nouveau pleines, le rêve
ne le disait pas, mais les calvaires avaient retrouvé leur place et
leur fraîcheur. Il en poussait de tous les côtés. Il y en avait
même quelques modernes, avec des ronds pour les têtes et des
bâtonnets pour les membres : disgracieux, disgraciés, émou-
vants malgré tout, bien intentionnés. Les voitures qui passaient
devant ralentissaient, les communistes tendaient le poing — on
ne savait pas si c'était menace ou salut — et les mères expli-
quaient aux enfants pourquoi le monsieur souffrait.

« Et soudain — mais cela, je ne sais plus si je l'ai rêvé ou si je
l'ai inventé au réveil — tous ces christs s'arrachaient de leur
croix ! Tous les christs de France, ceux de bois, et ceux de gra-
nit, et ceux de marbre, et ceux de fonte, et ceux de bronze, les
grands, les petits, les admirables, les dérisoires, ils décollaient
tous dans la position du nageur, dans la position de l'oiseau, et
puis, obliquant dans l'air, ils s'envolaient à travers le vaste
monde, brassant l'air, fendant l'espace, face au soleil levant. Ils
avaient rendez-vous, Joël ; ils avaient rendez-vous sur le Golgotha.

— Sur le Golgotha ?

— Sur celui de la Jérusalem céleste.

Alors Joël, se reculant, regarda enfin le visage de son père,
rendu méconnaissable par le clair de lune, avec des dents lumi-
nescentes entre les lèvres noires.

Une cloche mate sonna quelque part dans la masse du
monastère. Le moine se leva. Joël aussi, avec des fourmis partout. Il demanda :

— Qui est Dieu ?

Le moine fit deux pas sur le terre-plein. Il esquissa un geste
d'ignorance enchantée.

— Celui sans qui tout serait jeu ou corvée.

— Oui. Mais je veux dire... *qui* est-il ?

— Il est le Père, dit le père.

— N'est-il pas aussi le Fils, dit le fils.

D'une seule voix ils conclurent, Foncrest dressant haut son index pédagogique :

— Et le Saint-Esprit.

Sur quoi ils éclatèrent de rire, d'un grand rire heureux qui résonna à travers le paysage, s'engouffra dans la vallée, roula jusqu'aux contreforts de la montagne et fit peur à une chouette embusquée dans un chêne vert. Elle s'envola en battant lourdement des ailes.

XX

De retour aux États-Unis, Joël prit le même emploi, agrémenté d'une augmentation, dans une autre compagnie : l'interrègne lui appartiendrait et le changement ferait croître son prestige professionnel. Sorti *magna cum laude* d'une excellente université, régulièrement sollicité par divers employeurs, dont les uns cherchaient à le suborner, les autres à ne pas le perdre, il était en passe de faire une carrière imposante. D'ailleurs, il en imposait naturellement, avec son grand visage en forme de lanterne et le calme dont il faisait preuve en toute circonstance, n'étalant ni ne dissimulant ses relations dans le *jet set* (Phillip, qui souhaitait qu'ils redevinssent amis, avait fait des excuses, et Joël s'était laissé amadouer), travaillant beaucoup mais pas comme un tâcheron, ayant le coup d'œil, sachant se rendre irremplaçable et donner l'impression qu'il avait beaucoup d'expérience (et d'argent) derrière lui. Sa langueur, tout en indisposant, donnait confiance : il semblait si peu pressé qu'on devinait qu'il irait loin. Un seul défaut : à près de trente ans, il n'était pas marié : cela donnait des soupçons sur ses mœurs, mais les mœurs ont perdu de leur importance, même dans le Sud des États-Unis.

A bord d'une grosse paléo-Oldsmobile qui aurait sapé la réputation de tout autre que lui mais qu'il trouvait confortable pour les grandes distances, il voyagea sans hâte, essuyant sur son pare-brise la rosée abondante du matin, profitant du soleil juvénile entre les pins, de la chaussée encore fumante et point encombrée, s'arrêtant tôt dans l'après-midi dans quelque motel choisi modeste, pour qu'on ne lui fît pas de misères à cause d'Oats. Avec un plaisir toujours égal, il faisait boire Oats dressée sur ses deux pattes de derrière sur une chaise placée devant le lavabo, allait chercher de la glace à la machine, tirait un jus de fruit du coffre de matière plastique qu'il transportait avec lui, et, l'ayant glacé, le sirotait en regardant distraitement la télévision et en grattant attentivement les oreilles d'Oats. Oats aussi regardait la télévision ; elle jappait quand il y avait des coups de feu, ce qui arrivait souvent. Vers cinq heures, Joël allait chercher de la nourriture pour chien dans quelque supérette et donnait à manger à son amie dans le bac à glace du motel ; puis il dînait d'un steak haché dans quelque gargote où tout semblait être en matière plastique, sauf le steak. Quelquefois, il achetait pour Oats et lui une demi-douzaine de tronçons de poulet frit qu'ils partageaient en regardant encore la télévision. Il se couchait vers neuf ou dix heures, et Mlle Cocker se lovait dans le lit près de lui ; ses oreilles mordorées s'étalant sur l'oreiller produisaient le plus bel effet, et sa truffe convenablement humide rafraîchissait de temps en temps la joue de Joël dans son sommeil.

Oui, pensait-il, en reprenant la route à l'aurore, les chapelles romanes, c'est beau, mais rien n'égale la poésie fortuite et picaresque d'une autoroute enjambant une route d'intérêt local pour faire naître à ce croisement improvisé quatre stations-service, trois motels, deux supérettes et un magasin de souvenirs, éclairés de jour comme de nuit, îlots d'humanité au milieu d'un paysage interchangeable repoussé de quelques centaines de pieds : forêt, marécage, plaine à blé, steppe, désert ou toundra. C'était encore la marche vers l'ouest, c'était encore l'exploration du monde au sortir d'Eden ; c'était la vie de l'homme, excroissance imprévisible de la nature et de la mort.

Sept ans plus tôt, Joël avait découvert son histoire : la France ; maintenant il découvrait sa géographie : l'Amérique — c'est-à-dire l'Ouest, car les États de l'Est sont à moitié européens. Il la découvrait avec une tendresse émerveillée. Il rit tout seul lorsqu'il vit une pancarte faisant de la réclame pour le prochain drugstore : distance deux cents miles. « Qu'est-ce que vous dites de ça, Oats ? » A mesure que le couchant approchait, Joël respirait plus largement ; il se sentait une âme temporaire de pionnier ; Adam aussi, chassé de Mésopotamie, a marché vers l'ouest.

Joël aima les Alabamais de n'être pas Georgiens, et la Louisiane de le changer de l'Alabama. Ayant traversé le Mississippi rouille et chocolat, il eut le sentiment d'avoir changé de continent. Ce total prodigieux de paysages contradictoires l'époustouflait. Il roulait depuis des jours et se figurait sans cesse être au centre exact de cet immense pays, comme si le centre pouvait se déplacer avec lui. Ce glissement permanent des coordonnées lui donnait une vertigineuse sensation d'infini. « Et demain aussi, et après-demain, je serai au centre. Le centre m'accompagne comme la colonne de feu de la Genèse. » Toute sa vie, il avait entendu des originaires du Texas, du Nevada, du Nouveau-Mexique se vanter : « Je viens de là-bas, du pays du bon Dieu. » Il se disait : « Le pays du bon Dieu, c'est partout, et je suis au centre. »

Il roulait sans ennui, prenant avec la placidité qui convient les majestueux virages de l'autoroute et méditant : « Le Fils règne sur le temps, l'Esprit sur l'espace et le Père sur le tout. » Des pensées baroques lui faisaient venir les larmes aux yeux : « Mourir pour son pays, ce n'est pas mourir », comme si on lui avait demandé de sacrifier sa vie aux États-Unis d'Amérique, ou qu'il se fût senti le moins du monde belliqueux.

Cette terre avec ses montagnes géantes, ses vallées affaissées au-dessous du niveau de la mer, ses forêts de séquoias d'un diamètre tel qu'on fore des routes à travers leur tronc, ses chutes d'eau d'un demi-mile de haut, ses canyons où l'on circule en avion, son Pacifique qui gronde d'un côté, son Golfe qui stagne de l'autre, ses cyclones qui soulèvent les voitures, déracinent les maisons, ses tremblements de terre récurrents, ses températures extrêmes, tout cet entassement hétéroclite de choses créées lui apparaissait comme l'empreinte immédiate du sceau de Dieu. Ici, tout ce que l'homme avait apporté paraissait incongru, presque risible, malgré le gigantisme des usines et des autoroutes ; en France, au contraire, la transmutation du créé par l'homme était bien plus avancée : les paysages eux-

mêmes ne semblaient exister que pour servir d'écrins aux chapelles romanes. Ce pays-ci contenait dix-sept France, mais l'histoire de France contenait dix fois l'histoire de ce pays. « Ici, nous
sommes plus proches de l'Éden ; là-bas, ils approcheraient déjà
de la Jérusalem céleste, s'ils n'avaient pas fait fausse route. »
Exaltation profonde, entretenue par des haltes régulières dans
les stations-service : les marques d'essence étaient toujours les
mêmes, mais l'accent du pompiste changeait à chaque étape.

Joël avait aimé les bayous croupissants de la Louisiane ; il
aima les derricks puants du Texas, les plateaux cailllouteux et les
vallées luxuriantes du Nouveau-Mexique, les déserts de l'Ari-
zona et du Nevada, étendues interminables, papillotantes, hérissées de quelques cactus diaboliques et bouffons. Il fit un détour
par la forêt pétrifiée, mais s'interdit d'y dérober la moindre
écharde d'agate ; il alla perdre quelques dollars à Las Vegas, et
fut fasciné par les hordes de vieilles dames passant de féroces
journées devant les machines à sous à attendre le ruissellement
sonore qui les transformerait en autant de Danaé ; mais il reprit
la route dès que l'informaticien en lui eut été tenté d'inventer
une martingale.

Quand il eut atteint le panneau « La Californie vous souhaite
la bienvenue », il ralentit encore son allure. Il n'était pas pressé
d'accomplir la mission que son père, béatement ignorant des
distances américaines, lui avait confiée. Il s'en serait acquitté
plus facilement en avion, mais il avait préféré les lenteurs du
pèlerinage, à cinquante-cinq miles à l'heure.

La maison, invisible de la route, était ensevelie dans un fouil-
lis de plantes tropicales. Rien à voir avec les pelouses léchées des
résidences voisines. On prenait une allée à peine reconnaissable
et, après un ou deux tournants dans la jungle, on débouchait
devant une vieille baraque gauchie, flanquée d'une piscine où
flottaient pétales et moucherons entremêlés. Devant la véranda
bancale s'étendait ce qui restait de la pelouse qui avait fait la
fierté des anciens propriétaires : personne ne l'avait tondue
depuis deux ou trois étés, et les pissenlits rêches y croissaient
entre les herbes dites bleues du Kentucky.

Joël descendit de voiture. Les odeurs l'étourdirent. Tant de
fleurs entêtantes, multicolores, dont il ne connaissait pas les

noms. Trop. Et l'océan, le grand, le Pacifique, invisible, mais élargissant le ciel, multipliant tout par sa présence. En contrebas, tout à l'heure, Joël avait aperçu cette Jéricho d'eau salée qui s'effondrait sans cesse pour se reconstruire sans arrêt et pour s'effondrer encore et encore.

Omphale bondit hors de la maison. Corsage blanc, les pointes nouées sous les seins, le nombril jouant à cache-cache, formes opulentes enserrées par le blue-jean, l'ensemble souple, monté sur ressorts. Elle se jeta dans les bras de Joël. Les grands yeux gris rayonnaient d'un éclat fêlé.

— Joël !

Il la serra contre lui.

— Tu prononces Joël avec l'accent du Middle West.

— Ne sois pas désagréable.

Elle s'arracha à lui, lui saisit la main, le traîna devant une plate-bande :

— Ici, j'ai essayé des pensées de France. Je les ai passées en fraude à la douane. Elles refusent de pousser, ces idiotes.

Elle le tirait de côté et d'autre.

— Cette brindille, c'est mon séquoia. Un jour, il sera si grand que nous transporterons la maison dans ses branches.

— Dans deux cents ans ?

Elle lui mordit la main, méchamment.

— Tu es venu pour me dire des choses déplaisantes ? Je pressentais.

— Je suis venu avec une amie, dit Joël.

Les yeux gris foncèrent d'un coup.

— Naturellement elle est la bienvenue.

Il ouvrit la portière de la vieille Oldsmobile.

— Venez dire bonjour, Oats.

— Où est-elle, ta copine ?

— Je n'ai pas d'autre copine qu'Oats.

La chienne, sémillante, minaudait.

— Pourquoi Oats ?

— Parce qu'elle se nourrit essentiellement de flocons d'avoine. Cocker Oats, jeu de mots, tu vois ? (Omphale refusait de voir.) Elle a un de ces pedigrees ! Elle doit être beaucoup plus noble que toi, ma vieille.

Omphale, dédaignant de rire, s'arrêta sur le perron de bois à moitié pourri.

— Comment est-il ? Tu me diras ça plus tard. Je l'aime toujours. J'espère que tu n'en doutes pas.

Ses cheveux étaient coupés court. Elle secouait la tête pour défier on ne savait qui.

A l'intérieur, il faisait si froid que Joël prit conscience de la chaleur qui régnait dehors. Les stores étaient baissés, les rideaux tirés : un mastaba.

— J'ai fait ajouter deux climatiseurs, dit Omphale.

— Vous autres Françaises, quand vous découvrez l'Amérique !... Ma mère, c'était les téléviseurs.

Elle l'interrompit.

— Où est Fred ? Fred !

Elle ressortit. Un dièdre de lumière blanche aveugla Joël.

— Fred ! Viens ici immédiatement !

Joël suivit Omphale sur le perron. Les jambes écartées, les poings sur ses hanches généreuses, elle vociférait :

— Fred ! Tu veux la fffessée ?

La jungle demeurait silencieuse et impénétrable. Des papillons cyclopéens suçaient des pistils titanesques.

— Fred !!

Le ton montait. Omphale se retourna vers Joël. Elle avait pris de l'embonpoint, mais ses mouvements étaient nerveux.

— Je ne supporte pas, dit-elle, l'insubordination.

Elle s'adressa de nouveau aux lianes et aux bananiers.

— Fred, si tu n'arrives pas immédiatement, je te mets dans un paquet, je te scotche, je te ficelle et je t'envoie poste restante.

Matoise, elle glissa à Joël :

— Tu verras, ça marche. Je ne sais pas pourquoi, « poste restante » le terrorise.

— Au moins, tu lui parles français, dit Joël.

Des rameaux craquèrent, des feuilles géantes bougèrent, une tête se montra et un petit garçon sortit du taillis à quatre pattes. Il était vêtu d'une tenue camouflée et portait un de ces légers fusils de matière plastique qui font tac tac tac, mais ne tirent pas pour de vrai.

— Viens dire bonjour à ton oncle. Et cesse donc de te traîner par terre. Tu n'es pas un macaque. Enfin, pas tout à fait.

L'enfant traversa la pelouse sauvage sans se hâter ni renoncer à la quadrupédie.

— Je ne supporte pas, dit Omphale, les enfants américains qui ne disent bonjour à personne. A quinze ans, c'est pareil. Ils s'amènent chez vous et filent droit au réfrigérateur. La petite sœur de Ward est comme ça. Allons, debout, toi.

L'enfant était arrivé au pied du perron. Sans changer de posture, il dévisagea Joël avec attention. Fred ressemblait-il à son père ? A sa mère ? Joël n'avait jamais cru aux ressemblances.

— Tu as un beau fusil, dit-il gravement, en français.

— C'est un M 16, répondit l'enfant en américain.

Il ajouta, se forçant à l'honnêteté :

— Il ne tue pas.

Joël changea de langue :

— Qui voudrais-tu tuer ?

Il n'y eut pas de réponse.

Joël s'accroupit pour se rapprocher du tueur en herbe.

— Ce n'est pas gentil de tuer les gens.

L'enfant le regarda dans les yeux et ne répondit rien.

— Rentre, Fred, dit Omphale. Va regarder la télévision.

Fred se hissa à quatre pattes sur le perron et disparut dans la maison, toujours à ras du sol. Soumis et méprisant.

— Le pied me démange, dit Omphale en guignant le serpentement de l'arrière-train.

Ils rentrèrent à leur tour. La salle de séjour était vaste.

— J'ai fait abattre trois cloisons : il n'y a plus que ce bazar et notre chambre et la cuisine.

— Où couche Fred ?

— Au grenier.

Le « bazar » était meublé à la diable, avec un vieux réfrigérateur, des sofas de matière plastique expansée drapés de couvertures tissées par les Indiens Navajos, des tables basses de Bénarès et des nattes d'osier. Un ventilateur horizontal tournait au plafond, comme dans *le Tigre du Bengale*.

Omphale proposa des boissons, se servit un *planter's punch* et s'assit en tailleur sur un coussin.

— Ward déteste tout ça. Il voudrait une maison qui ait l'air de l'étage des meubles chez Sears and Roebuck.

Joël berçait son jus d'ananas dans ses mains. Il observait, avec une curiosité modérée, cette jeune femme : techniquement, sa marâtre.

— Tu veux que je t'explique pourquoi je suis là ?

— Pas nécessaire. Tu es le bienvenu.

— Deux raisons. D'abord, sur sa demande. Il m'a dit textuellement : « Faites donc un saut pour voir si la pauvre petite n'a besoin de rien. »

— C'est charmant de sa part. Qu'est-ce qu'il a à m'offrir ? Ses prières ?

— Deuxième raison, je voudrais savoir.

— Ce qui n'a pas fonctionné ? C'est assez évident, non ?

— J'aimerais l'apprendre de toi, Omphale.

Elle avait allumé une cigarette. « Ward déteste que je fume. » Elle aspira beaucoup de fumée.

— Joël, il y a quelque chose de changé. Avant, tout le monde se croyait responsable de tout le monde. La société crampon. Efficace, mais... On devait salement s'embêter avec l'éleveur de cochons qui surveillait le charcutier pour que l'amateur de cochonnailles ne soit pas lésé. Cet enchaînement de galériens a résisté longtemps, surtout à l'intérieur des familles, et, dans une certaine mesure, il tient encore le coup. Ce qui est drôle, c'est que les parents secouent le joug mieux que les gosses : « Ma fille est majeure, blanche et vaccinée », le général disait ça. Mais nous autres, on se sent responsable de nos vieux à perpète. Les Américains, moins : ils te les fourrent dans des maisons où des gens qui ont vécu comme toi et moi crèvent à deux par piaule, sans argent de poche sous prétexte qu'on le leur volerait. Nous, on n'a pas encore adapté d'ascenseur à nos cocotiers. C'est dommage.

— C'est drôle : tu parles comme lui. Sauf que tu dis le contraire.

— Le mariage, mon cher, est une forme de contagion.

Elle écrasait son mégot dans un cendrier.

— Tu veux visiter la maison ? Ce sera bientôt fait.

La cuisine était en désordre.

— Trois jours que Ward n'a pas rangé, dit Omphale d'un ton de défi.

Dans un dégagement, une échelle de meunier.

— Tu veux voir le domaine de Fred ?

Le grenier, coincé sous le toit à faible pente, mal rafraîchi par les climatiseurs disposés en batterie au rez-de-chaussée, était impudemment voué au militarisme. Des mitraillettes, des fusils d'assaut, des pistolets, des bazookas de matière plastique étaient accrochés à des clous ; des chars de toute taille se disputaient le plancher ; l'espace sous le petit lit servait de garage aux jeeps et aux command-cars. Une vingtaine d'avions de combat pendaient à des ficelles. Sur une couverture bleue, plissée de vagues, des navires de guerre se livraient bataille ; sur une couverture verte, ondulée en thalwegs et en mamelons, une centaine de petits soldats verts dûment casqués se mitraillaient silencieusement.

— Ward lui rapporte un jouet tous les jours, dit Omphale.

— Que fait Ward ? demanda Joël qui, au milieu de la pièce, devait se tenir ployé pour ne pas heurter le plafond.

— Il n'en parle jamais. C'est le style « l'homme fort se tait », tu connais ?

— Tout de même.

— Je le soupçonne d'avoir « fait » le Chili, et Grenade, et je pense qu'il aimerait se faire le Nicaragua.

— Ah ! bon, dit Joël.

— Hé ! oui, dit Omphale.

On redescendit. Omphale :

— La chambre.

La pénombre régnait. Les fenêtres étaient voilées de plusieurs épaisseurs de rideaux, sans compter les stores à lamelles. Omphale dut allumer. « Elle est vraiment comme Mom, il faut qu'elle aveugle les ouvertures. » Un matelas plus large que long, *West coast king size*, couvert d'un dessus blanc, servait de lit. Un mobile de cuivre jaune bruissait au plafond. Des vêtements s'entassaient sur des chaises ; une robe pendait, jetée à la hâte, de biais, sur un valet. Deux blocs cubiques servaient de tables de nuit. Sur celui de gauche, un cadre. Un homme à la grande mâchoire osseuse et charnue, les lèvres écrasées l'une contre l'autre, les cheveux en étrille, rendit à Joël coup d'œil pour coup d'œil, l'air de dire : « Je ne suis qu'une photo et tu ne peux déjà pas soutenir mon regard. »

— Belle brute, dit Joël.

— Somptueuse, corrigea Omphale.

Sur ce point, au moins, la « forme du destin » de Frédéric Foncrest n'avait pas été observée : Pop n'avait rien de brutal ni de somptueux. Et pourtant, lui aussi, il avait quelque chose de terre à terre, d'inébranlable.

Soudain Joël eut envie d'Omphale. Elle se tenait au bord du lit bas : il n'y avait qu'à la pousser avec un doigt et, si elle résistait — il eut soudain mal aux yeux d'imaginer la scène — si elle résistait... il la prendrait de force et ce serait tant mieux. Il demeura un instant cloîtré dans ce désir, et une seule pensée l'empêcha de le réaliser : « C'est la femme de mon père. » Il revoyait les yeux noisette de Foncrest, naïfs derrière leurs lunettes d'acier. L'acte était d'autant plus impossible qu'éminemment possible. « Je me confesserai, pensa-t-il, de ce désir », lui qui, depuis des années, n'avait éprouvé le besoin de se faire absoudre d'aucun acte.

Omphale dut sentir le démon qui s'était abattu sur lui, mais elle ne bougea pas, ou peut-être même se rapprocha-t-elle un peu, par bravade. Un instant il fut désespérément seul. Et puis le démon se retira.

Au salon, Omphale reprit un *planter's punch* avec davantage de rhum. Ils se tinrent assis, en silence, prenant acte de ce qui ne s'était pas passé entre eux. Soudain elle, angoissée :

— Où est Fred ?

— Dis donc, c'est une obsession ?

— Si tu savais comme ce morpion me fatigue, tu comprendrais pourquoi je m'inquiète pour lui. Je m'inquiète de ne pas assez m'inquiéter. Fred ! Fred !!

Elle tournait en rond. Elle finit par le trouver pelotonné dans un haut fauteuil dont le dossier le cachait. Il observait avec une attention extrême le poste de télévision, qui ne fonctionnait pas.

— Qu'est-ce que tu fais là, Fred ?

Il ne détacha pas les yeux de l'écran pour répliquer, feignant l'étonnement :

— Tu ne m'as pas dit de regarder la télévision ?

— Elle est éteinte.

— Tu ne m'as pas dit de l'allumer.

Elle leva la main pour le gifler, il leva la sienne pour se protéger.

Pour la première fois de sa vie, Joël pensa avec reconnaissance à sa mère à lui. Oui, il avait reçu d'elle quelques taloches, mais comme elle avait mérité le droit d'en distribuer ! Toujours digne, jamais provocante, jamais compromise, portant des robes qui semblaient empesées, des coiffures seyantes de matrone, des bijoux de bon goût, elle revendiquait les privilèges de la mère, et elle en payait le prix. Elle ne cherchait pas à gagner sur les deux tableaux. Ces petites femelles-ci, tassées dans leur blue-jean et ne pensant qu'à leur prochain type, quel droit avaient-elles de porter la main sur un visage d'enfant ? Et même, à tout prendre, de se faire appeler « maman », de créer dans un cœur d'homme ce gigantesque appel d'air de la maternité ? Une garce ne peut pas être une maman.

Il faillit intervenir, mais déjà Omphale laissait retomber sa main dans le vide.

— Je ne supporte pas l'insolence. Attends ce soir, Fred. Ward va te dire deux mots.

Joël, horrifié :

— Ward se permettrait... ?

Que cet assommeur touche à son frère, sous prétexte de partager un *West coast king size* avec Omphale ?

Omphale l'entraîna à l'autre bout de la pièce.

— Jamais. Tu es fou. Au contraire, il le pourrit. Mais quelquefois, quand je suis dépassée, je me figure que l'image du père... « Je vais le dire à papa », comme pendant des générations... Écoute, ça ne t'ennuie pas si je vais faire une course ou deux ? Ward aime les tomates et je n'en ai plus. Fred ne te gênera pas. Je te fais un lit dans le salon ?

Il mentit :

— Non, non, j'ai un motel.

— Au moins tu dînes avec nous ?

— D'accord.

Elle s'enfuit, légère malgré son embonpoint et son boitillement. Joël la vit sauter dans une New-Yorker décapotable et démarrer.

« Il faut reconnaître qu'elle ne manque pas de chic pour traiter des situations qui, à d'autres, auraient pu paraître délicates. Mais est-elle heureuse ? Et d'abord qui est ce Ward ? » D'avance, Ward inspirait à Joël une antipathie viscérale. « C'est absurde. Je suis jaloux d'Omphale. Pas pour moi : pour lui, là-bas, qui s'en fiche bien dans sa thébaïde. »

Omphale partie, le sens du devoir s'imposa : « Je suis seul avec un enfant. Il faut m'occuper de lui. » Joël avait peur des enfants. De leur animalité, de leur intransigeance. On ne sait jamais de quelle manière ils vont transgresser les conventions qui rendent la vie supportable en société.

Il se força à contourner le fauteuil où Fred campait toujours, et s'assit par terre, sur une peau de mouton. L'enfant, penché en avant, ne quittait pas des yeux l'écran obscur.

— C'est bon ? demanda Joël en français, et cette fois Fred répliqua de même :

— Quoi ?

— Le film.

— Pas mal.

— Qui gagne ? Les cow-boys ou les Indiens ?

— Où ça ?

— Dans le film.

Le visage de l'enfant pivota. Il avait les yeux noisette de son père, mais au lieu de douceur on y lisait du mépris.

— Tu ne vois pas qu'il n'y a pas de film ?

— Il y a un film dans ta tête, dit tranquillement Joël.

Fred hésita.

— C'est les Indiens qui gagnent, mais Tim Wallace, il va arriver avec la mitrailleuse Gatling qui vient d'être inventée et il va mitrailler tous les Indiens, bien fait pour eux.

— Qu'est-ce que tu as contre les Indiens ?

Il n'y eut pas de réponse. Joël décida d'essayer un autre angle d'attaque. Il changea de position, s'étendit par terre, la tête calée sur une selle mexicaine.

— Fred, tu sais qui je suis ?

— Ouais.

— Qui ?

— Oncle Joël.

— Je ne suis pas ton oncle. Je suis ton demi-frère. Nous avons le même papa et une maman pour chacun. Tu comprends ?

— Ouais ouais.

Silence. Le dialogue ne prenait pas.

— Je me demande, dit Joël, où est mon chien.

— Tu as un chien, toi ?

— Une chienne. Elle s'appelle Oats.

— Oats est dans la salle de bain, dit Fred, mais ce n'est pas une chienne.

— Ah ! bon. Qu'est-ce que c'est ?

— Un prisonnier indien qui attend de passer au poteau de torture.

Joël, quelque peu inquiet, alla vérifier sur place et trouva le prisonnier indien endormi sur une serviette éponge.

Joël revint au salon. Il était fatigué de faire des ouvertures qui n'aboutissaient pas. « A Fred de commencer, cette fois-ci. » Et Fred commença, mais, pour bien marquer les distances, il braquait sa M 16 sur le visiteur.

— Tu habites en France, toi ?

— Non. En Amérique.

— Alors comment tu connais mon papa ?

— Parce que c'est mon papa aussi.

— Alors tu es mon quoi ?

Le ton était sardonique.

— Ton demi-frère.

— Et moi, je suis ton quoi ?

— Mon demi-frère.

L'enfant ricana, content de lui-même : l'imposteur était tombé dans le piège.

— Si tu es mon demi-frère, je peux pas être ton demi-frère.

— Pourquoi pas ?

— Omphale, elle est mon omphale, et moi, je suis son petit garçon.

Joël n'avait jamais envisagé cet aspect de la question.

— Tu as raison. On n'est jamais pour personne ce que cette personne est pour vous. Mais nous, toi et moi, on est un cas particulier.

— Un quoi ?

— Une exception. Je suis pour toi ce que tu es pour moi et tu es pour moi ce que je suis pour toi.

L'idée plut tellement à Joël qu'il continua, sans trop se soucier de logique.

— C'est parce que nous sommes des demi-frères, tu comprends ? Toi et moi, ensemble, on fait un tout. Séparément, on est les moitiés d'un tout, c'est-à-dire rien. Mais tu es mon demi et je suis ton demi.

Fred sourit de sa bouche ébréchée, narquois, pas convaincu du tout.

— Salut, Demi !

Joël rit de plaisir. Sa peur des enfants se résorbait. Celui-ci n'avait encore rien fait d'inconvenant. Joël eut soudain l'intuition de ce que c'est qu'avoir soin d'un enfant. Le nourrir, le laver : tout dégoût disparaîtrait aussitôt qu'on se sentirait responsable. Il se rappela qu'au début il éprouvait une certaine répulsion à laver Cocker Oats, et puis cela lui était passé. Quelque chose s'émut en lui et le bouleversa. Il regardait ce petit bout d'homme et se disait : « C'est mon frère. Il est sorti, comme dirait Shakespeare, des mêmes reins que moi. Il est le fils de cet homme que j'aime. » Il répondit gaiement :

— Salut, Demi.

L'enfant rit. Pour lui l'anomalie était drôle, comme sont drôles une girafe ou un kangourou.

Joël enchaîna, non sans se reprocher l'impureté de la question, mais ne pouvant s'empêcher de la poser :

— Tu aimes notre papa, Demi ?

Fred réfléchit. D'un ton boudeur :

— Il voulait pas me donner ses armes.

— Notre papa n'a pas d'armes, Demi.

— Si. Il voulait pas m'en donner. Mon Ward me donne des armes.

Joël l'aurait volontiers battu.

— Ward te donne des armes en matière plastique qui ne tuent personne. Tu ne vas tout de même pas me dire que tu aimes Ward plus que notre papa ?

Nouvelle impasse. Fred s'absorba dans la contemplation de son M 16.

Omphale et Ward revinrent en même temps. Ward conduisait une Porsche et rapportait à Fred deux revolvers à amorces,
avec des manches de fausse nacre et des ornements de faux
argent. Joël trouva son beau-père (?!) simiesque. Pourtant le
front bas, les bras longs, l'estomac un peu proéminent n'empêchaient pas Ward d'être admirablement bâti, et ses yeux bleus
s'emplissaient d'une douceur humide dès qu'ils se posaient sur
l'enfant.

Omphale fit manger Fred à la cuisine — quelques criailleries
s'en échappèrent de temps à autre — pendant que les hommes
buvaient au salon, Joël un jus de pamplemousse, Ward un
bourbon au coca-cola, essayant de nouer une conversation ami-
cale au rythme d'une phrase toutes les trois minutes. Soudain,
Joël remarqua qu'ils étaient l'un et l'autre renversés aussi loin
que possible dans leur fauteuil et qu'ils avaient étendu leurs
jambes écartées droit devant eux : il rectifia la posture, pour
n'avoir rien qui ressemblât à Ward. Oats finit par détendre un
peu l'atmosphère : quand elle sortit de la salle de bain, les yeux
insoutenables de Ward s'attendrirent, et il lui gratta longuement le pli de l'oreille de son doigt d'étrangleur.

Omphale servit le dîner. Salade de tomates. Excellents steaks.
Frites. Camembert en conserve. Glace. Beaujolais en boîtes.
L'exil, quoi.

Ward mangeait pesamment, l'avant-bras gauche sur les
genoux, le coude droit s'appropriant un large bout de table, la
bouche pleine, puis, ayant dégluti, vide, puis pleine de nouveau. Quelquefois, il se faisait servir d'un mot bref : « Le ketchup. La mayonnaise. » Omphale l'observait avec, dans ses
beaux yeux gris, un mélange d'amusement et d'adoration. Il n'y
eut pas de conversation parce que, quand Ward faisait une
chose, il n'en faisait pas une autre, et qu'Omphale paraissait
intimidée en sa présence. Joël doutait de plus en plus que ce
fût lui qui rangeât la cuisine. La maîtresse de maison décréta :

— Nous allons prendre le café au salon. A la française.

On émigra quatre mètres plus loin.

— Ne m'attendez pas, dit Joël. Je vais donner à manger à
Oats.

Il avait accepté le steak gargantuesque de Ward, mais il répugnait à laisser Oats profiter de son hospitalité. Il alla chercher deux boîtes de croquettes pour chien dans la voiture et les déversa dans une vieille casserole qu'Omphale lui prêta. Quand Oats eut fini, il lava la casserole avec du Clorox. Puis il retourna au salon.

— Ward s'excuse, dit Omphale. Il est allé se coucher. Il était fatigué.

Joël crut volontiers que Ward était allé se coucher et admit qu'il eût été fatigué ; pour le reste, Omphale mentait : un Ward ne s'excuse pas.

— Viens dehors, proposa Omphale. A cette heure-ci, il fait bon. Je vais apporter le cognac. Du cognac français, précisa-t-elle pitoyablement.

Ils s'installèrent sur la terrasse de bois, qui sonnait creux sous les pieds. Sans lumière, pour ne pas attirer les insectes. C'était reposant d'échapper au ronflement exacerbé des climatiseurs. Un autre bruit cependant, à peine perceptible, qui deviendrait effrayant s'il se rapprochait, roulait dans le lointain.

— Qu'est-ce que c'est, Omphale ?

— Le Pacifique.

Elle parlait d'une voix paresseuse, qui seyait à la tiédeur épuisée de l'air. La pointe de sa cigarette dans la nuit faisait penser au feu arrière d'une voiture borgne.

— C'est vraiment le bout du monde, dit Joël.

Elle secoua la tête.

— De notre monde, Joël. La terre tourne ! Tu as déjà pensé que si on restait suspendu dans l'air, sans bouger, on arriverait tout de même de Bagdad à San Francisco ? Pour nous, ici, oui, c'est le bout. Mais l'histoire est comme un cyclone : elle a un centre qui se déplace. Il se trouve que c'est d'est en ouest. Le temps qu'elle franchisse le Pacifique, ce sera le tour des Chinois.

— Les Chinois ont déjà eu leur tour.

— Alors des Sibériens. Une spirale, tu sais ? Comme celle qu'on fait quand on pèle une orange avec le couteau et la fourchette... Le général m'a appris.

Joël sourit dans la nuit. Omphale parlait vraiment à la manière de Foncrest ; il n'allait pas lui en faire la remarque une deuxième fois.

Elle sirotait son cognac.

— Je regrette que tu n'aies pas eu l'occasion d'apprécier Ward. C'est le premier homme que j'aie rencontré qui fasse des choses. Je ne sais pas lesquelles, mais dangereuses. Tu ne l'as pas vu nu : dix-sept cicatrices, je les ai comptées. Il a pu te paraître un peu mufle. A l'ambassade, le général l'avait pris en grippe. Ça m'est égal. Ce sont des hommes comme lui qui feront fructifier la planète. Il est sombre, il est angoissé, il y a en lui un grand rêve de violence, tout ça, c'est vrai, mais il agit. Tu crois que Richard Cœur de Lion dansait le menuet ?

« En Europe, on ne peut plus agir. Tu n'as pas senti ça ? Ce n'est pas qu'on ne veuille pas. La qualité des cœurs est la même. Mais le centre du cyclone s'est déplacé. Nous autres, qui serions capables, nous ne pouvons plus que pourrir sur pied. Alors pourquoi ne pas ajouter nos forces à des forces qui ont encore la liberté de s'exercer ? Le sens de l'histoire, c'est qu'il faut la freiner quand elle est emballée. Ward dit qu'il faut avoir une génération d'avance sur son époque. Ici, c'est possible ; on est assez à l'ouest pour pouvoir anticiper. On patine avec ses pieds, et on retarde la rotation de la sphère terrestre.

— Retarder ? Pour quoi faire ?

— Je sais : retarder, ça ne fait pas bien, ça ne fait pas jeune. En réalité, c'est le contraire : pour prolonger la jeunesse du monde, il faut la retenir. On patine avec ses semelles parce que, quand ça tourne trop vite, c'est la barbarie renouvelée à chaque instant. Il ne peut y avoir de civilisation que si le mouvement est ralenti, si la croissance, la floraison ont leurs chances... Il n'y a que les vieux défaitistes qui acceptent l'accélération du temps et qui, sous prétexte de témoigner pour le passé, basculent la tête la première dans le grand trou, avec, je te l'accorde, une suprême élégance. Mais s'ils ont tout investi pour témoigner et rien pour maintenir, ça nous fait une belle jambe, à nous autres, qui venons après !

« Écoute, moi j'adore aller au restaurant avec un monsieur qui sait qu'il doit entrer le premier et que je ne dois pas parler au maître d'hôtel. Mais pour que ça ait un sens, il faut qu'on y aille, au restaurant, et si c'est une fois par an, désolée, je préfère deux fois par semaine avec un pignouf qui me pousse au der-

rière pour que je passe la première et dit d'un ton reproche :
" Demandez ce qu'elle veut à la dame. "

« Je te choque ? Tu comprends bien qu'il ne s'agit pas de restaurants. Moi, je peux vivre de pâtes à l'eau, mais je veux vivre !

Joël ne répondait rien. Elle repoussa l'objection qu'il ne faisait pas.

— Ou alors sentir que ça vit autour de moi, que ça grouille.
Tu te demandes : Qu'est-ce qu'elle fait, avec son Amerloque
patibulaire ? Pour l'instant, je ne fais pas grand-chose, je sais, il
m'arrive même de suffoquer un peu. Mais c'est temporaire. Je
n'ai pas le droit de t'en dire plus. Enfin tu devines ? J'essaie de
persuader Ward de me faire engager dans sa boîte.

Elle avait baissé la voix. Joël leva son verre :

— A la santé de Mata Hari.

Omphale sourit distraitement. Elle était lancée.

— Lui, tu te rends compte qu'il ne me laissait pas travailler.
Il me disait froidement : « Je vous interdis. » Au début, pauvre
gourde, ça me plaisait d'avoir un seigneur et maître. Libéral,
avec ça : il m'a encouragée à finir mes études. Mais quand j'ai
voulu gagner un peu de beurre à faire fondre dans les poireaux : « Je vous avais avertie de la maigreur de mes moyens. »
Il ne s'agit pas de vos moyens, Frédéric ! Il s'agit de moi ! Je ne
peux tout de même pas passer mes journées dans ce taudis ! « Il
n'est pas convenable que Mme Foncrest reçoive les ordres d'un
sous-chef de bureau. »

Elle était drôle dans son numéro d'imitation, l'index levé
quand il fallait. L'odeur des fleurs était vraiment trop sucrée.

— Bref, je n'ai pas tenu. Qui voudrait me jeter la pierre,
qu'il essaie de vivre quinze jours avec ton adorable père que
j'adore toujours, je te l'ai dit.

Ward avait éteint dans la chambre. Omphale irait se coucher
près de lui à tâtons.

— Je n'ai pas la moindre intention de te jeter la pierre, dit
Joël — il toucha du bout des lèvres le cognac qui le brûla —
mais je voudrais que tu me donnes Fred.

La première surprise passée, il y eut une cascade d'argu-
ments défensifs que Joël tira à vue, comme ils venaient, telles
des fusées interstellaires dans un jeu électronique.

— On ne donne pas un enfant. — Il n'y a pas de loi qui l'interdise. — Je suis sa mère. — Il te casse les pieds. — Il a besoin de sa maman. — Tu ne lui donnes plus le sein. — Il ne te connaît pas. — Nous nous plaisons bien. — Tu es un homme seul. — Justement. — Et si tu te maries ? — Tu concubines bien. — S'il n'est pas heureux ? — Je te le ramènerai. — Si tu en as assez ? — C'est mon problème. — Que dira son père ? — Il ne sera pas contre. — Que dira Ward ? — Nous y voilà.

Joël démontra qu'il n'était pas bon pour Ward de s'attacher à un enfant qui n'était pas le sien, qu'il y aurait des conflits plus tard s'il devenait père à son tour ; d'ailleurs, son affection pour Fred, si réelle qu'elle fût, n'était pas de grande qualité : il prodiguait les cadeaux, mais que donnait-il de lui-même à cet enfant ? D'un autre côté, Omphale ne pourrait jamais être sûre des sentiments que lui portait Ward tant que Fred serait dans leurs jambes : « Je me suis demandé s'il ne te gardait pas un peu pour garder Fred. Comme ça, tu saurais à quoi t'en tenir. »

Argumentation contradictoire mais apparemment efficace. Omphale avait dû déjà se poser cette question car elle s'assombrit. Joël tira sa dernière cartouche :

— Et puis, pour jouer les belles espionnes, un mouflet, ça ne s'impose pas.

— C'est très simple. Je vais demander à Fred ce qu'il en pense.

— Et s'il accepte de partir avec moi ?

— Tu peux le prendre. Évidemment, je viendrai le voir de temps en temps.

— Quand tu voudras. Nous ne sommes pas en train de divorcer, toi et moi.

— Bien. Nous verrons ça demain matin.

— Je préférerais tout de suite.

— Il dort.

— Nous le réveillerons.

— Et Ward ?

— En quoi cela regarde-t-il Ward ? Tu le lui diras demain. De cette manière, tu seras certaine que, dans une affaire qui ne concerne que toi, tu ne te seras pas laissé indûment influencer par lui. Le ketchup ! La moutarde ! Pour une fois, tu ne les auras pas passés.

Jamais Joël n'avait usé de tant de fourberie. Omphale eut un dernier scrupule :

— Et si tu avais d'autres enfants, toi ?

Il se força à un aveu qu'il n'avait jamais fait à personne. L'humiliation en était insupportable, mais, si c'était le prix, il paierait. Il paierait *cash*.

— Je n'aurai jamais d'enfants, Omphale. C'est impossible.

Il s'était condamné à mort en prononçant ces mots. Tant que la chose n'était pas dite, elle pouvait être reprise au destin, mais maintenant il l'avait entérinée. Il mourrait. Il était déjà mort. Il ajouta légèrement :

— On croirait que je te propose l'irrémédiable. Il s'agit simplement de savoir si Fred aimerait venir passer quelques semaines dans l'Est avec son demi-frère.

XXI

Il y a deux âges dans l'enfance. Ce fut cette nuit-là que j'entrai dans le second, celui qu'on appelait jadis l'âge de raison, et pour lequel, d'après mon vieux professeur Volsky, il n'y a de mot propre dans aucune langue sauf le russe : un *otrok*, prétend-il n'est pas encore un adolescent, mais ce n'est plus un enfant. Dans l'Église traditionnelle, à cette cassure d'âge était liée l'idée de Confirmation. Mais ils ont changé tout cela, comme dans Molière.

Je me rappelle parfaitement la scène.

Je suis couché dans mon petit lit, qui me paraissait grand. Eux, ils se tiennent au-dessus de moi, penchés, un de chaque côté, comme les tenants dans les armoiries. J'ai le sentiment de disposer d'une puissance prodigieuse : il dépend de moi de renvoyer ce rêve dans le royaume des rêves d'où il vient ou de le laisser entrer dans la république de la réalité, c'est-à-dire de lancer l'univers sur une orbite différente, bien que je sois moi-même dans l'univers, mais le pilote ne dirige-t-il pas le vaisseau cosmique ? Toutes les nuits je m'endormais en jouant à être aux commandes d'un char, d'un avion ou d'un sous-marin, et voilà, c'était arrivé.

— Fred, est-ce que tu veux aller passer quelque temps en Georgie avec ton oncle Joël ? demande Omphale.

C'était elle qui voulait se faire appeler « Omphale », et moi, j'ai longtemps cru que tous les enfants avaient un papa, une omphale et un ward.

Je réponds sans hésiter, pour voir si la proposition est sérieuse :

— Oui, si je peux emporter mes armes.

Demi rit, Omphale dit :

— Tu ne vas pas t'ennuyer sans Omphale ?

Je la regarde dans les yeux et, tout bien considéré, j'opine :

— Non.

Après cela, nous avons entassé mes fusils, mes bateaux, mes troupes dans des cartons. Des ailes d'avion se cassaient ; cela m'était égal. C'était drôle de manigancer cela en pleine nuit, tous les trois, d'autant plus qu'il ne fallait faire aucun bruit. Je devinais que c'était pour ne pas réveiller Ward, mais je jouais à imaginer que mon armée allait attaquer par surprise, au petit matin, et que, pour cela, il fallait la transporter en secret d'un front sur l'autre. Oats gambadait autour de nous, avec cet air fantomatique que les chiens prennent la nuit.

Oats, Demi et moi, nous sommes montés dans l'Oldsmobile. Elle sentait la matière plastique qui a commencé à fondre et s'est arrêtée à temps. Je jouais toujours. Nous étions dans une soucoupe volante qui allait bombarder l'ennemi avec des lasers : excellente préparation pour l'offensive de demain. Je me suis endormi sur le siège arrière.

Demi m'a réveillé une ou deux heures après notre départ, et nous sommes descendus dans un motel. Avec des ruses de Sioux, nous avons introduit Oats dans la chambre. Elle a bu dans le lavabo, debout sur une chaise. Il y avait deux grands lits : un pour Demi, un pour moi. Nous étions à égalité. Il m'a bordé plus soigneusement que mon omphale ne l'avait jamais fait, et comme il a continué à le faire pendant des années. Il s'est perché sur le bord du matelas.

— Dis-moi, Demi, qu'est-ce que c'est que cette histoire d'armes que le paternel ne voulait pas te donner ?

Je ne connaissais pas l'expression « le paternel » ; elle m'a fait rire. Mais j'ai répondu — moi, qui viens d'en mettre plein la vue au jury avec ma thèse sur *Théologie et psychanalyse de l'héraldique* — j'ai répondu :

— Il ne voulait pas me donner une arme pour enquerre les gens.

Demi était si drôle avec son pyjama rose et ses bras pendant entre ses jambes. Il avait l'air plus vieux comme ça qu'habillé. Il m'a demandé :

— Qu'est-ce que ça veut dire : enquerre les gens, Demi ?

Pour moi, cela signifiait tuer sans tuer, tuer à fond, mais sans qu'il y paraisse. Pas le genre de chose qu'on peut expliquer à un adulte. C'était pourtant si clair : enquerre ! J'ai secoué la tête et j'ai menti :

— Je sais pas.

Demi marchait à travers la chambre, les mains dans le dos, la taille voûtée, trois cheveux en épi sur le haut du crâne.

— Après tout, a-t-il dit d'un ton soucieux, il y a peut-être un autre refuge pour le passé.

Ça m'était égal de ne pas comprendre ce qu'il racontait. Soudain il s'est planté devant moi :

— Bon, eh bien, ces armes à enquerre, quand tu en demandais une, qu'est-ce qu'il te répondait ?

J'ai essayé de me souvenir. Je ne me suis rappelé qu'une seule fois. Quand il y avait des vieux en visite.

— Il me répondait : il faut pas interrompre les grandes personnes.

— Il avait parfaitement raison, a dit Demi en levant l'index.

L'impression de ce livre
a été réalisée sur les presses
des Imprimeries Aubin
à Poitiers/Ligugé

pour les Éditions Julliard

Achevé d'imprimer en octobre 1985
No d'édition, 4770 — No d'impression, L 20575
Dépôt légal, octobre 1985

Imprimé en France